LA DÉMISSION DE MONTALBANO

ANDREA CAMILLERI

LA DÉMISSION DE MONTALBANO

Traduit de l'italien (Sicile)
par Catherine Siné et Serge Quadruppani
avec l'aide de Maruzza Loria

Texte proposé par Serge Quadruppani

FLEUVE NOIR

Cet ouvrage est paru sous le titre
Gli arancini di Montalbano
Publié pour la première fois
par Mondadori, Milano (Italie)

© 1999, Mondadori Editore, S.p.A., Milano

© 2001, Éditions Fleuve Noir, département d'Univers Poche

pour la traduction française

ISBN : 2-265-07029-7

A 72 ans, cet ami de Leonardo Sciascia a derrière lui une longue carrière à succès de metteur en scène pour le théâtre, la radio et la télévision pour laquelle il a adapté Maigret.

Auteur de poèmes et de nouvelles, Andrea Camilleri s'est mis à écrire sur le tard dans la langue de cette Sicile qu'il a quittée très tôt pour y revenir sans cesse.

Depuis trois ans, la rumeur d'abord, puis l'intérêt des médias ensuite, ont donné naissance en Italie à ce qu'on appelle le « phénomène » Camilleri : ses derniers livres sont en tête des ventes en Italie, dont *La Voix du violon* vendu à 250 000 exemplaires.

En 2000, Camilleri a reçu le Grand Prix des lecteurs des Bibliothèques de la Ville de Paris pour *Chien de faïence*.

Avertissement du traducteur

Une bonne part de l'immense succès remporté par Andrea Camilleri tient à son usage si personnel de la langue, et en particulier, à l'usage d'un parler régional sicilien.

L'inversion du sujet et du verbe, les déformations lexicales, l'utilisation singulière du passé simple, caractéristique de cet italo-sicilien, ont été transposées pour tenter de faire percevoir au lecteur français la sensation d'étrange familiarité qu'éprouve le lecteur italien de Camilleri.

Pour plus d'informations sur l'auteur et les problèmes posés par la traduction, on se reportera à la préface de *La Forme de l'eau*.

La répétition générale

La nuit était vraiment dégueulasse, des rafales de vent enragées alternaient avec de rapides averses d'eau si malintentionnées qu'elles semblaient vouloir s'infiltrer sous les toits. Montalbano était rentré chez lui depuis un petit moment, fatigué : la besogne de la journée avait été dure et surtout pénible pour la tête. Il ouvrit la porte-fenêtre qui donnait sur la véranda : la mer s'était mangé la plage et touchait presque la maison. Non, ce n'était vraiment pas une bonne idée ; l'unique chose à faire était de se prendre une douche et d'aller se coucher avec un bouquin. Oui, mais lequel ? Pour choisir le livre avec lequel il allait passer la nuit et partager son lit et ses dernières pensées, il était bien capable d'y perdre une heure. D'abord, il y avait le choix du genre, le mieux adapté à l'humeur de la soirée. Un essai historique sur les événements du siècle ? Allons-y doucement : avec tous ces révisionnismes à la mode, tu pouvais tomber sur un type qui venait te raconter qu'en réalité Hitler avait été payé par les juifs pour qu'ils deviennent des victimes que le monde entier plaindrait. Alors tu te prenais les nerfs et tu ne fermais plus l'œil. Un polar ? Oui, mais de quel type ? Peut-être qu'un anglais, pour l'occasion, était indiqué, un de ces romans écrits de préférence par une femme, tout en entrelacs d'états d'âme mais où tu en as déjà marre au bout de trois pages. Il tendit la main pour en prendre un qu'il n'avait pas encore lu et à cet instant le téléphone sonna. Bon Dieu ! il avait oublié de téléphoner à Livia ; c'était sûrement elle qui appelait, inquiète. Il décrocha le récepteur.

— Allô ? Je suis chez le commissaire Montalbano ?

— Oui, qui est à l'appareil ?

— C'est Genco Orazio.

Et que voulait Orazio Genco, cambrioleur quasi septuagénaire ? A Montalbano, ce voleur qui n'avait jamais eu de sa vie un geste violent lui était sympathique et l'autre, cette sympathie, il la sentait.

— Qu'est-ce qu'il y a, Orà ?

— Faut que je vous parle, *dottore*.

— C'est du sérieux ?

— *Dottore*, je sais pas comment vous expliquer. C'est un truc bizarre, j'arrive pas à y croire. Mais vous-même, il vaut mieux que vous le sachiez.

— Tu veux venir chez moi ?

— Oh que oui.

— Et comment tu viens ?

— A vélo.

— A vélo ? En plus que tu vas te choper une pneumonie, t'arrives ici que c'est déjà le matin.

— Et alors comment on fait ?

— D'où tu m'appelles ?

— De la gabine qui est à côté du monument aux morts.

— Attends-moi là, au moins tu te reposes. Je prends la voiture et je suis là dans un quart d'heure. Attends-moi.

Il arriva un peu plus tard que prévu parce que, avant de sortir, il avait eu une bonne idée : remplir un thermos de café brûlant. Assis dans la voiture à côté du commissaire, Orazio Genco s'en siffla un plein gobelet en plastique.

— Un refroidissement, je me suis chopé.

Il fit claquer sa langue, heureux.

— Et maintenant il faudrait une bonne cigarette.

Montalbano lui tendit le paquet et la lui alluma.

— Autre chose ? Orà, tu m'as fait courir jusqu'ici parce que t'avais envie d'un café et d'une cigarette ?

— Commissaire, cette nuit j'ai été à voler.

— Et moi je t'arrête.

— Commissaire, je m'exprime mieux : cette nuit j'avais l'intention d'aller à voler.

— Tu as changé d'idée ?

— Oh que oui.

— Et pourquoi ?

— Maintenant je vous le raconte. Jusqu'à y a quelques années, je besognais dans les villas du bord de mer, quand les propriétaires partaient parce que le mauvais temps arrivait. Maintenant les choses ont changé.

— Dans quel sens ?

— Dans le sens que les villas ne sont plus inhabitées. Maintenant les gens y z'y sont même en hiver ; de toute façon, avec les autos, ils vont où ils veulent. Et alors pour moi, c'est devenu pareil d'aller à voler en ville ou dans les villas.

— Cette nuit, où es-tu allé ?

— En ville, là-bas. Vous-même vous connaissez l'atelier mécanique qui répare les voitures de Giugiù Loreto ?

— Celui sur la route de Villaseta ? Oui.

— Juste au-dessus de l'atelier, il y a deux appartements.

— Mais c'est chez des pauvres bougres ! Qu'est-ce que tu vas à y voler ? Une télé esquintée en noir et blanc ?

— *Commissà*, je vous demande bien pardon. Mais vous le savez qui habite un des deux appartements ? Tanino Bracceri, il y habite. Que vous-même connaissez certainement.

Tu parles qu'il le connaissait, Tanino Bracceri ! Un quinquagénaire fait rien que de cent kilos de merde et de lard rance, que par rapport à lui, un porc engraissé pour l'abattoir avait l'air d'un top model. Un usurier obscène qu'on disait qu'il se faisait parfois payer en nature, gamins ou gamines, peu importait le sexe, malheureux enfants de ses victimes. Montalbano n'avait jamais réussi à mettre la main dessus, chose qu'il aurait faite avec satisfaction, mais il n'y avait jamais eu de plaintes précises. L'idée qu'avait eue Orazio Genco d'aller à voler Tanino Bracceri reçut l'approbation inconditionnelle du tuteur de l'ordre et de la loi, le commissaire Montalbano, *dottore* Salvo.

— Et pourquoi tu l'as pas fait ? Si tu l'avais fait, peut-être bien que je t'arrêtais pas.

— Je sais que Tanino va dormir tous les soirs à dix heures tapantes. Dans l'autre appartement, sur le même palier, habite un couple de vieux qu'on voit jamais sortir dans la rue. Ils font une vie retirée. Deux retraités, mari et femme. Di Giovanni, ils s'appellent. Moi, donc, j'y allais tranquille, aussi parce que je savais que Tanino se bourre de somnifères pour trouver le sommeil. Je suis arrivé devant l'atelier mécanique, j'ai attendu un peu ; avec ce temps, il passait pas un chat, j'ai ouvert la porte d'entrée à côté de l'atelier et en un instant je suis rentré. L'escalier était dans le noir. Je me suis allumé ma lampe et je suis grimpé tout doucement. Sur le palier, je sortis mes outils. Et je m'aperçus que la porte des Di Giovanni était juste poussée. J'ai pensé que les deux vieux avaient oublié de la fermer. Cette histoire me préoccupait ; avec la porte ouverte, peut-être qu'ils pouvaient entendre du bruit. Alors je me suis approché de la porte, j'avais pensé la refermer doucement. Sur la porte, un papier était punaisé, un petit mot comme ceux où est écrit « je reviens de suite » ou un truc comme ça.

— Et en fait, sur celui-là, qu'est-ce qui était écrit ?

— Maintenant je m'en rappelle pas. Il n'y a qu'un seul mot qui me revient : générale.

— Lui là, celui qui habite là, Di Giovanni, c'est un général ?

— Je le sus pas, c'est possible.

— Continue.

— J'allais fermer tout doucement, mais la tentation

d'une porte à moitié ouverte était trop forte. L'entrée était dans le noir, pareil pour la chambre à manger et le salon. Mais dans la chambre à dormir, il y avait de la lumière. Je me suis approché de la porte et ça m'a flanqué un coup. Sur le grand lit, tout habillée, il y avait une femme morte, une vieille.

— Comment t'as fait pour comprendre qu'elle était morte ?

— Commissaire, elle avait les mains sur la poitrine et on lui avait entortillé un chapelet entre les doigts et puis on lui avait mis un foulard noué sur la tête pour lui maintenir la bouche. Elle avait les yeux fermés. Mais c'est pas le plus beau. Au pied du lit, il y avait une chaise et sur cette chaise, un homme qui me tournait le dos. Y chialait, le pauvre bougre. Ça devait être le mari.

— Orà, t'as eu la poisse, qu'est-ce que tu veux y faire ? Il était en train de veiller sa femme morte.

— Bien sûr. Mais à un certain moment, il prit un truc que évidemment il gardait sur ses jambes et il se le pointa sur la tête. Un revolver que c'était, commissaire.

— Nom de Dieu. Et toi, qu'est-ce que t'as fait ?

— Heureusement, alors que je savais pas quoi penser, l'homme parut changer d'avis, il a laissé retomber son bras avec l'arme ; peut-être qu'au dernier moment, le courage lui a manqué. Alors je suis retourné en arrière sans me faire entendre ; je suis revenu dans l'entrée et je suis sorti de la maison, en claquant la porte si fort qu'on aurait dit un coup de canon. Comme ça, ça allait lui passer pendant quelque temps la pinsée de se tuer. Et j'ai téléphoné à vosseigneurie.

Montalbano ne parla pas tout de suite ; il se mit à réfléchir. A présent, le veuf s'était déjà probablement flingué. Ou bien il était encore là, tiraillé entre rester en vie et aller voir ailleurs. Il prit une décision. Il démarra.

— Où va-t-on ? demanda Orazio Genco.

— Au garage de Giugiù Loreto. Où as-tu laissé ton vélo ?

— Vous inquiétez pas, il est attaché à un poteau.

Devant le garage, Montalbano s'arrêta.

— C'est toi qui as fermé la porte d'entrée ?

— Oh que oui, quand je suis venu vous téléphoner.

— Tu as l'impression qu'il y a de la lumière aux fenêtres ?

— On dirait pas.

— Ecoute-moi, Orà : tu descends, tu ouvres la porte, tu entres et tu vas voir ce qui se passe dans cette maison. Ne te fais pas repérer, quoi que tu voies.

— Et vous-même ?

— Je fais le pet.

A force de rire, Orazio fut pris d'une quinte de toux. Quand il fut calmé, il descendit de l'auto, ouvrit en une seconde la porte d'entrée et la referma derrière lui. Il ne pleuvait plus, mais en revanche le vent avait forci. Le commissaire s'alluma une cigarette. Moins de dix minutes plus tard, Orazio Genco réapparut ; il referma la porte, traversa la route en courant, ouvrit la portière et entra. Il tremblait, mais pas de froid.

— Fichons le camp.

Montalbano obéit.

— Qu'est-ce que tu as ?

— Je me suis pris une sacrée frousse.

— Alors, accouche !

— Je trouvai la porte fermée, je l'ouvris et…

— Le bout de papier y était encore ?

— Oh que oui. Je suis rentré. Tout était comme avant, il y avait toujours de la lumière dans la chambre à coucher. Je me suis approché… Commissaire, la morte était pas morte !

— Qu'est-ce que tu racontes ?!

— Je dis ce que je dis. Le mort, c'était lui, le général. Etendu sur le lit comme sa femme était avant, avec le rosaire, le foulard.

— Tu as vu du sang ?

— Oh que non, le visage du mort m'a paru propre.

— Et la femme, l'ex-défunte, qu'est-ce qu'elle faisait ?

— Elle était assise sur la chaise au pied du lit et se braquait un pistolet sur la tête, en chialant.

— Orà, t'es pas en train de galéjer, hein ?

— Commissaire, quelle raison j'aurais ?

— Allez, je te raccompagne chez toi. Laisse tomber le vélo, il fait froid.

Deux vieilles personnes, mari et femme, sont-elles libres de faire la nuit chez elles tout ce qui leur passe par la tête ? Se déguiser en Indiens, marcher à quatre pattes, se pendre au plafond la tête en bas ? Evidemment, elles le sont. Et alors ? Si Orazio Genco n'avait pas été pris de scrupules, lui, de toute cette histoire, il n'en aurait rien su et il aurait dormi, serein et tranquille, ses trois heures de sommeil qui lui restaient au lieu de virer et tourner dans le lit comme il était en train de le faire en pestant, de plus en plus énervé. Y avait pas moyen : il se comportait devant une histoire qui clochait comme Orazio Genco devant une porte entrouverte, il devait entrer à l'intérieur, découvrir le pourquoi du comment. Que pouvait bien signifier cette espèce de cérémonie ?

— Fazio ! Ici tout de suite au galop ! dit Montalbano en entrant dans son bureau.

La matinée était pire que la nuit, sombre et froide.

— *Dottore*, Fazio n'est pas là, dit Gallo en se présentant.

— Et où est-il ?

— Cette nuit il y a eu une fusillade, ils ont tué un des Sinagra. C'était prévu, vous savez comment c'est : une fois un d'une famille, la fois d'après, un de l'autre famille.

— Augello est avec Fazio ?

— Oh que oui. Ici, il y a Galluzzo, Catarella et moi.

— Ecoute, Gallo, tu le sais toi où est le garage de Giugiù Loreto ?

— Ouim'sieur.

— Au-dessus du garage, il y a deux appartements. Dans un, c'est Tanino Bracceri qui y habite, dans l'autre, un couple de vieillards. Je veux tout savoir sur eux. Vas-y tout de suite.

— Donc, *dottore*. Lui, il s'appelle Di Giovanni Andrea, quatre-vingt-quatre ans, retraité, né à Vigàta. Elle, c'est Zaccaria Emanuela, née à Rome, quatre-vingt-deux ans, retraitée. Ils n'ont pas d'enfants. Ils mènent une vie retirée, mais ils ne doivent pas se débrouiller trop mal, vu que tout l'immeuble est propriété de Di Giovanni ; son père le lui a laissé en héritage. Il a vendu l'appartement à Tanino Bracceri, mais il a gardé celui où il habite et l'atelier qu'il loue à Giugiù Loreto. Avant ils vivaient à Rome ; depuis une quinzaine d'années, ils ont emménagé ici.

— Lui, il était général ?

— Qui ?

— Comment qui ? Ce Di Giovanni, il était général ?

— Mais jamais de la vie ! Ils étaient acteurs, le mari comme la femme. Giugiù m'a dit que tout le salon est plein de photos de théâtre et de cinéma. Ils ont raconté à Giugiù qu'ils ont besogné avec les plus grands acteurs, mais toujours comme... attendez que je regarde, que je me le suis écrit, voilà... seconds rôles.

A l'évidence, ils continuaient à s'exercer. Ou bien ils se repassaient de vieilles scènes jouées Dieu sait quand. Peut-être qu'ils répétaient la scène où ils avaient remporté le plus grand succès de toute leur carrière, celle où ils avaient reçu le plus d'applaudissements... Eh non. C'était impossible : l'échange des rôles n'avait pas de sens. Il devait bien y avoir une explication et Montalbano voulait l'avoir. Quand il se fichait un truc dans le crâne, il n'y avait rien à faire. Il devait trouver une excuse pour parler avec les époux Di Giovanni.

La porte battit violemment contre le mur, le commissaire sursauta et retint à grand-peine une furieuse envie de meurtre.

— Catarè, je t'ai dit mille fois…

— Je demande pardonnement, *dottori*, mais la main m'a échappé.

— Qu'est-ce qu'il y a ?

— *Dottori*, il y a Genico Orazio, le voleur, qu'y dit qu'y veut vous parler pirsonnellement en pirsonne. Peut-être qu'y veut se constitutionner.

— Constituer, Catarè. Fais-le entrer.

— Vous le savez que cette nuit j'ai pas dormi ? dit Orazio Genco en entrant.

— Moi non plus, si c'est pour ça. Qu'est-ce que tu veux ?

— Commissaire, il y a une petite demi-heure, je prenais un café avec un ami que les carabiniers ont arrêté et qui s'est fait trois ans de prison. Et il me disait : « Sans preuves, ils m'ont mis au trou ! Je répète et je re-répète ! Sans preuves ! » Alors ce mot, « répète », ça m'a fait revenir en tête ce qui était sur le papier accroché à la porte des deux vieux. Il y avait écrit, maintenant je m'en rappelle bien : « Répétition générale ». C'est pour ça que j'ai pensé que lui, c'était peut-être un général.

Il remercia Orazio Genco qui s'en alla. Peu après survint Fazio.

— *Dottore*, vous m'avez cherché ce matin ?

— Oui. Tu étais parti avec Mimì pour ce crime. Mais je voudrais juste savoir une chose : comment ça se fait que ni toi ni le *dottor* Augello vous n'ayez daigné m'avertir qu'il y avait un mort ?

— *Dottore*, qu'est-ce que vous racontez ? Vous le savez combien de fois on a appelé chez vous, à Marinella ? Mais vous, vous n'avez pas répondu. Qu'est-ce qu'il y avait, le téléphone était débranché ?

Non, le téléphone n'était pas débranché. Il était dehors, à faire le guet pour un cambrioleur.

— Parle-moi de ce petit meurtre, Fazio.

Le mort assassiné le tint occupé jusqu'à cinq heures de l'après-midi. Puis l'histoire des Di Giovanni lui revint d'un coup à l'esprit. Et le préoccupa. Ceux-là, sur leur porte, ils avaient écrit qu'ils étaient en train de faire une répétition générale. Ce qui signifiait donc que le lendemain allait avoir lieu le spectacle. Qu'est-ce que c'était, pour les Di Giovanni, ce spectacle ? Peut-être l'exécution de ce qu'ils avaient répété la nuit d'avant, c'est-à-dire une mort et un suicide véritables ? Il s'inquiéta et attrapa l'annuaire.

— Allô, monsieur Di Giovanni ? Le commissaire Montalbano je suis.

— Oui, je suis Andrea Di Giovanni, je vous écoute.

— J'aurais besoin de vous parler.

— Mais vous, quel commissaire vous êtes ?

— De police.

— Ah. Et que me veut la police ?

— Absolument rien d'important. Il s'agit d'une curiosité toute personnelle.

— Et qu'est-ce que c'est, cette curiosité ?

Et là, l'idée lui vint.

— J'ai appris, tout à fait par hasard, que vous avez été acteurs.

— C'est vrai.

— Voilà, je suis passionné de théâtre et de cinéma. Je voudrais savoir…

— Soyez le bienvenu, commissaire. Dans ce village, il n'y en a pas un, je dis bien pas un, qui comprenne quoi que ce soit au théâtre.

— Dans une heure au plus tard, je suis chez vous, ça vous va ?

— Quand vous voulez.

Elle, on aurait dit un oisillon déplumé tombé du nid, lui, une espèce de saint-bernard pelé et à moitié aveugle. La maison était briquée, parfaitement rangée. Ils le firent asseoir sur un petit fauteuil ; eux, en revanche, ils se mirent tout près l'un de l'autre sur le canapé, leur position coutumière quand ils regardaient la télévision qui était en face. Montalbano fixa des yeux une photo parmi la centaine qui couvrait les murs et dit : « Mais ce n'est pas Ruggero Ruggeri dans *La Volupté de l'honneur* de Pirandello ? » Et de ce moment-là, ce fut comme une avalanche de noms et de titres : Sem Benelli et *La cena delle beffe*, encore Pirandello avec *Six personnages en quête d'auteur*, Ugo Betti et *Corruzione a Palazzo di giustizia*, mêlés à Ruggeri, Ricci, Maltagliati, Cervi, Melnati, Viarisio, Besozzi… La cavalcade dura une heure et quelque, avec, pour finir, Montalbano intronisé et deux vieux acteurs heureux et rajeunis. Il y eut une pause durant laquelle le commissaire accepta volontiers un verre de whisky, visiblement acheté en vitesse par M. Di Giovanni pour l'occasion. A la reprise, on parla en revanche du cinéma que les deux vieillards tenaient en piètre considération. Et pire encore, la télévision :

— Mais vous le voyez, commissaire, ce qu'ils passent ? Des variétés et des jeux. Quand ils font du théâtre, chaque fois qu'il leur tombe un œil, c'est à pleurer.

Et maintenant, le sujet « spectacle » étant épuisé, Montalbano devait forcément poser la question pour laquelle il s'était présenté dans cette maison.

— Hier soir, dit-il en souriant, j'étais là.

— Là, où ?

— Sur votre palier. J'avais été appelé par M. Bracceri pour un problème qui s'est ensuite avéré sans importance. Votre porte était restée ouverte et je me suis permis de la fermer.

— Ah, c'était vous.

— Oui, et je m'excuse d'avoir peut-être fait un peu trop de bruit. Mais il y a une chose qui a piqué ma curiosité. Sur votre porte, avec une punaise, je crois, il y avait accroché un bout de papier avec écrit dessus : répétition générale.

Il sourit et prit un air détaché.

— Qu'est-ce que vous répétez de beau ?

Ils devinrent tout à coup sérieux, se rapprochant encore plus l'un de l'autre ; avec un geste très naturel, répété des milliers de fois, ils se prirent par la main et se regardèrent. Puis Andrea Di Giovanni dit :

— Notre mort, nous répétions.

Et tandis que Montalbano restait pétrifié, il ajouta :

— Mais ce n'est pas un scénario, hélas.

Et cette fois, ce fut elle qui parla.

— Lorsque nous nous sommes mariés, j'avais dix-neuf ans et lui vingt-deux. Nous avons toujours été ensemble, nous n'avons jamais accepté d'engagements dans deux troupes différentes et pour cette raison, parfois, nous avons tiré le diable par la queue. Et puis quand nous avons été trop vieux pour travailler, nous nous sommes retirés ici.

Lui poursuivit.

— Depuis quelque temps, nous éprouvons des malaises. C'est l'âge, nous disions-nous. Et puis nous avons été consulter. Notre cœur est épuisé. La séparation sera soudaine et inévitable. Alors nous nous sommes mis à répéter. Celui qui partira le premier ne restera pas seul dans l'au-delà.

— Ce serait une grâce que de mourir ensemble, au même moment, dit-elle. Mais il est peu probable qu'elle nous soit accordée.

Elle se trompait. Huit mois plus tard, Montalbano lut deux lignes dans le journal. Elle était morte sereinement dans son sommeil et lui, en s'en apercevant au réveil, il s'était précipité au téléphone pour demander de l'aide. Mais à mi-chemin entre le lit et le téléphone, son cœur avait lâché.

La pôvre Maria Castellino

— Je parle avec Bonchidassa ? Hé ? Avec Bonchidassa je parle ? Vous pirsonnellement en pirsonne vous êtes, *dottori* ?

— Oui, Catarè, moi en pirsonne je suis.

La voix de Catarella arrivait de très loin, on saisissait à peine les mots.

— D'où tu m'appelles ?

— D'où je devrais vous appeler, *dottori* ? De Vigàta j'appelle.

— Oui, mais pourquoi tu parles comme ça ?

— Un mouchoir sur la bouche je me mis, *dottori*.

— Et pourquoi ?

— Pour que les autres m'entendent pas. Fazio m'a donné l'ordre pricis de faire ce coup de tiliphone seulement à vous avec vous.

— Ça va, dis-moi.

— Y en a un qui tua une putain.

— Vous l'avez pris ?

— Qui ça ?

— Celui qui a tué la putain.

— Que non, *dottori*, on sait pas qui ce fut. Moi j'ai dit que ce fut quelqu'un pasqu'étant que la putain est morte strangulée, quelqu'un ce fut. C'est raisonné ?

— D'accord. Mais qu'est-ce qu'il me veut Fazio ?

— Fazio dit que ce sassinat, le *dottori* Augello il y comprend rien. Si ça se trouve, les carabiniers vont y arriver avant nous. Il dit comme ça que vous vous reveniez vite à Vigàta. Même, Fazio, il dit une chose que je peux pas vous la dire.

— Et tu me la dis quand même.

— Il dit comme ça que pendant que nous on est dans la merde, à sauver la face, *dottori*, vous, vous pignolez à Bonchidassa.

— Ça va, Catarè, dis à Fazio que je rentrerai dès que je peux.

A l'invite de Fazio, il opposa une résistance qui dura à grand-peine une heure. Puis il s'habilla et sortit. Lorsqu'il revint à la maison, il avait en poche un billet d'avion pour le lendemain, départ à midi. L'arrivée redoutée de Livia survint ponctuellement à dix-huit heures. Dès qu'elle le vit, elle lui jeta les bras autour du cou.

— Mon Dieu, Salvo, tu ne sais pas quel bonheur c'est pour moi de rentrer et de te trouver à la maison !

Quand allait-il lui dire qu'il avait décidé d'avancer de deux jours la fin de ses vacances à Boccadasse, faubourg de Gênes ? Avant ou après dîner ? Il opta pour après dîner, aussi parce qu'ils avaient prévu d'aller manger dans un restaurant où on cuisinait le poisson comme le poisson lui-même demandait d'être cuisiné.

Juste au moment où ils attendaient l'addition, Livia dit une chose dont Montalbano comprit qu'elle allait empirer de beaucoup la situation.

— Tu sais, chéri, demain matin il faut nous lever tôt.

— Pourquoi ?

— Parce que nous allons passer la journée à Laigueglia, chez une amie à moi, Dora, que tu ne connais pas mais qui te plaira sûrement…

— Et où est-ce, Laigueglia ?

— A côté de Savone. La plage est pratiquement le prolongement de celle d'Alassio. Un délice. Et puis il y a un coin que le Norvégien a acheté…

— Quel Norvégien ?

— Celui qui, avec une espèce de radeau, a…

— Thor Eyerdahl, le *Kon-Tiki*.

— C'est ça. Il s'appelle Colla Micheri.

— Qui ?

— Le hameau qu'a acheté le Norvégien. Qu'est-ce que tu as ?

— Moi ?

— Oui, toi. Qu'est-ce que tu as ?

— Rien. Qu'est-ce que je devrais avoir ?

— Allons, Salvo. Tu sais bien que je te connais. Tu ne m'écoutes pas.

Montalbano prit une longue inspiration, comme quelqu'un qui va plonger en apnée.

— Demain je pars.

Sur le moment, Livia, prise en traître, continua à sourire.

— Ah, oui ? Et où vas-tu ?

— Je rentre à Vigàta.

— Mais tu avais dit que tu resterais jusqu'à lundi, dit-elle tandis que son sourire s'éteignait lentement comme une allumette-cirée.

— Le fait est que…

— Ça ne m'intéresse pas.

Elle se leva, prit son sac et sortit du restaurant. Le temps de payer la note et Montalbano la suivit. La voiture de Livia n'était plus dans le parking.

Il rentra à la maison en taxi et heureusement qu'il avait un double des clés parce que, sûr comme la mort, Livia ne lui aurait jamais ouvert. Comme elle ne lui ouvrit pas la porte de la chambre à coucher et ne répondit pas à son appel. Mélancoliquement, il se déshabilla et se coucha sur le canapé du petit salon. Il ne réussit pas à s'endormir, il était là à tourner et virer d'un côté et de l'autre. Vers cinq heures du matin, il entendit la porte de la chambre qui s'ouvrait et la voix de Livia :

— Viens au lit, connard.

Il se précipita. Un peu parce qu'il avait envie d'embrasser sa compagne et un peu parce qu'il rêvait de s'allonger commodément.

— Pourquoi tu es revenu plus tôt ? lui demanda suspicieusement Mimì Augello dès qu'il le vit paraître au bureau.

— Beh, tu sais, Livia n'a pas pu dire non à une amie qui l'avait invitée à passer le week-end avec elle, moi j'avais pas envie et alors… Qu'est-ce que j'aurais fait tout seul à Boccadasse ? Il y a du nouveau ?

— Tu le sais pas ?

Mimì était encore soupçonneux, l'histoire de l'arrivée à l'improviste de son chef ne le convainquait pas.

— Et qui aurait dû me le raconter ?

Augello le regarda, le visage du commissaire exprimait la 'nnocence d'un minot nouveau-né.

— On a tué une femme.

— Quand ?

— Le jour même où tu es parti.

— Et qui c'était ?

— Une putain. De soixante-dix ans.

L'ahurissement de Montalbano fut authentique, au point de faire tomber la méfiance de Mimì.

— Une putain septuagénaire ? Tu galèjes ?

— Jamais de la vie ! Soixante-dix ans et elle besognait encore. Une brave femme.

— Explique-toi mieux.

— Elle s'appelait Maria Castellino, mariée, deux enfants grands.

Montalbano se sentait complètement largué.

— Qu'est-ce que ça veut dire mariée ?

— Salvo, le mot n'a pas changé de sens pendant les trois jours où tu es parti à Boccadasse. Ça signifie mariée. Et le mari tu le connais. C'est Serafino, celui qui fait le serveur au bar Pistone.

— Ote-moi d'un doute. Serafino, il se l'est mariée avant ou après qu'elle s'est mise à faire la putain ?

— Pendant. Il a commencé à la fréquenter en tant que client, et puis ils ont découvert qu'ils étaient amoureux et ils se sont mariés. Un mariage heureux. Ils ont eu deux garçons. Un…

— Attends. Et ce Serafino, après le mariage, il a laissé sa femme continuer à faire ce qu'elle faisait ?

— Serafino m'a dit que, de la chose, ils n'en ont même pas causé. A tous les deux, ça leur paraissait naturel que la femme, elle continue à travailler.

— Elle exerçait chez elle pendant que son mari était sorti ?

— Oh que non, monsieur, Serafino dit que chez eux, c'est une maison honorable et respectable. Elle, elle s'était acheté un *catojo*, passage Gramegna, une ruelle de quatre maisons, quasi la campagne. Le *catojo*, une petite pièce en rez-de-chaussée où l'air entre par une petite fenêtre à côté de la porte, était impeccablement propre. Et je te dis pas la salle de bains ! briquée. Quand la porte du *catojo* était ouverte, ça voulait dire qu'elle était libre, quand au contraire elle était fermée, ça signifiait qu'elle avait un client.

Mme Gaudenzio dit que…

— Attends. Qui est Mme Gaudenzio ?

— Une femme qui habite l'étage au-dessus du *catojo*.

— Une putain ?

— Mais non, Salvo ! C'est une jeune femme de trente ans, mère de deux minots, un de sept ans et l'autre de cinq, ils aimaient beaucoup la morte, ils l'appelaient *'a zà* Maria, tante Maria.

— T'égare pas, Mimì. Que t'a dit Mme Gaudenzio ?

— Que la Castellino, les belles journées, elle s'asseyait sur une chaise devant la porte, mais elle a jamais fait de scannale. Très discrète, très réservée.

— Mais comment elle faisait pour trouver des clients ?

— Une explication, il y en a une. Mme Gaudenzio dit que c'étaient que des personnes âgées, des vieux clients visiblement.

— Jamais aucun jeunot ?

— Quelquefois. Du reste, pourquoi un jeunot devrait aller s'épancher avec une vieille avec toutes les ravissantes putains qu'on trouve maintenant ?

— Beh, Mimì, des raisons y en aurait. Toi tu peux pas les comprendre vu que tu possèdes un fusil qui ne rate jamais son coup, mais les minots que tu vois comme ça tout fanfarons, arrivés au fait, souvent ils sont hésitants, pas sûrs d'eux… Et alors, une vieille, compréhensive… Tu me suis ?

— Je te suis. Et donc ce pourrait être un jeunot qui ne cherchait pas la compréhension, comme tu dis, mais qui était simplement un dégénéré.

— Qu'est-ce qu'il a dit, Pasquano ?

— Le *dottore* a dit que d'après lui, l'assassin a d'abord étourdi la femme d'un coup de poing à la figure, ensuite il a enlevé la ceinture de son pantalon, il la lui a mise autour du cou et il a tiré. Pasquano dit qu'il y a la marque de la boucle sur la peau. Ensuite il a remis sa ceinture en place et il est sorti de la maison. Et bonjour chez vous.

— Il manque quelque chose ?

— Rin. Son sac avec l'argent était sur la table de nuit à côté du lit.

— Quel était le tarif ?

— Cinquante mille.

— Et combien il y avait dans le sac ?

— Deux cent cinquante mille.

— Combien elle ramenait par jour à la maison ? Il te l'a dit Serafino ?

— Trois cent, trois cent cinquante mille.

— Donc celui qui l'a tuée doit être un des derniers clients de la journée.

— Pasquano dit que la mort est survenue après la digestion du déjeuner. Ah, tu sais une chose ? Pasquano soutient qu'il n'a pas trouvé trace de rapport sexuel avec l'assassin.

— La victime était habillée ?

— Des pieds à la tête. Juste les chaussures qu'elle s'était enlevées pour se coucher. L'homme s'est couché à côté d'elle, peut-être tout habillé et tout d'un coup, il lui a flanqué un coup de poing.

— Visiblement, l'homme est allé la voir pas pour baiser, mais pour parler.

— Mais de quoi ?

— Ça c'est le tracassin, dit Montalbano.

Après s'être reposé deux petites heures dans sa maison de Marinella, le commissaire prit son auto et revint à Vigàta. Il s'était bien fait expliquer où était le passage Gramegna, mais il perdit quand même du temps à le trouver. Quatre maisons, avait dit Mimì, et quatre maisons il y avait. Trois étaient des maisons d'habitation, toutes pareilles, *catojo* dessous et un petit appartement au-dessus. La quatrième construction était en revanche un entrepôt, fermé par un verrou rouillé. Il était juste en face du *catojo* de Maria Castellino. Devant la porte

fermée, il y avait, posé par terre, un bouquet de fleurs.
Deux gamins tournèrent à l'angle en se poursuivant et
en criant. En voyant l'estranger, ils s'arrêtèrent net.

— Mme Gaudenzio, c'est votre mère ?

— Oh que oui, dit le plus grand des deux.

— Ton père est à la maison ?

— Que non, mon père il besogne jusqu'à la nuit.

— Et ta mère, elle est là ?

— Que oui, tout de suite je vous l'appelle.

Il disparut en courant par la porte d'entrée. Le plus
minot des deux bambins le regardait attentivement.

— Tu me la dis, une chose ? demanda-t-il d'un trait.

— Sûr.

— Vrai que la *nonna*, elle est morte ?

Mimì s'était trompé, ils ne l'appelaient pas tante,
mais *nonna* : grand-mère. Il n'eut pas le temps de chercher une réponse, car au balcon au-dessus du *catojo*
apparut une jeune femme, tandis que son fils ressortait
par la porte et filait en courant, suivi par son petit frère
qui braillait Dieu sait pourquoi.

— Vous, qui êtes-vous ?

— Le commissaire Montalbano je suis.

— Si vous voulez me parler, montez.

La maison était propre comme un sou neuf. Un
mobilier de piètre valeur mais briqué et astiqué. Montalbano fut invité à s'asseoir sur un fauteuil du petit
salon.

— Je peux vous offrir quelque chose ?

— Non, merci, madame. Je vais rester peu de temps.

— Que voulez-vous savoir ? J'ai déjà tout dit à
M. Augello.

Montalbano eut l'impression qu'en disant ce nom, la jeune et jolie Mme Gaudenzio avait légèrement rougi. Tu veux voir que l'infaillible Mimì s'est déjà mis à l'œuvre ?

— J'ai appris que vous connaissiez bien la pôvre Mme Maria.

Aussitôt, deux larmes. C'était une femme qui ne cachait pas ses sentiments, Mme Gaudenzio.

— Elle était de la famille, monsieur le commissaire. Mes fils la considéraient comme leur *nonna*. Pour l'Epiphanie, elle voulait que les minots mettent leurs chaussettes dans le *catojo*. Et ils les trouvaient toujours pleines de choses qu'il y avait qu'elle, avec son imagination, pour les inventer, des choses qui leur plaisaient tant, à eux...

— Vous la connaissiez depuis longtemps ?

— Depuis huit ans. Sitôt mariée, je suis venue habiter ici. Mon mari, Attilio, besogne à la centrale électrique. Mon second fils, Pitrinu, celui qui a cinq ans... Je l'attendais, c'était quelques jours avant sa naissance, mais je suis tombée dans les escaliers... je me suis mise à crier... *Nonna* Maria m'a entendue, elle a accouru... si elle n'avait pas été là, moi je mourais et Pitrinu mourait avec moi...

Elle se mit à pleurer, sans rien faire pour retenir ses larmes.

— Elle était si bonne ! Elle ne faisait pas scandale, on n'a jamais entendu de dispute entre elle et un client...

— Madame, avec elle, vous parliez de ces clients ?

— Jamais. Une tombe c'était.

— Donc vous, vous n'êtes pas en mesure de rien me dire.

— Oh que non, mais une chose, je dois vous la dire. Il me l'a dite seulement aujourd'hui, mon fils Casimiru, le plus grand…

— Qu'est-ce qu'il vous a dit ?

— C'est un fait qui s'est produit il y a une dizaine de jours. *Nonna* Maria avait la porte de son *catojo* fermée, Casimiru passait devant pour rentrer à la maison, quand il a entendu l'appeler *nonna* Maria qui était derrière la fenêtre mi-close. Elle dit à Casimiru de courir au fond du passage et de regarder s'il y avait un homme qui s'en allait… Casimiru courut et vit effectivement quelqu'un qui s'éloignait. Il revint en arrière et le rapporta à la *nonna*. Laquelle, alors, a rouvert la porte du *catojo*.

— A l'évidence, quelqu'un qu'elle ne voulait pas rencontrer. Elle l'avait vu arriver et elle avait fermé sa porte comme elle faisait quand elle recevait un client.

— Même que moi j'ai pensé la même chose. Qu'est-ce qu'on fait, cette histoire vous la lui racontez vous ou je lui raconte moi ?

— A qui ?

— A M. Augello.

— Ça veut dire que je le préviens moi et que vous vous la lui racontez dans les moindres détails.

— Merci, dit Mme Gaudenzio en rougissant comme une tomate.

Montalbano se leva pour s'en aller.

— J'ai vu devant la porte du *catojo* un bouquet de fleurs. Vous, vous savez qui l'a apporté ?

— Le proviseur Vasalicò.

— Le proviseur du lycée ?!

— Oh que oui, monsieur. Il venait une fois par semaine. Autant quand il était marié que quand il est resté veuf. Ils étaient amis.

— Tu es allé parler avec Mme Gaudenzio ?! dit Mimì, furieux.

— Oui. C'est interdit ?

— Non. Mais on va établir une chose ici, maintenant et une fois pour toutes. Cette enquête, je la mène moi ou toi ?

— Toi, Mimì. Donc ça veut dire que si moi je viens à savoir quelque chose d'utile, je t'en parle pas. Ça va comme ça ?

— Joue pas au con.

— Y joue pas non plus alors. Tu me réponds à une question ?

— Bien sûr.

— Tu es plus intéressé à découvrir l'assassin ou les cuisses de Mme Gaudenzio ?

Mimì le regarda, il avait envie de sourire.

— Les deux, si possible.

— Mimì, toi tu manques pas d'air. A propos, comment elle s'appelle ?

— Teresita.

— Eh ben, cours chez Teresita avant que son mari ne rentre de son service à la centrale. Elle te dira que Mme Maria avait un client qu'elle ne voulait plus pratiquer. Ou qu'elle ne voulait pas commencer à pratiquer.

— *Dottori* ? Vous me permettez un mot ? demanda Catarella en entrant dans le bureau de Montalbano avec la mine du parfait conspirateur.

— D'accord.

Catarella ferma la porte derrière lui. Puis il s'arrêta.

— *Dottori*, je peux lui donner un tour de clé ?

— D'accord, dit Montalbano résigné.

Catarella ferma la porte à clé, il s'approcha du bureau du commissaire, il s'y appuya avec les mains, et il se pencha en avant. Il avait mangé quèque chose avec beaucoup d'ail.

— *Dottori*, le cas je résolus. J'ai fermé passque je veux pas que les autres soient pris d'envie en sachant que j'ai résolu l'affaire.

— Quelle affaire ?

— Celle de la putain, *dottori*.

— Et comment tu as fait ?

— Ahier soir je vis un film à la tilivision. C'était l'histoire d'un type qui en Amérique, il tuait les vieilles radasses.

— Un serial killer ?

— Oh que non, *dottori*, il s'appelait pas comme ça. Il me semble qu'il s'appelait Gionni Gouest, quelque chose comme ça.

— Et pourquoi ce Gionni tuait les vieilles radasses ?

— Pasqu'elles lui rappelaient sa mère qui faisait la putain. Et alors moi j'ai pensé que la chose était toute simplette. Il suffit que vous, *dottori*, vous vous mettiez à chercher et vous résoudrez tout.

— Et qui je dois chercher, Catarè ?

— Un client de la putain qui est fils de putain.

Au téléphone, le proviseur Vasalicò ne fit aucune difficulté, il se montra même extrêmement courtois.

— Voulez-vous que je vienne au commissariat ?

— Je vous en prie, monsieur le proviseur. C'est moi qui viens vous voir, chez vous, dans une petite demi-heure. Ça vous va ?

— Je vous attends.

Mais avant, il décida de faire un saut au bar Pistone. Serafino n'y était pas. M. Pistone, assis à la caisse, lui expliqua en long et en large comment ils avaient donné une semaine de congé au pauvre bougre à cause du malheur qui lui était arrivé. Le commissaire se fit donner l'adresse du serveur.

Le proviseur Vasalicò était un homme sec et élégant. Il fit asseoir le commissaire dans un bureau qui n'était qu'une unique et très granne bibliothèque qui courait tout autour des murs.

— Vous êtes venu pour la pôvre Maria, n'est-ce pas ?

— Oui. Mais seulement parce que j'ai appris que vous aviez apporté un bouquet de…

— C'est tout à fait vrai. Et je n'ai rien fait pour me cacher à la dame qui habite à l'étage au-dessus qu'entre autres je connais très bien.

— Il y a longtemps que vous fréquentiez… Mme Maria ?

— J'avais dix-huit ans et elle en avait dix de plus. Elle a été la première femme que j'ai eue. Ensuite, une

fois marié, j'ai continué à la fréquenter. Pas pour...
mais par amitié. Je la conseillais. Ma femme le savait.

— Quels conseils lui donniez-vous ?

— Eh bien, vous voyez, Serafino est vraiment une
personne gentille, mais il est ignorant. Moi j'ai guidé
ses fils dans leurs études...

— Que font-ils ?

— L'un est géologue, il travaille en Arabie. L'autre
est ingénieur, il vit à Caracas. Ils sont tous les deux
mariés avec des enfants.

— Quels étaient les rapports entre eux ?

— Des fils avec la mère, vous voulez dire ?
Excellents. Elle me faisait voir de temps en temps des
photos de ses petits-enfants qu'ils lui envoyaient...

— Ils venaient voir leurs parents ?

— Oui, tous les ans, mais...

— Dites.

— Jusqu'à ce qu'ils se marient. Ils craignaient peut-
être que les femmes viennent à savoir, vous comprenez ? Elle, elle en souffrait, elle se consolait avec les
photos.

— Juste sur l'éducation de ses enfants, elle vous a
demandé conseil ?

Le proviseur parut avoir une légère hésitation.

— Non... parfois aussi sur d'éventuels investissements...

— De quoi ?

— Elle avait assez d'argent.

— Combien ?

— Avec précision, je ne saurais pas... Six cents...
sept cents millions de lires... et puis la maison où elle

habitait avec son mari était à elle... ici, à Vigàta, elle avait trois ou quatre appartements qu'elle louait...

— Vous vous y connaissez ?

— En quoi ?

— En investissements, en spéculations...

— De temps en temps, je joue en Bourse.

— Et vous avez fait jouer aussi Mme Maria ?

— Jamais.

— Ecoutez, Mme Maria vous a-t-elle parlé d'un problème ?

— Dans quel sens ?

— Eh bien, il est sûr qu'avec le métier qu'elle faisait, elle était exposée à de mauvaises rencontres, non ?

— Que je sache, elle ne s'est jamais trouvée en difficulté. Juste pendant le dernier mois, elle était devenue nerveuse... distraite... Moi je lui ai demandé ce qui lui arrivait et elle m'a répondu qu'un client lui avait fait des propositions inacceptables ; elle l'avait fichu dehors, mais lui, de temps en temps, il revenait insister.

Montalbano pensa à ce que lui avait raconté Mme Gaudenzio, de son fils Casimiru envoyé par Mme Maria, barricadée chez elle, voir si un certain monsieur s'était éloigné.

— Elle vous a dit le nom de ce client ?

— Vous plaisantez ? Elle était la discrétion en personne. C'est déjà beaucoup qu'elle m'ait parlé de cet épisode.

Tandis qu'il allait voir Serafino, il vit des affichettes de deuil encore humides de colle. Elles annonçaient que la cérémonie funèbre pour Mme Maria Castellino serait célébrée le lendemain, dimanche, à dix heures du matin à l'église du Christ Roi. Dans la maison de Serafino non plus, ça rigolait pas sur le chapitre de la propreté. Le serveur plus que septuagénaire du bar Pistone avait toujours évoqué au commissaire une espèce de tortue ; à présent, il lui paraissait un fossile préhistorique. La mort de sa femme, ce qui semblait impossible, ça avait été capable de le faire vieillir encore plus. Ses mains tremblaient.

— Vous pinsez, commissaire, Maria avait décidé de plus besogner. Un petit mois de temps et elle aurait fini.

— Elle était fatiguée de la besogne qu'elle faisait ?

— Fatiguée ? Que non. Elle le faisait pour moi.

— Vous ne vouliez pas qu'elle continue ?

— Pour moi elle pouvait continuer tant qu'elle avait des clients. Non, elle le faisait pour pas me faire besogner à moi.

— Serafì, excuse-moi, mais je comprends pas.

— Vous voyez, commissaire, moi je besognais au bar passque Maria faisait la vie qu'elle faisait. Moi je besognais et je me gagnais mon pain passqu'au village on devait pas dire que je vivais comme un maquereau aux crochets de ma femme. Par le christ, je suis respecté de tous, en premier par la défunte Maria et ensuite par mes fils.

— Serafì, ta femme t'a jamais parlé d'un de ses clients qui...

— Commissaire, Maria ne me parlait jamais de sa besogne et moi je lui demandais rin de rin. Juste le proviseur Vasalicò, qui avant avait été un client et après était devenu un ami, il venait quelquefois ici.

— Pourquoi ?

— Lui et ma femme, ils parlaient. Ils se mettaient dans la salle à manger et ils parlaient de choses d'affaires que moi j'y comprends rin. Moi je venais ici au salon à regarder la télévision.

— Serafì, moi ta femme je l'ai jamais connue. Tu as une belle photographie ?

— Oh que oui. Elle se l'était fait faire il y a un mois pour l'envoyer aux enfants.

Mme Maria Castellino avait été une belle femme sérieuse. Pas excessivement maquillée, elle soignait néanmoins son aspect. Et pas seulement à cause du métier qu'elle faisait, pinsa le commissaire. Le fait est que c'était quelqu'un qui prenait soin d'elle-même comme elle veillait à la propreté de sa maison et de son *catojo*.

— Tu peux me la prêter ?

En passant la porte, il regarda sa montre. Il s'était fait neuf heures du soir. Il monta en voiture et partit pour Montelusa où se trouvaient les bureaux et le studio de Retelibera. Il attendit que son ami Zito termine le journal télévisé, il le pria de lui faire une faveur en lui donnant la photo de la morte.

Après il remonta en voiture et s'en alla à Marinella sans passer par le commissariat. Sa femme de ménage, Adelina, qui nettoyait la maison et lui préparait à manger, avait la manie de ne pas répondre au téléphone (« le tiléphone porte malheur »). Montalbano n'avait donc pu la prévenir de son retour anticipé. Il dut se gaver avec ce qu'il trouva dans le frigo : olives, *passuluna*, *tumazzo*[1], anchois. Il décongela un petit pain et se porta à manger dans la véranda. Cette soirée de septembre était tout juste chaude, elle vous rendait calme et confiant.

A minuit, il rouvrit la télévision. Zito fut de parole. A un certain moment du journal, il montra la photo de Maria Castellino et dit que le commissaire Montalbano et son adjoint Augello étaient à la recherche d'informations sur le crime. Ils s'adressaient, ils en appelaient à la « sensibilité des vieux amis de cette dame ». Il s'exprima vraiment ainsi. Ils garantissaient la plus grande discrétion, il n'était pas besoin d'aller en personne au commissariat, il suffisait de téléphoner ou d'écrire. Qu'ils rapportent tout, même les choses qu'ils ne croyaient pas importantes.

Le coup marcha, la « sensibilité des vieux amis » joua. A huit heures du matin le jour suivant, en arrivant au bureau, le commissaire demanda à Catarella :

— Il y a eu des coups de téléphone ?

— Oh que oui, *dottori*. Six pirsonnes tiliphonèrent pour cette affaire de la putain sassinée ! Les noms sur ce morceau je vous les écrivis.

Pour chaque nom, il y avait le numéro de téléphone, signe qu'ils n'avaient pas à cacher à quiconque leur relation épisodique avec la femme. A la fin des coups

1. Raisins noirs, fromage. (*N.d.T.*)

de fil, il apparut que les clients en question avaient tous autour de la soixantaine et aucun ne savait rien de l'autre.

La porte s'ouvrit à la volée, Montalbano sursauta. C'était Catarella.

— Fini de tiliphoner, *dottori* ?

— Oui. Pourquoi toute cette précipitation ?

— Passque depuis ce matin sept heures, y en a un qui veut vous parler pirsonnellement en pirsonne de la pareille au même affaire.

— Où est-il ?

— Dans la salle d'attendance.

— Depuis ce matin sept heures ? Pourquoi tu me l'as pas dit quand je suis arrivé ?

— Passque quand vosseigneurie arriva, elle me demanda si il y avait des coups de tiliphone. Et moi je le lui dis. Je ne lui parlai pas du monsieur pasqu'il avait pas tiliphoné.

La logique de Catarella était, comme d'habitude, en acier trempé. L'homme qui se présenta au commissaire avait la quarantaine, il était bien habillé.

— Je m'appelle Marco Rampolla et je suis pédiatre à Montelusa. Je viens pour la pauvre prostituée assassinée.

— Asseyez-vous et racontez-moi. Vous la connaissiez ?

— Oui. Je suis allé une fois chez elle.

Il fit une légère pause.

— Pour lui parler. Pour fixer une ligne commune.

— Une ligne commune ? A quel sujet ?

— Au sujet de mon père. Il est complètement fou, même si ça ne se voit pas.

— Ecoutez, il vaut mieux que vous me racontiez l'histoire à votre manière.

— Il y a sept ans, maman est morte. Un accident d'auto. Au volant se trouvait mon père qui adorait maman. Il se mit dans la tête que c'était de sa faute...

— Ça l'était ?

— Hélas oui. Et depuis lors, il n'a plus été lui-même. Dépression, manies religieuses, fixations... J'ai cherché à le faire soigner. Rien, il a empiré de jour en jour. Je suis célibataire, encore pour peu de temps, et je n'ai pas eu de difficultés à le garder à la maison avec moi. Du reste, il n'était dangereux pour personne. Mais il y a environ un mois, il est rentré à la maison excité. Il me raconta qu'il était allé à Vigàta et qu'il avait rencontré maman. D'un coup, il passa de la félicité au désespoir, il me dit que maman faisait la prostituée. Et que ça, lui il ne pouvait pas le tolérer. Il m'a fait peur. A Montelusa, il y a un détective privé, je l'ai contacté. Il m'a rapporté, trois jours après, qu'à Vigàta, il existait une prostituée âgée. Alors je me suis sérieuse-ment inquiété, aussi parce que papa avait des moments de violence inouïe. Je vins ici à Vigàta et je parlai avec cette pauvre femme. Elle, elle me dit que de l'histoire, elle avait informé en détail un ami proviseur et que celui-ci, s'il lui arrivait quelque chose, il irait à la police. Je conseillai à la dame de faire en sorte que papa ne la rencontre plus. Elle, elle promit qu'elle ne le recevrait plus. Et elle l'a fait, alors que papa, à cause de ce refus, devenait de plus en plus violent.

— Concrètement, que voulait votre père ?

— Que la dame abandonne son métier et revienne vivre avec lui.

— Comment faites-vous pour exclure que ce ne soit pas votre père qui…

— Voyez, la veille du jour où cette pauvre femme a été assassinée, moi j'ai réussi à conduire papa dans une clinique de Palerme. Depuis, il n'en est plus sorti.

Il mit une main dans sa poche et en tira un papier.

— Ici, je vous ai écrit l'adresse et les téléphones de la clinique. Vous pouvez vous renseigner.

— Dites-moi une chose : pourquoi vous êtes-vous senti en devoir de me raconter cette histoire ?

— Parce que, vu qu'il y a eu un assassinat, je ne voudrais pas qu'apparaisse le nom de papa. Surtout, si ce proviseur avait été informé par la dame, très probablement il allait en parler avec vous. Et vous auriez été mis, involontairement, sur une fausse piste.

Lorsque le docteur fut sorti, Montalbano ne se donna pas la peine de téléphoner à la clinique. Il était sûr que Marco Rampolla lui avait dit la vérité.

Il avait calculé que le service était sur le point de finir lorsqu'il se dirigea vers l'église du Christ Roi. Il mit en plein dans le mille. Appuyées de chaque côté du portail, il y avait une dizaine de couronnes. Le cercueil sortit de l'église suivi par une multitude de pirsonnes. Le commissaire s'avança, il alla serrer la main de Serafino qui arborait sur le cou des rides à présent millénaires.

— Mes fils n'ont pas fait à temps pour venir. Ils

m'ont promis qu'ils seront là le 2 novembre, pour les morts.

Il allait s'en aller, lorsqu'il fut rejoint par le proviseur Vasalicò.

— Je dois vous parler, commissaire.

— Vous ne suivez pas le cortège jusqu'au cimetière ?

— Je crois plus utile de vous parler tout de suite.

Ils se dirigèrent vers le commissariat.

— J'ai beaucoup repensé à notre discussion d'hier, attaqua le proviseur, et je me suis rendu compte que je n'avais pas été très exhaustif sur une chose qui, tout bien considéré, m'est apparue d'une grande importance.

— Moi aussi je voulais vous demander une chose, dit Montalbano.

— Dites-moi.

— A propos d'un client, là je ne me rappelle pas bien, qui aurait fait à Mme Maria des propositions inacceptables, il me semble que vous avez dit exactement comme ça. C'étaient des propositions inacceptables sur le plan sexuel ?

— Mais voyez quelle coïncidence ! dit le proviseur. C'est justement de ceci que je voulais vous parler ! Non, commissaire, c'était un type qui s'était mis dans la tête que Maria était sa femme et il voulait qu'elle retourne vivre avec lui. Un fou furieux. Il l'a battue au sang. Deux fois. Il se peut donc…

— Attendez. Vous êtes en train de me dire que ce fou, continuant à recevoir des refus de Mme Maria, a complètement perdu la tête et qu'il l'a tuée ?

— C'est une hypothèse plausible, non ?

— Très plausible. Mais pourquoi ne me l'avez-vous pas dit hier ?

— Beh, vous savez, par scrupule de conscience. Avant d'accuser quelqu'un qui peut ensuite s'avérer innocent...

— Je comprends vos scrupules. Et je vous remercie. Vous connaissez le nom de cet homme ?

— Maria ne me l'a pas dit. Mais il ne serait pas difficile pour vous...

Ils étaient arrivés devant le commissariat.

— Je vous remercie sincèrement de votre contribution, dit Montalbano.

— Allô, docteur Rampolla ? Le commissaire Montalbano je suis. Je peux vous parler ?

— Oui. Demandez-moi ce que vous voulez.

— Votre père vous a-t-il jamais avoué qu'il avait battu Mme Maria ?

— Non. Et je ne crois pas qu'il l'ait fait.

— Pourquoi ? Vous m'avez dit vous-même que les derniers temps, il était devenu assez violent.

— Ecoutez, vu l'état dans lequel il se trouvait et la façon dont il parlait avec moi, s'il l'avait fait, il me l'aurait dit. Mais il y a autre chose : quand je suis allé parler avec cette pauvre femme, elle, elle ne m'a pas dit qu'elle avait été battue par papa. Elle me dit qu'il était insistant, menaçant. Mais elle ne m'a pas parlé de coups reçus. Elle l'aurait fait s'il y en avait eu, des coups, vous ne croyez pas ? Et, après notre conversation, cette dame n'a plus rencontré papa, j'en suis plus que certain.

Et les mots du docteur cadraient avec le récit du fils de Mme Gaudenzio : afin de ne pas voir ce client particulier, Mme Maria préférait s'enfermer chez elle.

Il alla se bâfrer certaines petites soles frites à la *trattoria* San Calogero qui colorèrent en rose le futur immédiat. Après, il se rendit chez Serafino.

Le vieillard lui montra la table dressée.

— Les voisines me préparèrent à manger, mais moi j'ai pas envie.

— Force-toi, Serafì, et mange. Peut-être plus tard, après que tu te seras un peu couché. Je te laisse tout de suite. Dis-moi une chose. Toi, à hier, tu as dit que ta femme et le proviseur Vasalicò se mettaient là, dans la salle à manger, et ils parlaient affaires. C'est ça ?

— Oh que oui, c'est ça.

— Où sont les papiers de ces affaires ?

— Je mis tout dans une valise.

— Toi tu les as mis ? Et pourquoi ?

— Passque ce soir vers neuf heures, monsieur le proviseur passe et il se les prend. Il dit qu'il doit les regarder attentivement pour voir si à Maria, il revient des sous de certaines spéculations ou pas.

— Ecoute, Serafì, donne-moi cette valise. Avant neuf heures, je te la rapporte.

— Comme veut vosseigneurie.

La valise pesait un quintal. Il pesta comme un dingue, en sueur. Mais à mi-chemin, il rencontra Fazio, son sauveur.

Tout comme elle tenait sa maison en ordre, de la même façon Maria Castellino tenait en ordre ses papiers. Contrats de location, actes notariés d'achat d'appartements ou de magasins, extraits de comptes bancaires, rentrées et sorties. Le commissaire mit deux heures à regarder les papiers. Puis il prit trois feuilles qu'il avait mises de côté, les glissa dans sa poche et alla dans le bureau de Mimì Augello.

— Mimì, il faut que je te parle.

Si le proviseur fut surpris de le voir, il ne le montra pas. Il le fit asseoir dans le salon.

— Le *dottor* Augello est mon adjoint, dit Montalbano. Monsieur le proviseur, je suis venu vous dire que la personne que vous m'avez courtoisement signalée ce matin ne peut être l'assassin.

— Non ? Pourquoi ?

— Parce que déjà depuis la veille, il avait été interné dans une clinique de Palerme. Vous, évidemment, ce détail, vous ne le connaissiez pas.

— Non, dit le proviseur en pâlissant.

Avec le plus grand calme, Montalbano s'alluma une cigarette, il fit signe à Mimì de continuer.

Avant de se mettre à parler, Augello sortit de sa poche trois feuilles de papier et les regarda comme pour bien s'en souvenir.

— Monsieur le proviseur, Mme Maria était très ordonnée. Parmi ses papiers, que vous connaissez en partie vu que Serafino nous a dit que vous les consultiez ensemble, nous avons trouvé trois notes écrites de la main de la défunte. Sur l'écriture, il n'existe aucun doute de contrefaçon. Sur la première note, il est écrit : prêté au proviseur Vasalicò cent millions de lires.

Le proviseur eut un sourire entendu.

— Si c'est pour cela, alors il doit y avoir une deuxième note où est inscrit le prêt de deux cents autres millions. Ça devrait remonter à deux ans.

— Exact. Et vous connaissez aussi le contenu du troisième papier ?

— Non. Et ça n'a aucune importance car je n'ai pas demandé d'autres prêts à Maria. Et les trois cents millions, je les lui ai rendus.

— Peut-être, monsieur le proviseur. Mais où sont-ils passés ? Nous n'avons trouvé aucune trace de reçus de versements de ce genre. Et chez elle, elle ne les avait pas.

— Et pourquoi voulez-vous savoir de moi où elle les a mis ?

— Vous, vous êtes certain de les lui avoir rendus ?

— Jusqu'au dernier centime.

— Quand ?

— Laissez-moi réfléchir. Disons, ça fait un petit mois.

— C'est que le troisième papier, duquel nous n'avons pas encore parlé, c'est le brouillon d'une lettre que Mme Maria vous a envoyée il y a exactement dix jours. Elle voulait récupérer ses trois cents millions.

— Si je comprends bien, dit le proviseur en se levant, vous êtes en train de m'accuser d'avoir tué Maria pour une question d'argent ?

— Le fait est que nous n'avons pas de preuves, intervint Montalbano.

— Et alors sortez immédiatement de cette maison !

— Juste un instant, dit Mimì, froid comme un quart de poulet.

A présent, venait le moment le plus délicat de toute l'affaire, mais Mimì récita comme un Dieu la couillonnade qu'ils avaient décidé de raconter au proviseur.

— Vous savez que Mme Maria a été étranglée avec une ceinture de pantalon ?

— Oui.

Le proviseur, toujours debout, l'écoutait les bras croisés.

— Bien. La boucle, d'après le médecin légiste, a provoqué une profonde blessure au cou de la victime. Pas seulement, mais le cuir a laissé des traces infimes dans la peau. A présent, moi, formellement, je vous demande de me remettre toutes les ceintures que vous possédez, à commencer par celle que vous portez en ce moment.

Le proviseur tomba d'un coup sur le fauteuil, les jambes lui avaient manqué.

— Elle voulait récupérer ses sous, balbutia-t-il. Je ne les avais pas, je les ai perdus en Bourse. Elle menaça de me dénoncer et alors moi…

Montalbano se leva, il sortit par la porte et commença à descendre les escaliers. Ce que le proviseur allait expliquer à Mimì ne l'intéressait plus.

Le chat et le chardonneret

Mme Erminia Tòdaro, quatre-vingt-cinq ans, épouse d'un ex-cheminot retraité, sortit comme tous les matins de chez elle pour aller d'abord assister à la sainte messe et pour après faire ses courses au marché. Ce n'est pas que Mme Erminia était pratiquante par foi, elle l'était plutôt par manque de sommeil, comme cela arrive à presque toutes les personnes âgées : la messe du matin lui servait à faire passer un peu du temps de ces journées qui d'année en année se faisaient, Dieu sait pourquoi, de plus en plus longues et vides. Aux mêmes heures de la matinée, son mari, l'ex-cheminot qui portait le nom d'Agustinu, se mettait à la fenêtre et n'en bronchait plus jusqu'à ce que sa femme lui dise que c'était prêt à table. Donc Mme Erminia sortit par la porte de l'immeuble, s'ajusta son manteau passqu'il faisait un peu frisquet et se mit en route. Au bras droit, elle avait pendu un vieux sac noir avec dedans sa carte d'*inidentité*, la photo de sa fille Catarina épouse Genuardi qui vivait à Forlì, la photo des trois enfants du couple Genuardi, trois photos des enfants des enfants du couple Genuardi, une image pieuse avec représentée dessus sainte Lucia, vingt mille lires en billets et sept cent cinquante en monnaie. L'ex-cheminot Agustinu déclara avoir vu que derrière sa femme roulait, très lentement, une motocyclette conduite par un type avec un casque. A un certain moment, le conducteur de la motocyclette, comme s'il en avait marre d'avancer au pas de Mme Erminia que l'on ne pouvait certes pas qualifier de véloce, accéléra et dépassa la dame. Puis il fit une chose étrange : il effectua un demi-tour sur place et revint en arrière en fonçant droit sur elle. Dans la rue, il ne passait âme qui vive. A trois pas de Mme Erminia, le conducteur s'arrêta, posa un pied à terre, tira de sa poche un revorver et le braqua sur la vieille dame. Laquelle, étant incapable de distinguer un chien à vingt centimètres de distance malgré d'épaisses lunettes, continua tranquillement d'avancer, ignorante du danger, vers l'homme qui la menaçait. Lorsque Mme Erminia en vint à se retrouver quasiment nez à nez avec l'homme, elle s'aperçut de l'arme et grandement s'étonna que quelqu'un ait une quelconque raison de lui tirer dessus.

— Que fais-tu, mon garçon, tu veux me tuer ? demanda-t-elle, plus surprise qu'effrayée.

— Oui, dit l'homme, si tu me donnes pas ton sac.

Mme Erminia retira son sac de son bras et le remit à l'homme. A ce moment-là, Agustinu avait réussi à ouvrir la fenêtre. Il se pencha dehors au risque de choir en bas cul par-dessus tête et se mit à crier : « Au secours ! Au secours ! »

L'homme, alors, tira. Un seul coup vers la vieille dame, pas vers le mari qui faisait tout ce chambard. La dame tomba par terre, l'homme tourna sa motocyclette, accéléra et disparut. Aux cris de l'ex-cheminot s'ouvrirent plusieurs fenêtres ; hommes et femmes coururent dans la rue pour porter secours à la dame étendue au milieu de la chaussée. Aussitôt, ils s'aperçurent, avec soulagement, que Mme Erminia s'était seulement évanouie de frayeur.

Mme Esterina Mandracchia, soixante-quinze ans, ex-institutrice à la retraite, vieille fille, vivait seule dans un appartement légué en héritage par ses parents. La particularité du trois-pièces, salle de bains et cuisine de Mme Mandracchia était constituée par le fait que les murs étaient entièrement tapissés d'images pieuses par centaines. Il y avait en outre des statuettes : une Madone sous cloche en verre, un Enfant Jésus, un saint Antoine de Padoue, un crucifix, un saint Gerlando, un saint Calogero et d'autres pas facilement identifiables. Mme Mandracchia allait à l'église à la première messe, puis elle y retournait pour vêpres. Ce matin-là, deux jours après l'agression de Mme Erminia, la vieille dame sortit de chez elle. Comme elle le raconta ensuite au commissaire Montalbano, elle avait à peine pris la rue de l'église qu'elle fut dépassée par une motocyclette sur laquelle se trouvait un homme avec un casque. Après quelques mètres, la motocyclette fit un demi-tour sur place, revint en arrière, s'arrêta à quelques pas de la dame et l'homme brandit un revolver. L'ex-institutrice, malgré son âge, y voyait très bien. Elle leva les bras en l'air, comme elle avait vu faire à la télé.

— Je me rends, dit-elle en trimblant.

— Donne-moi ton sac, dit l'homme.

Mme Esterina se le retira du bras et le lui tendit. L'homme le prit et lui tira dessus, la manquant. Esterina Mandracchia ne cria pas, elle ne s'évanouit pas : simplement, elle alla au commissariat et porta plainte. Dans son sac, déclara-t-elle, à part une bonne centaine d'images pieuses, elle avait exactement dix-huit mille trois cents lires.

— Je mange moins qu'un moineau, expliqua-t-elle à Montalbano. Un petit pain me suffit pour deux jours. Quel besoin aurais-je de me balader avec des sous dans mon sac ?

Pippo Ragonese, commentateur politique de Televigàta, était doté de deux choses : une face de cul de poule et une imagination tordue qui le portait à inventer des complots. Ennemi déclaré de Montalbano, Ragonese ne rata pas l'occasion de l'attaquer encore une fois. Il soutint en effet que derrière le soi-disant vol à la tire des deux petites vieilles, il y avait un dessein politique précis, œuvre d'extrémistes de gauche pas encore identifiés. Ceux-ci, par ces actions terroristes, tentaient de dissuader les croyants d'aller à l'église en vue de l'avènement d'un nouvel athéisme. L'explication du fait que la police de Vigàta n'avait pas encore arrêté le pseudo-voleur à l'arraché, on devait la chercher dans le frein inconscient que constituaient les idées politiques du commissaire, certes pas orientées ni au centre ni à droite. « Frein inconscient », souligna bien deux fois le journaliste, pour éviter tout malentendu ou plainte en diffamation.

Mais Montalbano ne se fâcha pas, en fait, il en rigola bien. Il ne rit pas cependant le lendemain lorsqu'il fut convoqué par le questeur Bonetti-Alderighi. Lequel, devant un Montalbano sidéré, n'épousa pas la thèse du journaliste, mais, en un certain sens, s'y fiança, invitant le commissaire à suivre « aussi » cette piste.

— Mais, monsieur le Questeur, réfléchissez : combien de pseudo-voleurs à l'arraché faut-il pour dissuader toutes les petites vieilles de Montelusa et sa province d'aller à la première messe ?

— Vous-même, Montalbano, avez employé juste à l'instant l'expression « pseudo-voleur à l'arraché ». Vous conviendrez, j'espère, qu'il ne s'agit pas du *modus operandi* typique d'un voleur à l'arraché. Cet homme sort chaque fois son pistolet et tire ! Sans un motif ! Il lui suffirait de tendre le bras et de s'emporter facilement les sacs. Quelle raison a-t-il de tenter de tuer de pauvres femmes ?

— Monsieur le Questeur, dit Montalbano — auquel la mouquire, à savoir l'envie de se foutre de la gueule de son interlocuteur, était montée au nez —, sortir une arme, un pistolet, ne signifie en rien la mort de celui qui est menacé, très souvent la menace n'a pas valeur tragique, mais cognitive. C'est du moins ce que soutient Roland Barthes.

— Et qui est-ce ? demanda le Questeur bouche bée.

— Un éminent criminologue français, assura le commissaire.

— Montalbano, moi je m'en fous de ce criminologue ! Cet homme ne sort pas seulement son arme, il tire !

— Mais il ne les touche pas, les victimes. Peut-être s'agit-il d'une valeur cognitive accentuée.

— Remuez-vous, trancha Bonetti-Alderighi.

— Pour moi, dit Mimì Augello, c'est le voyou drogué classique.

— Mimì, mais tu te rends compte ? Celui-là, en tout, il a réussi à tirer quarante-cinq mille lires ! S'il vend les balles de son revolver, peut-être qu'il se gagne plus ! A propos, vous les avez trouvées ?

— On a cherché en vain. Qui sait où elles se sont retrouvées, ces balles.

— Mais pourquoi est-ce que ce con tire sur des petites vieilles après qu'elles lui ont donné leur sac ? Et pourquoi il les rate ?

— Qu'est-ce que ça veut dire ?

— Mimì, ça veut dire qu'il les rate. C'est tout. Tu vois, la première fois, on peut penser qu'il a eu une réaction instinctive quand le mari de Mme Tòdaro s'est mis à crier à la fenêtre. Mais ce qui ne se comprend tout de même pas, c'est pourquoi au lieu de tirer sur l'homme qui criait, il a tiré sur la femme qui était à quarante centimètres de lui. La deuxième fois, avec Mme Mandracchia, il lui tire dessus alors que de l'autre main, il empoignait le sac. Entre eux deux, il devait y avoir plus ou moins un mètre de distance. Et il rate même cette deuxième fois. Mais, tu sais quoi, Mimì ? Je pense que les deux coups, il les a pas ratés.

— Ah oui ? Et alors comment est-ce que les deux femmes n'ont pas été blessées ?

— Parce que les balles étaient à blanc, Mimì. Fais une chose, fais analyser la robe que portait ce matin-là Mme Erminia.

Il avait tapé dans le mille. Le lendemain, on fit savoir de la Scientifique de Montelusa que même à un examen superficiel, la robe de Mme Tòdaro, à hauteur de la poitrine, s'avérait avoir une large tache de résidus de poudre.

— Alors c'est un fou, dit Mimì Augello.

Le commissaire ne répondit pas.

— T'es pas d'accord ?

— Non. Et si c'est un fou… il y a beaucoup de logique dans sa folie.

Augello, qui n'avait pas lu *Hamlet* ou qui, s'il l'avait lu, l'avait oublié, ne releva pas la citation.

— Et quelle logique y a-t-il ?

— Mimì, c'est à nous de la découvrir, tu crois pas ?

A l'improviste, alors qu'au village on ne parlait plus des deux agressions, le voleur à l'arraché (mais comment pouvait-on l'appeler autrement ?) redonna signe de vie. A sept heures, un dimanche matin, suivant son rituel coutumier, il se fit remettre le sac de Mme Gesualda Bommarito. Puis il lui tira dessus. Et la toucha à l'épaule droite, en l'effleurant. A bien y regarder, une blessure de rien du tout. Mais qui fichait en l'air la théorie du commissaire sur le revolver chargé à blanc. Peut-être les résidus de poudre trouvés sur la

robe de Mme Tòdaro étaient-ils dus à une brusque torsion du poignet du tireur qui, à la dernière seconde,
avait dû regretter ce qu'il était en train de faire. Cette
fois-ci, le projectile fut récupéré et la Scientifique
fit savoir à Montalbano qu'il s'agissait très probablement d'une arme antédiluvienne. Dans le sac de
Mme Gesualda, qui avait eu plus de peur que de mal,
il y avait onze mille lires. Mais c'est possible, ça, qu'un
voleur à l'arraché (ou quoi que ce soit) se balade pour
braquer des petites vieilles qui vont à la messe de
grand matin ? Un voleur à l'arraché sérieux, profes-
sionnel, avant tout il n'est pas armé et puis il attend la
retraitée qui sort de la poste avec sa pension ou la
femme élégante qui va chez le coiffeur. Non, il y avait
quelque chose qui clochait dans toute cette histoire. Et
après la blessure de Mme Gesualda, Montalbano commença à s'inquiéter. Si cet imbécile continuait à tirer
avec de vraies balles, tôt ou tard il allait finir par tuer
quelque pôvre femme.

Et en effet. Un matin, Mme Antonia Joppolo, la cinquantaine, épouse de l'avocat Giuseppe, fut réveillée
pendant qu'elle dormait, il était sept heures, par la
sonnerie du téléphone. Elle décrocha le récepteur et
reconnut aussitôt la voix de son mari.

— Ma Ninetta, dit l'avocat.

— Qu'est-ce qu'y a ? demanda la femme, aussitôt
inquiète.

— J'ai eu un petit accident de voiture à l'entrée de
Palerme. Je suis dans une clinique. J'ai voulu te préve-

nir moi-même avant que tu l'apprennes par quelqu'un d'autre. Ne t'inquiète pas, ce n'est rien.

Sa femme, au contraire, s'inquiéta.

— Je prends la voiture et j'arrive, dit-elle.

Ce dialogue fut narré à Montalbano par maître Giuseppe Joppolo lorsque le commissaire alla le voir à la clinique Sanatrix.

Il est donc logique de supposer que Mme Joppolo s'habilla en vitesse, sortit de chez elle et se précipita vers le garage distant d'une centaine de mètres. Au bout de quelques pas, elle avait été doublée par une motocyclette. Annibale Panebianco, qui sortait à ce moment-là par la porte de l'immeuble où il habitait, eut le temps de voir la femme tendre son sac à l'homme en motocyclette, d'entendre un coup de feu et d'assister, pétrifié, à la chute à terre de la pauvre femme et à la fuite de la motocyclette. Lorsqu'il put se remuer et courir vers Mme Joppolo, qu'il connaissait très bien, il n'y avait plus rien à faire, elle avait été touchée en pleine poitrine.

Dans son lit au pital, maître Giuseppe faisait la Marie des Sept Douleurs.

— Tout est de ma faute ! Quand je pense que je lui avais dit de ne pas venir, de rester à la maison, que ce n'était rien de grave ! Pauvre Ninetta, comme elle m'aimait !

— Il y a longtemps que vous êtes à Palerme, maître ?

— Mais pas du tout ! Je l'ai laissée à Vigàta qu'elle dormait encore et je suis parti pour Palerme avec mon auto. Deux heures et demie plus tard, j'ai eu l'accident, je lui ai téléphoné ; elle, elle a insisté pour venir à Palerme et est arrivé ce qui est arrivé.

Il ne put poursuivre, la respiration lui manquait tant il sanglotait. Le commissaire dut attendre cinq minutes avant que l'autre ne soit à nouveau en état de répondre à sa dernière question.

— Pardonnez-moi, maître. Votre femme avait de grosses sommes dans son sac, habituellement ?

— De grosses sommes ? Qu'entendez-vous par grosses sommes ? A la maison, nous avons un coffre-fort où il y a toujours une dizaine de millions de lires en argent liquide. Mais elle prenait le strict nécessaire. Par ailleurs, aujourd'hui, entre les guichets automatiques, la carte de crédit et le carnet de chèques, quel besoin y a-t-il d'emporter sur soi beaucoup d'argent ? Mon Dieu, cette fois-ci, venant à Palerme et pensant devoir faire face à des dépenses imprévues, quelques millions, elle les aura pris. Bon, elle aura aussi pris quelques bijoux. C'était comme une habitude, pour la pauvre Ninetta, d'en mettre quelques-uns dans son sac quand elle devait quitter Vigàta, même pour peu de temps.

— Maître, comment est survenu l'accident ?

— Bah, je dois avoir eu un coup de pompe. Je suis allé me jeter droit sur un poteau. Je n'avais pas ma ceinture de sécurité, j'ai deux côtes cassées, mais rien de plus.

Son menton se remit à trembler.

— Et pour une connerie pareille, Ninetta y a laissé la vie !

— Il est vrai, commenta le commentateur politique de Televigàta en persistant dans son idée, que la victime ne se rendait pas à l'église pour prier puisque sa destination était le garage.

Mais qui pouvait exclure que, avant de partir à Palerme réconforter son mari, la dame n'allait pas s'arrêter, même pour quelques minutes, à l'église, pour élever une prière en faveur de l'avocat qui gisait pendant ce temps sur son lit de douleur ? Et donc tout collait ; ce crime était à inscrire au compte de la secte de ceux qui voulaient, par la terreur, désertifier les églises. Chose qu'on aurait même pas faite sous Staline. On était, certainement, devant une effrayante *escalation*[1] de violence athée.

Même un Bonetti-Alderighi furibard employa le mot « escalation ».

— C'est une escalation, Montalbano ! D'abord il tire à blanc, ensuite il touche de biais et puis il tue ! Autre chose que la valeur cognitive que soutient votre criminologue français, comment s'appelle-t-il, ah oui, Marthes ! Vous savez qui était la victime ?

— Honnêtement, je n'ai pas encore eu le temps de...

— Je vais vous le faire économiser, moi, votre temps. Mme Joppolo, à part qu'elle était une des femmes les plus riches de la province, était la cousine du sous-secrétaire Biondolillo qui m'a déjà téléphoné. Et elle avait des amis importants, que dis-je impor-

---

1. Escalade, en anglais : un des exemples de l'envahissement par l'anglo-américain du langage médiatico-politique en Italie. *(N.d.T.)*

tants, très importants dans les milieux politiques et financiers de l'île. Vous rendez-vous compte ? Ecoutez, Montalbano, faisons ainsi et ne le prenez pas mal : pour mener l'enquête, en accord naturellement avec le substitut, ce sera le chef de la brigade criminelle. Vous, vous l'épaulerez. Ça vous va ?

Là, au commissaire, ça lui allait très bien. A l'idée de devoir répondre aux inévitables questions du sous-secrétaire Biondolillo et de tous les milieux politiques et financiers de l'île, il s'était mis à suer : certes pas par crainte, mais par intolérable aversion pour le monde de Mme Joppolo.

Les enquêtes de la Criminelle, que Montalbano se garda bien d'épauler (peut-être parce que personne ne lui demanda de l'épauler), se soldèrent par l'arrestation de deux vauriens drogués et en possession de motocyclettes. Arrestation que le juge d'instruction se refusa de valider. Ils furent tous deux remis en liberté et l'enquête s'arrêta là, même si le questeur Bonetti-Alderighi s'épuisait à expliquer au sous-secrétaire Biondolillo et aux milieux politiques et financiers que très vite, le meurtrier allait être identifié et arrêté.

Naturellement, le commissaire Montalbano mena son enquête parallèle, toute en immersion, à fleur d'eau. Et il arriva à la conclusion que d'ici peu, il allait y avoir une autre agression. Il se garda bien d'en dire un mot au Questeur, mais le laissa entendre en revanche à Mimì Augello.

— Quoi ?! s'écria Mimì. Tu viens me raconter que ce type va tuer une autre femme et tu es là assis comme un bienheureux ? Si tu es convaincu de ce que tu me dis, il faut faire quelque chose !

— Du calme, Mimì. Moi j'ai dit qu'il allait agresser et tirer sur une autre femme, mais je n'ai pas dit qu'il allait la tuer. Il y a une différence.

— Comment tu fais pour en être si sûr ?

— Parce qu'il va tirer à blanc, comme il a fait les deux premières fois. Parce qu'il est inutile de venir me raconter que l'assassin n'a pas tiré à blanc et qu'à la dernière seconde, il a regretté et a dévié son arme... Couillonnades, tout ça. Ça a été une *escalation*, comme dit le Questeur. Etudiée avec intelligence. Il va tirer à blanc, ma main au feu.

— Salvo, si je comprends bien, étant donné que ce sera un hasard si on attrape le tireur, à l'instant tu es en train de dire qu'il y aura encore, dans l'ordre, deux femmes visées à blanc, une frôlée par la balle et la dernière tuée ?

— Non, Mimì. Si moi j'ai raison, il n'y aura qu'une autre victime sur qui il tirera à blanc et qui se prendra une frousse terrible. Espérons que son cœur tienne. Mais l'affaire s'arrêtera là, il n'y aura plus d'agressions.

Deux mois après les funérailles solennelles de Mme Joppolo, un matin vers sept heures, alors que Montalbano dormait encore parce qu'il était allé se coucher à quatre heures, le téléphone sonna à Marinella. Pestant, le commissaire gueula :

— Qui c'est ?

— C'est toi qui avais raison, fit la voix de Mimì Augello.

— De quoi tu parles ?

— Il a tiré sur une autre petite vieille.

— Il l'a tuée ?

— Non. C'était probablement un coup à blanc.

— J'arrive tout de suite.

Sous la douche, le commissaire entonna à pleins poumons « O toréador reviens victorieux ».

Vecchiareddra, petite vieille, lui avait dit Mimì au téléphone. Mme Rosa Lo Curto était assise devant Montalbano, toute plastronnante. Grasse, rubiconde et expansive, elle faisait dix ans de moins que les soixante qu'elle avait déclarés.

— Vous alliez à l'église, madame ?

— Moi ?! Moi j'ai pas mis les pieds à l'église depuis mes huit ans.

— Vous êtes mariée ?

— Je suis veuve depuis cinq ans. Je me suis mariée en Suisse, rite civil. Je supporte pas les curés.

— Pourquoi êtes-vous sortie de chez vous si tôt ?

— Une amie m'avait téléphoné. Michela Bajo, elle s'appelle. Elle avait passé une nuit épouvantable. Elle est malade. Et moi alors, je lui ai dit que je venais la voir. J'ai même pris une bouteille de bon vin, de celui qu'elle aime. Je n'ai pas trouvé de sac plastique, alors la bouteille, je la tenais à la main, chez Michela c'est à cinq minutes de chez moi.

— Qu'est-il arrivé, exactement ?

— Comme d'habitude. J'ai été dépassée par une motocyclette. Ensuite il a fait un demi-tour sur place et il est revenu en arrière. Il s'est arrêté à deux pas, il a

sorti un revolver et m'a visée. « Donne-moi ton sac »,
il a dit.

— Et vous, qu'avez-vous fait ?

— « Pas de problème », je lui ai dit. Et j'ai tendu la
main avec le sac. Lui, pendant qu'il le prenait, il m'a
tiré dessus. Mais moi j'ai rien senti, j'ai compris qu'il
m'avait pas touchée. Alors, de toutes mes forces, je lui
ai cassé la bouteille sur la main qui tenait le sac et qu'il
avait posée sur la poignée pour mettre les gaz et repar-
tir. Vos hommes ont ramassé les morceaux de la bouteille. Ils sont pleins de sang. Je dois lui avoir bousillé
la main, à ce très grand cornard. Le sac, il se l'est
emporté. Mais de toute façon, dedans, j'avais à peu
près une dizaine de milliers de lires.

Montalbano se leva et lui tendit la main.

— Madame, vous avez mon admiration la plus sincère.

Le commentateur politique de Televigàta, étant
donné que Mme Lo Curto, interviewée, avait déclaré
qu'il ne lui était même pas passé par l'antichambre de
la cervelle d'aller à l'église le matin de l'agression,
glissa sur son chapitre favori du complot visant à la
désertification des églises.

Un qui ne glissa pas, ce fut Bonetti-Alderighi.

— Et non ! Et non ! On repart à zéro ! Vous savez
que l'opinion publique va se révolter face à notre
inertie ! Oui, bon, pourquoi la nôtre ? La vôtre,
Montalbano !

Le commissaire ne put s'empêcher d'ébaucher un
petit sourire qui fit encore plus enrager le Questeur.

— Mais qu'est-ce que vous avez à sourire, nom de Dieu ?!

— Si vous me donnez deux jours, je vous les amène tous les deux.

— Qui ça, les deux ?

— Le commanditaire et l'exécutant matériel des agressions et de l'homicide.

— Vous plaisantez ?

— Pas du tout. Cette dernière agression, je l'avais prévue. C'était, comment dire, la preuve par neuf.

Bonetti-Alderighi se décontenança, il se sentait le gosier en feu. Il appela l'huissier.

— Apportez-moi un verre d'eau. Vous en voulez aussi ?

— Moi non, dit Montalbano.

— Commissaire ! Quelle bonne surprise ! Qu'est-ce qui vous amène à Palerme ?

— Je suis ici pour une enquête. Je reste quelques heures et puis je rentre à Vigàta. J'ai appris qu'à Vigàta comme à Montelusa, vous avez vendu toutes les propriétés de votre pauvre femme.

— Commissaire, croyez-moi, je n'en pouvais plus de vivre au milieu de ces douloureux souvenirs. J'ai acheté cette villa à Palerme et je vais continuer à vivre ici. Ce qui ne me rappelait pas de douloureux souvenirs, je l'ai fait venir ici, le reste je l'ai, comment dire, cédé.

— Vous avez aussi cédé le chat ? lui demanda Montalbano.

Maître Giuseppe Joppolo parut un instant complètement largué.

— Quel chat ?

— Doudoù. Le chat auquel votre pauvre épouse était si attachée. Elle avait aussi un chardonneret. Vous les avez amenés ici avec vous ?

— Eh non. J'aurais bien voulu, mais dans le branle-bas du déménagement, hélas… le chat s'est échappé et le chardonneret s'est envolé. Hélas.

— Votre épouse y tenait beaucoup, autant au chat qu'au chardonneret.

— Je sais, je sais. Elle avait, la pauvrette, ces formes infantiles de…

— Pardonnez-moi, maître, l'interrompit Montalbano. Mais j'ai appris qu'entre vous et votre femme, il y avait dix ans de différence. Je veux dire que vous étiez de dix ans plus jeune que votre épouse.

Maître Giuseppe Joppolo bondit de sa chaise et fit une tête indignée.

— Qu'est-ce que ça a à voir ?

— Ça n'a rien à voir, en effet. Quand l'amour est là…

L'avocat le regarda par en dessous, les yeux mi-clos et ne dit rien. Montalbano poursuivit.

— Lorsque vous vous êtes marié, vous étiez pratiquement fauché, n'est-ce pas ?

— Sortez de cette maison.

— Je m'en vais dans un instant. Maintenant, en revanche, avec l'héritage, vous êtes devenu très riche. A vue de nez, c'est d'une dizaine de milliards que vous avez hérité. La mort des personnes que l'on aime n'est pas toujours un malheur.

— Que voulez-vous insinuer ? demanda l'avocat pâle comme un mort.

— Rien d'autre que ceci : vous avez fait assassiner votre femme. Et je sais aussi par qui. Vous avez imaginé un plan génial, chapeau. Les trois premières agressions étaient un faux prétexte, le véritable objectif était la quatrième ; l'agression, mortelle, de votre femme. Il ne s'agissait pas de voler les sacs, mais de couvrir par de faux vols le véritable but, l'assassinat de votre femme.

— Excusez-moi : mais après le meurtre de la pauvre Ninetta, il me semble qu'à Vigàta il y a eu une autre tentative.

— Maître, je vous ai déjà dit chapeau. Celle-là, c'était la touche de l'artiste, pour détourner définitivement de vous les éventuels soupçons. Mais vous n'avez pas pensé à l'affection que votre femme avait pour son chat Doudou et pour son chardonneret. Ce fut une erreur.

— Vous voulez bien m'expliquer ce que c'est que cette histoire idiote ?

— Pas si idiote que ça, maître. Vous voyez, moi j'ai fait mon enquête. Ecoutez bien. Vous, quand je suis venu vous voir à la clinique après votre accident et l'assassinat de votre femme, vous m'avez dit qu'au téléphone, vous aviez insisté pour qu'elle reste à Vigàta. C'est vrai ?

— Bien sûr que c'est vrai !

— Voyez, vous, tout de suite après l'accident, vous

avez été interné dans une chambre à deux lits. L'autre patient était séparé de vous par un paravent. Vous, étourdi par le faux accident qui vous avait néanmoins amoché, vous avez téléphoné à votre femme. Ensuite on vous a transporté dans une chambre simple. Mais l'autre patient a entendu le coup de téléphone. Il est prêt à témoigner. Vous avez supplié votre femme de venir vous voir à la clinique, vous lui avez dit que vous alliez très mal. Au contraire, à moi, vous m'avez raconté, et vous l'avez répété à l'instant, que vous avez insisté pour que votre femme ne bouge pas de Vigàta.

— Que voulez-vous que je me rappelle, après un accident qui…

— Laissez-moi finir. Il y a plus. Votre épouse, très préoccupée par ce que vous lui aviez dit au téléphone, décide de partir immédiatement pour Palerme. Mais il y a le problème du chat et du chardonneret ; elle ne sait pas combien de temps elle restera hors de chez elle. Alors elle réveille la voisine qui est une amie, elle lui raconte que vous lui avez dit que vous étiez pratiquement à l'agonie. C'est pourquoi elle doit partir d'urgence. Elle confie à son amie et voisine le chat et le chardonneret et descend dans la rue où l'attend son assassin, prêt à mener à son terme le plan ingénieux que vous avez imaginé.

Le bel avocat Giuseppe Joppolo perdit son aplomb.

— Vous n'avez même pas l'ombre d'une preuve, pauvre con.

— Vous ne savez peut-être pas que votre complice a eu une main blessée par un coup de bouteille reçu de

sa dernière victime. Il est allé se faire soigner à l'hôpital de Montelusa, rien de moins. Nous l'avons arrêté.
Mes hommes l'interrogent. Question d'heures. Il
avouera.

— Bon Dieu ! dit maître Joppolo en s'écroulant sur
la chaise la plus proche.

Il n'y avait rien de vrai dans l'histoire du complice
arrêté. Ce n'était qu'un bobard, une authentique
chausse-trappe, comme on disait autrefois dans le jar-
gon de la police. Mais cette trappe, l'avocat n'avait pas
su l'éviter, il y était tombé dedans tout habillé.

Pessoa prétend

Montalbano s'était levé à six heures du matin et la chose en soi ne lui aurait fait ni chaud ni froid si ça n'avait été une journée insipide. Il tombait une pluie fine qui feignait de ne pas se trouver là, exactement celle que les paysans appellent « trempe-vilain ». Autrefois, quand on besognait encore la terre, avec une pluie comme ça le laboureur ne s'arrêtait pas, il continuait à travailler de la bêche ; de toute façon c'est une pluie légère qui n'y paraît même pas : conclusion, quand il rentrait chez lui le soir, ses habits étaient comme détrempés d'eau. Et ça ne fit qu'empirer la mauvaise humeur du commissaire qui, à neuf heures et demie ce matin-là, devait se trouver à Palerme, deux heures de route en voiture, pour participer à une réunion qui avait pour thème l'impossible, à savoir la définition de méthodes et de systèmes pour distinguer, parmi des milliers de clandestins qui débarquaient sur l'île, lesquels étaient de pauvres malheureux en quête de travail ou rescapés des horreurs de guerres plus ou moins civiles, et lesquels étaient au contraire de purs délinquants, infiltrés dans les hordes de désespérés. Un quelconque génie ministériel prétendait qu'il avait trouvé une méthode quasi infaillible et monsieur le ministre avait décidé que tous les responsables de l'ordre dans l'île en seraient dûment mis au courant. Montalbano avait pinsé qu'à ce génie ministériel, on aurait dû attribuer le Nobel : au minimum, il avait réussi à inventer un système capable de distinguer le Bien du Mal.

Il remonta en voiture pour rentrer à Vigàta qu'il était déjà cinq heures de l'après-midi. Il avait les nerfs, la révélation du génie ministériel avait été accueillie par des sourires mal dissimulés, en pratique elle était irréalisable. Journée perdue. Comme prévu.

N'était pas prévue, en revanche, l'absence totale de ses hommes au commissariat. Il n'y avait même pas Catarella. Où étaient-ils passés ? Il entendit des pas dans le couloir. C'était Catarella qui rentrait, essoufflé.

— Ascusez-moi, *dottori*. A la pharmacie je fus, de la gaspirine je cherchai. Je suis en train d'attraper un froidissement.

— Mais on peut savoir où sont les autres ?

— Le *dottori* Augello a un froidissement, Galluzzo a un froidissement, Fazio et Gallo…

— … ont un froidissement.

— Oh que non, *dottori*. Eux ils vont bien.

— Où sont-ils ?

— Ils ont été là où qu'on a tué quelqu'un.

Et voilà : tu peux pas t'éloigner une demi-journée, qu'ils en profitent et ils se font un mort.

— Et tu sais où c'est ?

— Oh que oui, *dottori*. Au quartier Ulivuzza.

Comment y arrive-t-on ? S'il le demandait à Cata-rella, peut-être que celui-là, il le faisait aller au Cercle polaire arctique. Puis il lui revint à l'esprit que Fazio avait son portable.

— Et qu'est-ce que vous venez faire, *dottore* ? Le substitut a donné l'ordre d'enlèvement, le docteur Pasquano l'a vu, la Scientifique est sur le point de terminer.

— Et moi je viens quand même. Attendez-moi, Gallo et toi. Explique-moi bien le chemin.

Il pouvait très bien suivre le conseil de Fazio et rester au bureau sans broncher. Mais il ressentait le besoin de se refaire, en quelque sorte, de cette journée à vide, gaspillée en quatre heures et quelque de voiture et un déluge de mots privés de sens.

Le quartier Ulivuzza était vraiment à la limite avec Montelusa, encore cent mètres et le commissariat de Vigàta n'aurait rien eu à faire dans cette histoire. La maison où on avait trouvé le cadavre était complètement isolée. Bâtie en pierres sèches, elle consistait en trois pièces alignées au rez-de-chaussée. Il y avait une porte d'entrée avec une ouverture à côté : cette dernière donnait sur l'étable où vivait un âne solitaire et mélancolique. Lorsqu'il arriva, il n'y avait qu'une auto, celle de Gallo, devant le terre-plein : il était évident que tout l'estrambord des médecins, infirmiers, Scientifique et substitut avec sa suite était fini. Tant mieux. Il descendit de voiture et fourra ses chaussures dans un demi-mètre de boue. La pluie en « trempe-vilain » ne tombait plus, mais ses effets persistaient. Le seuil de la porte, en effet, était enseveli sous trois doigts de boue et la boue était partout dans la pièce à l'intérieur de laquelle il pénétra. Fazio et Gallo étaient en train de se faire un verre de vin debout devant la cuisinière à bois. Il y avait même un four à pain, fermé par un bout de fer taillé en demi-cercle. Le mort, ils l'avaient emporté. Sur la table, au centre de la pièce, se trouvait une assiette avec les restes de deux pommes de terre bouillies, transformées par le sang qui avait rempli l'assiette et avait débordé sur le bois de la table, en betteraves violacées.

Sur la table, mise sans la nappe, il y avait même une tomme intacte, une demi-miche de pain et un verre à moitié plein de vin rouge. Il n'y avait pas la fiasque, c'était celle à laquelle se servaient Fazio et Gallo. Par terre, à côté de la chaise de paille, une fourchette.

Fazio avait suivi son regard.

— C'était pendant qu'il mangeait. Ils l'ont justicié d'un seul coup à la nuque.

Montalbano enrageait quand, à la télévision, ils remplaçaient le verbe tuer par justicier. Et ses hommes aussi, il les engueulait. Mais cette fois, il laissa courir ; si Fazio se l'était laissé échapper, ça signifiait qu'il avait été impressionné par cet unique coup dans la nuque tiré avec froideur.

— Qu'est-ce qu'il y a par là ? demanda le commissaire en indiquant de la tête l'autre pièce.

— Rin. Un lit à deux places, sans draps, juste avec

un matelas, deux tables de nuit, une *armuàr*[1], deux chaises comme celles qui sont là.

— Moi je le connaissais, dit Gallo en s'essuyant la bouche avec la main.

— Le mort ?

— Oh que non. Le père. Il s'appelait Firetto Antonio. Le fils, lui, il portait le nom de Giacomo, mais je l'ai jamais connu.

— Où est passé le père ?

— C'est ça le tracassin, dit Fazio. On ne le trouve pas. On l'a cherché tout autour de la maison et dans les parages mais on l'a pas trouvé. D'après moi, ils se le sont emmené, ceux qui ont tué le fils.

— Qu'est-ce que vous savez du mort ?

— *Dottore*, depuis cinq ans il s'était mis en cavale. C'était un homme de main de la mafia, il faisait des basses besognes de boucher, tout au moins c'est ce qu'on disait. Il n'y a que vous qui n'en avez jamais entendu parler.

— Il appartenait aux Cuffaro ou aux Sinagra ?

Les Cuffaro et les Sinagra étaient les deux familles qui depuis des années se faisaient la guerre pour le contrôle de la province de Montelusa.

— *Dottore*, Giacomo Firetto avait quarante-cinq ans. Quand il était là, il appartenait aux Sinagra. Il était minot, alors, mais il promettait bien. Au point que les Riolo de Palerme se le sont fait prêter. Prêt qui a duré jusqu'à ce qu'on le descende.

---

1. Prononcer « armoire », gallicisme. (*N.d.T.*)

— Et le père, quand il venait par ici, il lui donnait l'hospitalité.

Fazio et Gallo échangèrent un rapide coup d'œil.

— Commissaire, le père était un vrai honnête homme, dit fermement Gallo.

— On peut savoir pourquoi tu dis : était ?

— Parce que, d'après nous, à cette heure-ci, ils l'ont déjà tué.

— Dites voir : d'après vous, comment se sont passés les faits ?

— Si vous me le permettez, dit Gallo, je voudrais ajouter encore une chose. Antonio Firetto avait presque soixante-dix ans, mais il avait l'âme d'un minot. Il faisait des poésies.

— Quoi ?

— Oh que oui, monsieur, des poésies. Il ne savait ni lire ni écrire, mais il faisait des poésies. Belles, moi je l'ai entendu en dire quelques-unes.

— Et de quoi parlaient ces poésies ?

— Bah, la Madone, la lune, l'herbe. Des choses comme ça. Et il n'a jamais voulu croire à tout ce qu'on disait sur son fils. Il prétendait que Giacomo n'était pas capable, qu'il avait bon cœur. Jamais il a voulu y croire. Une fois, au village, il s'est castagné jusqu'au sang avec un type qui lui disait que son fils était un mafioso.

— J'ai compris. Donc tu es en train de me dire qu'il était plus que naturel qu'il donne l'hospitalité à son fils en le croyant 'nnocent comme le Christ.

— Exactement, dit Gallo, sur un ton proche du défi.

— Revenons à nos moutons. Comment s'est passée, selon vous, cette histoire ?

Gallo regarda Fazio comme pour lui dire que maintenant c'était à lui de prendre la parole.

— Aux premières heures de l'après-midi, Giacomo arrive ici. Il doit être mort de fatigue parce qu'il se jette sur le lit avec ses chaussures boueuses. Son père le laisse se reposer, puis il lui prépare à manger. Giacomo se met à table, à présent il fait sombre. Son père, qui n'a pas de 'pétit ou qui mange d'habitude plus tard, sort pour aller donner pitance au bourricot dans l'étable. Mais dehors il y a au moins deux hommes qui attendent le bon moment. Ils l'immobilisent, ils entrent sur la pointe des pieds dans la maison et descendent Giacomo. Ensuite ils s'emmènent avec eux le vieux et la voiture avec laquelle Giacomo est arrivé.

— Et pourquoi, d'après vous, ils l'ont pas tué ici même, comme ils ont fait avec le fils ?

— Bah, peut-être que Giacomo avait confié quelque chose au père. Et eux ils voulaient savoir ce qu'ils s'étaient dit.

— Ils pouvaient le faire dans l'étable, l'interrogatoire.

— Peut-être qu'ils pensaient que l'affaire allait être longue. Quelqu'un pouvait arriver. Comme en effet ce fut le cas.

— Explique-toi mieux.

— A découvrir le meurtre, ça a été un ami d'Antonio qui habite à trois cents mètres d'ici. Certains soirs, après manger, ils se buvaient un verre et ils bavardaient. Il s'appelle Romildo Alessi. Cet Alessi, qui a une mobylette, a filé à une maison voisine où il savait qu'il y avait un téléphone. Quand nous sommes arrivés, le corps était encore chaud.

— Votre reconstitution ne tient pas, dit brutalement Montalbano.

Ils se regardèrent tous les deux, sidérés.

— Et pourquoi ?

— Vous y arriverez pas tout seuls si je vous le dis pas. Comment était habillé le mort ?

— Pantalon, chemise et veste. Que des vêtements légers, avec la chaleur qu'il fait malgré toute l'eau.

— Donc il était armé.

— Pourquoi aurait-il dû être armé ?

— Parce qu'un type qui en été porte une veste, ça veut dire qu'il est armé sous sa veste. Alors, il était armé ou non ?

— Nous n'avons pas trouvé d'armes.

Montalbano fit la grimace.

— Vous, alors, vous pensez qu'un dangereux individu recherché s'en va se balader sans même un misérable revolver en poche ?

— Peut-être que l'arme, ils se la sont emportée, ceux qui l'ont tué.

— Peut-être. Vous avez regardé à la ronde ?

— Oh que oui. Et même ceux de la Scientifique. On n'a même pas trouvé la douille. Ou ils l'ont récupérée ou l'arme était un revolver.

Un tiroir de la table était à moitié ouvert. Dedans, il y avait des brins de raphia, un paquet de bougies, une boîte d'allumettes de cuisine, un marteau, des clous et des vis.

— Vous l'avez ouvert ?

— Oh que non, *dottore*. Il était comme ça quand on est arrivés. Et comme ça on l'a laissé.

Sur le rebord devant le four, il y avait un rouleau de papier adhésif pour emballage, marron clair, de trois doigts de large. Il devait avoir été pris dans le tiroir resté entrouvert et jamais remis en place.

Alors il alla devant le four, il souleva la fermeture en fer qui était simplement posée sur le bord de la gueule du four.

— Vous me passez une lampe ?

— Là-dedans on a regardé, dit Fazio tout en la lui tendant, mais il n'y a rien.

Au contraire, il y avait bien quelque chose : un chiffon jadis blanc, à présent devenu complètement noir de scories. En outre, deux doigts de suie impalpable s'étaient amassés juste derrière la gueule, comme si on l'avait fait tomber de la partie initiale de la voûte du four.

Le commissaire remit en place la fermeture.

— Celle-là, je me la garde, dit-il en mettant la lampe dans sa poche.

Puis il se mit à faire une chose qui parut étrange à Fazio et à Gallo. Il ferma les yeux et marcha, d'un pas normal, du mur où étaient la cuisinière et le four, à la table et vice versa, puis de la table à la porte d'entrée et inversement. Bref, toujours les yeux fermés, il marchait d'avant en arrière qu'on aurait dit qu'il était devenu dingue.

Fazio et Gallo n'osèrent rien lui demander. Puis le commissaire s'arrêta.

— Moi, cette nuit, je reste ici, dit-il. Vous, éteignez la lumière, fermez la porte et les fenêtres, mettez les scellés. On doit donner l'impression que là-dedans, il est resté personne.

— Et quel motif ont-ils de revenir ? demanda Fazio.

— Je ne sais pas, mais faites comme je vous dis. Toi, Fazio, ramène à Vigàta ma voiture. Ah, une chose : avant de partir, après que vous aurez mis les scellés sur la porte, allez dans l'étable soigner le bourricot. Cette pôvre bête doit avoir faim et soif.

— A vos ordres, dit Fazio. Vous voulez que dans la matinée je vienne vous prendre avec votre voiture ?

— Non merci. Je rentrerai à Vigàta à pied.

— Mais la route est longue !

Montalbano le regarda dans les yeux et Fazio n'osa pas insister.

— Commissaire, je suis curieux de savoir, avant de m'en aller. Pourquoi notre raisonnement sur la façon dont a été tué Giacomo Firetto ne marche pas ?

— Parce que Firetto était en train de manger assis en regardant la porte. Si quelqu'un était entré, il l'aurait vu et aurait réagi. Au contraire, dans cette pièce, tout est en ordre, il n'y a pas signe de lutte.

— Et alors ? Peut-être que le premier est entré en brandissant son arme sur Giacomo et tout en le tenant en joue, il lui a ordonné de rester comme il était, tandis que le second a fait le tour de la table et lui a tiré dans la nuque.

— Et tu penses que quelqu'un comme Giacomo Firetto, après ce que vous m'avez raconté, c'est un type à se laisser tuer en restant immobile et terrorisé ? En désespoir de cause, mort pour mort, quelque chose, il le tente. Bon, bonne nuit.

Il les entendit fermer la porte, il les entendit qui s'affairaient à mettre les scellés (une feuille de papier avec dessus un gribouillis et un tampon, accroché à un battant par deux bouts de scotch), il les entendit pester et jurer dans l'étable à côté pendant qu'ils s'occupaient du bourricot (il était clair que l'âne ne voulait rien avoir à faire avec deux étrangers), il les entendit mettre en marche les autos et s'éloigner. Il resta encore immobile dans le noir complet à côté de la table. Quelques secondes plus tard, lui parvint le bruit de la pluie qui s'était remise à tomber.

Il enleva sa veste, sa cravate qu'il avait encore et qu'il avait dû mettre pour le congrès palermitain, sa chemise, et resta torse nu. La lampe à la main, il marcha résolument vers le four, prit le couvercle en fer et le posa par terre en cherchant à ne pas faire de bruit, il glissa le bras à l'intérieur du four et pressa le bouton de la lampe. Dedans le four, il y rentra lui aussi de tout son buste, en se hissant sur la pointe des pieds. En faisant une torsion, il se retrouva appuyé de dos sur le rebord, la moitié du corps à l'intérieur du four, le cul, les jambes et les pieds, quant à eux, en dehors. Un peu de suie lui tomba sur les yeux, mais ça ne l'empêcha pas de voir le revolver maintenu collé sur la voûte du four, juste en arrière de la bouche, par deux bandes de ruban adhésif d'emballage qui luisaient sous la lumière. Il éteignit la lampe, sortit du four, remit en place la fermeture, se nettoya au mieux avec un mouchoir, enfila à nouveau sa chemise et sa veste ; la cravate, il se la mit dans la poche.

Ensuite il s'assit sur une chaise qui se trouvait presque devant les deux fourneaux. Alors, mais pas seulement pour passer le temps, le commissaire se mit à songer à une lecture faite quelques jours auparavant. Pessoa prétend, à travers les mots que met dans sa bouche un de ses personnages, le détective Quaresma, que si quelqu'un, en passant dans une rue, voit un homme tombé sur le trottoir, instinctivement il est amené à se demander : pour quel motif cet homme est-il tombé ici ? Mais, prétend Pessoa, ceci est déjà une erreur de raisonnement et donc une possibilité d'erreur de fait. Celui qui passait n'a pas vu l'homme tomber là, il l'a vu déjà tombé. Ce n'est pas un *fait* que l'homme soit tombé à cet endroit-là. Ce qui est un fait, c'est qu'il se trouve là par terre. Il se peut qu'il soit tombé à un autre endroit et qu'on l'ait transporté sur le trottoir. Ce peut être nombre d'autres choses, prétend Pessoa.

Et donc, comment expliquer à Fazio et à Gallo que le seul *fait* de l'affaire, à part le mort, c'était qu'Antonio Firetto n'était pas sur le lieu du crime au moment où eux, ils étaient arrivés ? Que se le soient emmené les assassins du fils n'était absolument pas un *fait*, mais une erreur de raisonnement.

Puis lui revint à l'esprit un autre exemple qui confortait le premier. Pessoa prétend, toujours à travers Quaresma, que si un monsieur, alors qu'il pleut dehors et qu'il est dans le salon, si le monsieur en question voit entrer dans la pièce un visiteur trempé inévitablement, il est porté à croire que le visiteur porte des habits imprégnés d'eau parce qu'il a été sous la pluie. Mais cette pensée ne peut être considérée comme un *fait*, étant donné que le monsieur n'a pas vu de ses yeux le visiteur dans la rue sous la pluie. Il se peut en revanche qu'on lui ait renversé une bassine d'eau dans la maison.

Et alors comment expliquer à Fazio et à Gallo qu'un mafioso « justicié » d'un coup précis dans la nuque n'est pas nécessairement victime de la mafia à cause d'un manquement, d'un début de repentir ?

Pessoa prétend encore que…

Il ne sut jamais ce qu'à ce moment-là prétendait encore Pessoa. La fatigue de la journée lui tomba dessus d'un coup, comme un capuchon qui ajoutait du noir au noir qui régnait déjà dans la pièce. Sa tête roula sur sa poitrine et il s'endormit. Avant de sombrer, il parvint à se donner un ordre : dors comme les chats. Du sommeil léger des chats qui semblent dormir profondément, mais à qui il suffit d'un rien pour les faire bondir sur leurs pattes en position de défense. Il ne sut pas combien de temps il dormit, aidé par le bruit de fond incessant de la pluie. Il fut réveillé tout à coup, exactement comme un chat, par un léger bruit à la porte d'entrée. Ce pouvait être un animal quelconque. Puis il entendit la clé tourner dans la serrure, la porte s'ouvrit précautionneusement. Il se redressa sur sa chaise. La porte se referma. Il ne l'avait vue ni s'ouvrir ni se refermer, aucune altération dans le mur d'un noir dense, tant dehors qu'à l'intérieur de la maison. L'homme était entré, mais il restait trop près de la porte, immobile : le commissaire n'osait pas broncher lui non plus, il craignait même que sa respiration ne le trahisse. Pourquoi n'avançait-il pas ? Peut-être l'homme flairait-il une présence étrangère dans sa maison, comme un animal rentré dans sa tanière. Puis finalement, l'homme fit deux pas vers la table et à nouveau s'arrêta. Le commissaire se sentit rassuré ; à présent, d'un bond, il aurait pu, si c'était nécessaire, sauter de sa chaise et l'attraper. Mais il n'en eut pas besoin.

— *Cu si ?* demanda une voix de vieillard, basse, sans chevrotement.

Qui es-tu ? Il l'avait vraiment flairé, une ombre étrangère dans l'amas d'ombres que constituait la pièce, à l'intérieur duquel l'homme savait désormais distinguer, par une vieille habitude, ce qui était à sa place et ce qui ne l'était pas. Il était désavantagé, Montalbano : pour autant qu'il se soit gravé dans la tête la disposition de chaque chose, il comprenait que l'autre aurait pu fermer les yeux et se mouvoir librement alors que lui, absurdement, justement dans ce noir dense, il ressentait la nécessité de garder les yeux écarquillés.

Et il comprit aussi que ce serait une erreur irrécupérable que de se tromper sur les mots à prononcer.

— Je suis un commissaire. Montalbano je suis.

L'homme ne broncha pas, il ne parla pas.

— Vous êtes Antonio Firetto ?

Le « vous » lui était venu spontanément et avec ce ton particulier qui indique la considération, si ce n'est le respect.

— Oui.

— Depuis combien de temps n'aviez-vous pas vu Giacomo ?

— Depuis cinq ans. Vosseigneurie me croit ?

— Je vous crois.

Donc, durant toute sa période de cavale, son fils ne s'était pas montré. Peut-être qu'il n'osait pas.

— Et à hier, pourquoi donc se présenta-t-il ?

— Je le sais pas le pourquoi. Il était fatigué, très fatigué. Il ne vint pas en voiture, il vint à pied. Il entra, il m'embrassa, il se jeta sur le lit avec toutes ses chaussures. Après il se réveilla et me dit qu'il avait du 'pétit. Alors je m'aperçus qu'il était armé, il avait un revolver sur la table de nuit. Je lui demandai pourquoi il se promenait armé et lui me répondit que c'était passqu'on pouvait faire des rencontres *tinti*, mauvaises. Et il se mit à rire. Et à moi, le sang me gela.

— Pourquoi le sang vous gela ?

— Pour comment il riait, commissaire. Nous ne nous parlâmes plus, lui resta couché, moi je vins ici à lui préparer le manger. Pour lui seul, moi je pouvais pas, je me sentais une main de fer qui me bloquait l'estomac.

Il s'interrompit, poussa un soupir. Montalbano respecta son silence.

— Ce rire me résonnait toujours dans la tête, répéta le vieillard. C'était un rire parlant, qui disait toute la vérité *supra a me' filiu*, sur mon fils, la vérité que je n'avais jamais voulu croire. Quand les pommes de terre ont été prêtes, je l'appelai. Lui il se leva, entra ici dedans, il posa le revolver sur la table et commença à manger. Et alors moi je lui demandai : « Combien de chrétiens tu as tués ? » Et lui, là, froid comme s'il parlait de fourmis : « Huit. » Et après il me dit une chose qu'il ne devait pas me dire. Il dit : « Et même un minot de neuf ans. » Et il continua de manger. Sainte Madone, il continua de manger ! Alors moi je pris le revolver et je lui tirai derrière la nuque. Un seul coup, comme on fait avec les condamnés à mort.

« Justicié », avait dit Fazio. Et il avait dit juste. La pause cette fois fut plus longue. Puis le commissaire parla.

— Pourquoi êtes-vous revenu ?

— Passque je veux me tuer.

— Avec le revolver que vous avez caché dans le four ?

— Oh que oui. C'était celui de mon fils. Il manque une balle.

— Vous avez eu tout le temps que vous vouliez pour vous tuer. Pourquoi ne l'avez-vous pas fait aussitôt ?

— La main me tremblait trop.

— Vous pouviez vous pendre à un arbre.

— *Non sugnu Giuda*, je ne suis pas Judas, monsieur le commissaire.

Oui, il n'était pas Judas. Et il ne pouvait pas se jeter au fond d'un puits comme un désespéré. Il était un poète qui n'avait pas voulu voir jusqu'à la fin la vérité.

— Et maintenant qu'est-ce que vous faites, vous m'arrêtez ?

Encore cette voix basse et ferme, sans chevrotement.

— Je devrais.

Le vieillard bougea rapidement, prenant par surprise le commissaire. Dans le noir, Montalbano entendit le fer qui fermait le four tomber par terre. A présent, sûrement, le vieillard avait le revolver à la main et le pointait sur lui. Mais le commissaire n'avait aucune crainte, il savait que c'était juste un rôle à jouer. Il se leva lentement, mais sitôt debout, il eut comme un étourdissement, une fatigue faite de plaques de béton était en train de l'ensevelir.

— Vosseigneurie est en joue, dit le vieillard. Et moi je vous donne l'ordre de sortir immédiatement de cette maison. Je veux mourir ici, tué par le revolver de mon fils. Assis à cette même place où moi je l'ai tué. Si vosseigneurie est un homme, vous comprenez.

Péniblement, Montalbano se dirigea vers la porte, l'ouvrit et sortit. Il avait cessé de pleuvoir. Et il était sûr qu'il n'allait trouver aucune voiture pour Vigàta.

Un hasard d'homonymie

— Tu veux bien me l'expliquer un peu mieux, cette histoire ? demanda, furieux, Montalbano.

A l'autre bout du fil, à Boccadasse, faubourg de Gênes, la voix de Livia se fit d'un coup glaciale.

— Ne me crie pas dessus. Il n'y a aucune histoire à expliquer. Une bonne amie à moi, on se connaît depuis qu'on est petites, m'a invitée à passer avec elle les vacances de Noël, c'est tout.

— Mais qu'est-ce que tu me racontes ? Vous partez pour la Nouvelle York !

— Eh ben ? On va passer Noël à New York chez son frère qui vit là-bas.

— Tu aurais pu rester avec moi ! Je montais moi ou toi tu descendais.

— Allez, me fais pas rigoler, Salvo ! Depuis combien d'années on est ensemble ? Pas mal, non ? Combien de Noëls on a fêtés sous le même toit ?

— Ben, à l'instant je m'en rappelle pas.

— Je te rafraîchis la mémoire : un seul.

— Ça n'a pas été de ma faute.

— Ni de la mienne. Ecoute, Salvo, il m'est venu une idée : pourquoi tu ne me rejoins pas ?

— Où ça ?

— Comment, où ça ? A New York.

— Moi, à la Nouvelle York ? Pas même si on me flingue.

— Alors écoute. Moi je vais avec mon amie, je rentre à Boccadasse le 27, le lendemain je prends un avion et je viens te voir à Vigàta. Ça va comme ça ?

— Noël est une chose, le premier de l'an une autre.

— Salvo, tu veux que je te dise ? Tu me fatigues. Le numéro de New York, je te l'ai déjà donné : si tu veux m'entendre, tu m'appelles.

— J'ai pas de sous à jeter par les fenêtres, moi.

— Maintenant t'es même devenu radin ? Il paraît qu'en période de Noël, il sera possible de passer un coup de fil intercontinental de vingt minutes et de n'en payer que dix. Ou un truc comme ça. Renseigne-toi.

— Tous mes vœux, dit Montalbano les dents serrées.

— Je ne les accepte pas. Tu dois me les faire de vive voix soit la veille, soit le jour de Noël, dit durement Livia.

Et elle raccrocha.

Et ainsi, par pur masochisme, il acquiesça à l'invitation de son ami, le vice-Questeur Valente, à présent à la tête d'un commissariat de banlieue à Palerme, de passer Noël avec lui. Masochisme car la femme de Valente, Giulia, une Ligure de Sestres du même âge que Livia, cuisinait (mais peut-on employer ce verbe dans ce cas spécifique ?) comme les minots quand ils mélangent dans un bol mie de pain, sucre, poivrons, farine et tout ce qui se trouve à portée de main et puis qu'ils te l'offrent en disant qu'ils t'ont préparé le manger.

Tandis qu'il arrêtait l'auto devant l'hôtel qu'il avait choisi, il comprit que ce qu'il avait, lui, appelé maso-chisme, était en réalité une espèce d'acte expiatoire pour avoir été aussi goujat avec Livia. A Valente, il lui avait dit qu'il arriverait le 24 au matin : il s'était au contraire promis de passer la soirée du 23 à rousiner par les rues de Palerme, sans obligation de parler à quiconque.

Mais il avait oublié qu'à Noël, les gens sont pris de la manie d'acheter des cadeaux ; les magasins étaient tout illuminés, les rues bondées, les inscriptions des arches lumineuses souhaitaient paix et bonheur. Il marcha pendant une heure, choisissant soigneuse-ment une route la plus éloignée possible de la fièvre acheteuse, mais même dans les ruelles les plus déso-lées, il y avait toujours une échoppe à la vitrine déco-rée d'une rangée de petites ampoules colorées qui, en rythme, s'allumaient et s'éteignaient.

Traîtreusement, sans comprendre le pourquoi du comment, il fut assailli par un grand coup de mélanco-lie. Il lui revint à l'esprit un Noël de quand lui, tout minot… Basta. Il décida d'y remédier sur-le-champ.

Il accéléra le pas et arriva enfin à un bistrot où il allait chaque fois qu'il se trouvait à Palerme. Il entra et vit qu'il était le seul client. Le propriétaire-serveur du troquet, six tables en tout, était appelé don Peppe. Sa femme était en cuisine et savait faire les choses comme

Dieu le commande. Don Peppe connaissait Montalbano par son nom et son prénom, mais il ne connaissait pas sa profession : s'il l'avait sue, peut-être se serait-il montré moins expansif, son établissement étant fréquenté par des personnes pas très comme il faut.

Après s'être bâfré, les yeux mi-clos de plaisir, une assiette de paupiettes d'aubergines avec les pâtes et la *ricotta* râpée, il attendait le second plat lorsque don Peppe s'approcha de lui.

— On vous demande au téléphone, monsieur Montalbano.

Le commissaire s'étonna. Qui pouvait savoir que lui, à cet instant, il se trouvait là ? Certainement, il y avait une erreur. Quoi qu'il en soit, il se leva, alla au téléphone posé sur une tablette à côté de la porte des cabinets.

— Allô ?

— Montalbano, tu es ?

— Oui, je suis Montalbano, mais…

— Pas de mais. Tu as accepté, fais pas d'histoires. La première moitié des sous, tu te l'es prise. Ecoute : la personne, tu la trouves vers minuit. Sois rue Rosales, au 32, une villa. Fais ça bien proprement. Après tu me téléphones et tu me racontes. Le numéro, c'est 001 212 6783346. Je te dirai où tu peux aller prendre le reste du fric. Appelle, hein ?

Jésus ! Ce mec était à New York ! Il le savait parce que les six premiers chiffres étaient les mêmes que ceux du numéro que lui avait laissé Livia. Une erreur, comme il avait pensé tout de suite, un hasard d'homonymie.

— Excusez-moi, don Peppe, vous avez d'autres clients qui s'appellent comme moi ?

— Oh que non. Pourquoi ?

Un type entra et s'assit à une table. La trentaine, avec une tête à faire peur si tu le rencontrais tout seul la nuit.

— Vous, comment vous appelez-vous ?

— Et vous, qu'est-ce que vous en avez à foutre ?

— Je suis commissaire. Comment vous appelez-vous ?

— Filippazzo Michele. Vous voulez mes papiers ?

— Non, dit Montalbano.

Filippazzo se leva et dit, s'adressant au propriétaire :

— Excusez-moi, don Peppe, mais le 'pétit m'est passé.

Il s'en alla. Montalbano se rassit, le second plat déjà sur la table envoyait une fragrance divine, mais même à lui, l'envie de manger était passée, d'autant qu'à présent, don Peppe le reluquait de travers. Il regarda sa montre, neuf heures et demie ; il demanda l'addition, paya, sortit dans la rue et se marqua l'adresse de Palerme et le numéro de téléphone de la Nouvelle York. Il s'arrêta à quelque distance, pour contrôler qui entrait dans le bistrot, et il se mit à raisonner. Tenant pour certain que la chose à faire bien proprement était un meurtre à gages dont avait été payé le premier versement, il était clair que le Montalbano tueur n'était pas directement connu ni de don Peppe ni de l'homme de la Nouvelle York. A cet homonyme, il avait juste été dit d'aller au bistrot de don Peppe et d'attendre un coup de fil pour savoir l'adresse de la victime et comment récupérer le second versement. Mais le fait était que le Montalbano numéro deux ne s'était pas présenté. Il s'était repenti ? La circulation l'avait empêché d'arriver à temps ? Un couple entrait à ce moment-là dans le bistrot, deux petits vieux de soixante-dix ans passés. Le commissaire commençait à avoir froid, le blouson en mouton ne parvenait pas à lui tenir chaud. Une autre demi-heure passa. Il était évident que l'autre Montalbano ne viendrait plus. Et même s'il s'était présenté en retard, il n'aurait su ni l'adresse de la victime ni le numéro de téléphone de la Nouvelle York, car l'autre n'avait plus de raison de rappeler, il était désormais convaincu d'avoir parlé avec le vrai Montalbano. Revenu à l'hôtel, il monta dans sa chambre et appela Livia ; à la Nouvelle York il devait être quatre heures et demie de l'après-midi.

— Heullo ? dit une voix d'homme.

— Salvo Montalbano je suis.

— Quel plaisir de vous entendre ! Vous êtes le fiancé de Livia, n'est-ce pas ? Je vous la passe.

— Allô, Salvo ? Comment ça se fait que tu t'es décidé à me souhaiter joyeux Noël ?

— Et en fait je me suis pas décidé. Je t'appelle pour un service.

Il lui expliqua ce qu'il voulait. Mais le coup de téléphone dura longtemps, parce que les interruptions de Livia furent très nombreuses. (« On peut savoir ce que tu fais à Palerme ? » « A ce compte-là, tu pouvais venir à New York ! » « Mais la femme de Valente ne cuisine pas très mal ? » « Quelles emmerdes t'es en train de te chercher ? ») Finalement Montalbano s'en sortit et Livia lui promit qu'elle allait rappeler immédiatement. Le téléphone en effet sonna au bout de même pas un quart d'heure.

— Le numéro que tu m'as donné correspond au Liberty Bar. Ce n'est pas un numéro privé.

— Merci. Je te fais signe plus tard, dit Montalbano.

Et puis, après une pause :

— Pour te souhaiter joyeux Noël.

Un bar quelconque de New York, un bistrot quelconque de Palerme. Ils étaient bons, des vrais pros. Aucune connaissance directe entre eux, aucun numéro privé. Et maintenant que faire ? Il était onze heures, il prit une décision. Il descendit dans le hall et consulta le plan de Palerme. Ensuite, avec sa voiture, il se dirigea vers la rue Rosales, au coin opposé de la ville, une rue sombre qui sentait déjà la campagne. Il n'y passait pas un chat. Le commissaire s'arrêta à hauteur du 32, un grand portail en fer qui cachait une villa. Il était minuit. Peut-être que la victime désignée était déjà chez elle. Les phares d'une voiture qui arrivait l'éblouirent. Une lumière jaune clignota sur le portail qui s'ouvrit lentement, la voiture passa, le portail commença de se refermer. Le commissaire attendit que reste un espace très étroit, il bondit hors de l'auto et passa lui aussi, en y laissant quelques boutons. L'auto s'était arrêtée devant la villa. En descendit une jeune femme, elle ouvrit la porte et la ferma derrière elle. Les fenêtres du rez-de-chaussée s'éclairèrent, puis aussi celles du premier. Alors seulement, Montalbano s'avança vers la maison avec précaution. La fenêtre à main gauche de la porte d'entrée était entrouverte, il la poussa, elle s'ouvrit en grand. « Quand le vin est tiré… » se dit-il en enjambant, non sans un certain mal, le rebord. Il se retrouva à l'intérieur d'un très vaste salon, aux tableaux et mobilier de grande valeur. Un large escalier en bois, couvert de la même moquette, menait à l'étage supérieur. Montalbano fit un pas et se paralysa. Quelle ânerie était-il en train de faire ? Pourquoi se comportait-il exactement comme le tueur ? L'unique chose à faire, c'était de réescalader le rebord et d'aller frapper à la porte, en se présentant. Il se retourna, il eut à peine le temps de lever le pied qu'il se sentit saisi aux épaules. Il se débattit et, réagissant avec une promptitude qui l'étonna, il flanqua un marron dans la figure, non de celui qui l'empoignait aux épaules mais d'un autre qui était à côté de lui. Celui qui le tenait lui logea un puissant coup de genou dans le dos pendant que l'autre, remis de son marron, lui balançait un poing dans le ventre. Le commissaire tomba à plat ventre, ses bras furent pliés derrière son dos ; il entendit, ahuri, le déclic familier des menottes.

— Appelle une gazelle[1], dis-lui qu'on l'a chopé, dit l'un des deux.

Se sentant trempé par une suée de honte, Montalbano comprit qu'il avait été arrêté par les carabiniers.

Amené à la caserne, identifié, le bruit se répandit. La moitié des carabiniers en service à Palerme se précipita pour le regarder, au milieu des petits rires et des

---

1. Gazelle : nom familier de la voiture des carabiniers. *(N.d.T.)*

clins d'œil, comme une bête rare au zoo. Au bout d'une heure de souffrance, se présenta un capitaine qui écumait. « Pourquoi vous êtes-vous mêlé de ça ?! Ça fait une semaine qu'on était sur cette opération et vous avez tout foutu en l'air ! Mme Cosentino avait compris que son mari voulait la faire assassiner, elle nous en a donné les preuves et nous l'avons mise sous surveillance. Cette nuit devait être la bonne parce que le mari s'était fait un alibi en partant à Berlin avec sa maîtresse. Et maintenant, grâce à vous, on ne va plus rien réussir à savoir de cette histoire. Je ferai un rapport au Questeur. »

Montalbano, qui se tenait tête basse, leva les yeux et demanda :

— Je peux passer un coup de fil ?

Le capitaine haussa les épaules et indiqua le téléphone. Le commissaire composa le numéro du Liberty Bar de la Nouvelle York.

— Yes ?

En bruit de fond, des rires, de la musique, du brouhaha, des bruits de verre. C'était un bar, Livia avait dit juste.

— Montalbano je suis.

— Ben, on commençait à s'inquiéter, dit l'autre, le même qui l'avait appelé au bistrot de don Peppe.

— J'ai été retardé parce que la personne est rentrée tard. Ça a été de la besogne propre, comme tu voulais toi. Et maintenant, où je vais prendre le reste ?

L'autre le lui dit. Le capitaine le regardait, les yeux écarquillés.

— Vous avez téléphoné à New York ? De mon bureau ?! Et comment vous justifiez ça ?

— Je suis en train de vous offrir un bon point de départ, capitaine. J'ai téléphoné à ce même bar de New York d'où on m'a appelé hier. Prenez note du numéro. Ça ne peut pas avoir été un client du bar, c'est quelqu'un qui doit être toujours là pour répondre. Le patron, le gérant, voyez, renseignez-vous. C'est certainement lui qui organise les meurtres. Le reste de l'argent, c'est le propriétaire d'un magasin de chaussures de la rue Sciabica, au 28, qui l'a. On vient de me le dire. Il suffit de dire : « Montalbano. » Faites-le arrêter et interrogez-le.

Le capitaine se leva, il lui tendit la main et lui souhaita un joyeux Noël. Montalbano lui rendit la politesse et retourna à son hôtel. Il était quatre heures du matin. Il appela Livia pour lui raconter toute l'histoire.

— Un moment ! dit Livia. Pourquoi dans ce bistrot, tu as répondu au téléphone ?

— Mais parce qu'on cherchait un certain Montalbano !

— Bien sûr ! Et toi, égocentrique comme tu es, tu as répondu aussitôt comme si tu étais le seul Montalbano du monde !

Il ne restait plus qu'à se disputer. Ils se chamaillèrent pendant vingt minutes. Dix, heureusement, étaient gratis.

Une fois terminée l'empoignade intercontinentale, il fut pris d'un violent coup de pompe. Nu, sous la douche, il comprit qu'il était inutile d'aller se coucher.

A coup sûr, il n'allait pas pouvoir trouver le sommeil. Il s'était retrouvé balancé dans cette histoire à cause d'une évidente homonymie, il s'était couvert de merde aux yeux des carabiniers et à présent il laissait tout tomber comme s'il ne s'était rien passé ? La conclusion fut que cinq heures du matin sonnaient lorsqu'il se retrouva devant le numéro 28 de la rue Sciabica. Il n'y avait aucun magasin de chaussures : à ce numéro, correspondait un respectable portail rutilant et dûment clos à cette heure, l'entrée d'une maison d'habitation avec l'interphone à côté et le nom de ceux qui y habitaient. A main gauche, il y avait un magasin avec une enseigne au-dessus : « Addamo-Fruits et légumes ». A main droite, il y avait un autre magasin : « Charcuterie Di Francesco ». Il se dit que peut-être il avait mal entendu le numéro. On pouvait avoir dit 38. Il fit quelques mètres. Au numéro 38, il y avait une agence de pompes funèbres. Rien ; l'unique chose à faire était de parcourir avec une sainte patience toute la rue et de voir s'il y avait une quelconque enseigne de marchand de chaussures. A ce moment-là, sur un vélo, il vit un ange qui venait vers lui. Pour l'occasion, l'ange avait endossé un uniforme de gardien de nuit.

— Bonjour, dit Montalbano en l'arrêtant.

— Bonjour, répondit l'autre en mettant pied à terre.

— Commissaire je suis, dit Montalbano en montrant sa carte.

— Dites-moi.

— Par hasard, vous savez si dans cette rue il y a un magasin de chaussures ?

— Non.

La réponse avait été immédiate et sans équivoque.

— Vous en êtes sûr ?

— Tout à fait sûr. Je suis de service dans ce coin depuis au moins quatre ans. Le magasin de chaussures le plus proche se trouve quatre rues plus loin, rue Pirrotta. Au 70, il me semble.

— Merci. Joyeux Noël.

— Joyeux Noël à vous.

Pourquoi, de ce bar de New York, avait-on volontairement, là-dessus il n'y avait pas de doute, donné une adresse fausse ou inexistante au soi-disant tueur ?

Tandis qu'il retournait vers l'hôtel, il vit un bar ouvert. Il y entra ; l'odeur des brioches chaudes, à peine sorties du four, le détourna de ses pensées. Il s'en bâfra deux, en les accompagnant d'un triple café. Il sortit, s'approcha d'un kiosque qui était en train d'ouvrir et acheta le journal. A pas lents, ne sachant où aller, vu que les trois cafés lui avaient ôté toute possibilité de sommeil, il se mit à rousiner en lisant les faits divers, c'était la première rubrique qui l'attirait. Après venaient les annonces nécrologiques. Chaque fois que Livia s'apercevait de cette façon de lire le journal, elle montait sur ses grands chevaux.

— Mais on peut savoir pourquoi tu vas regarder les nécros ?

— Comme ça.

— Qu'est-ce que ça signifie, « comme ça » ?

— Ça signifie simplement « comme ça ». Je ne sais pas pourquoi je le fais, mais je le fais. Du reste, un sportif, histoire de faire un exemple, il ne va pas tout de suite regarder les nouvelles du sport ?

— Ah oui ? Et ton sport préféré, c'est de fréquenter les morts ?

Le fait divers qui le paralysa là, en pleine rue, et le métamorphosa en statue, tenait plus ou moins en une vingtaine de lignes. Il était intitulé : ACCIDENT MORTEL. Et il disait :

Hier soir, vers 20h30, rue Scaffidi, une voiture a renversé un passant, M. Montalbano Giovanni, de 40 ans, né à Palerme et y résidant. Accompagné à l'hôpital San Libertino par celui-là même qui l'avait heurté, M. Caruso Andrea, comptable au bureau domanial de la commune, M. Montalbano est décédé malgré les soins rapides auxquels il a été soumis. De nombreux témoignages concordent sur le déroulement de l'accident mortel. M. Montalbano aurait traversé la rue en courant, débouchant à l'improviste d'une ruelle et rendant vaine la tentative de freinage du conducteur. M. Montalbano s'est avéré être recherché pour délits de vol et tentative d'homicide.

Un taxi passa. Montalbano leva un bras pour l'arrêter mais l'auto continua de rouler. Furieux, le commissaire lui courut derrière. Il ne se rendit pas compte qu'il était en train de gueuler, surprenant et sidérant les rares passants. Le taxi finalement s'arrêta ; Montalbano ouvrit la portière et monta à côté du conducteur.

— Je suis pas en service.

— Tu t'y remets, en service.

Le chauffeur de taxi le regarda méchamment ; Montalbano lui retourna un regard encore plus mauvais.

— Où je dois vous amener ?

— D'abord rue Scaffidi et ensuite rue Lojacono où se trouve la trattoria d'un certain don Peppe. Tu la connais ?

Le taxi, furibard, ne répondit pas. Il se contenta de passer une vitesse et de partir. Et de pester comme un dément après les autres rares voitures. Comme il l'avait prévu, la rue Scaffidi était à une centaine de mètres du bistrot de Peppe. Tant qu'il y était, il dit au taxi de l'accompagner à l'hôtel.

— C'est bientôt fini, ce tracassin ? murmura l'autre.

« Raisonnons », se dit Montalbano étendu sur son lit en caleçon, maillot de corps et chaussettes. « Un voyou qui a le même nom que moi est payé pour le meurtre d'une femme. Le voyou ne connaît pas l'adresse de la victime : elle lui sera communiquée dans un certain troquet par un coup de fil de New York. Mon homonyme, qui doit être en retard au rendez-vous téléphonique, se dirige en courant vers la trattoria de Peppe, mais il est renversé par une auto et meurt peu après. Par un hasard qui tient de l'incroyable, moi, qui m'appelle Montalbano comme lui, je vais dans ce bistrot et je réponds au coup de fil. Et arrive ce qui est arrivé. Quelques heures plus tard, c'est moi qui appelle New York et cette fois, on me donne une fausse adresse. La première qu'on m'a donnée était bonne, la seconde non. Pourquoi ? Raisonnons. Pendant le premier coup de fil, ceux de New

York n'ont aucune raison de penser à un échange de personnes ; en pratique, Montalbano Giovanni vient juste de mourir à l'hôpital, et on me dit des choses exactes. Quelques heures après, c'est moi qui rappelle, je dis que tout s'est bien passé et je demande où je dois aller retirer le reste des sous. Et eux, ils me donnent, exprès, une fausse adresse. Ils font, de propos délibéré, une chose qui peut se révéler très dangereuse pour eux : en faisant faux bond au tueur, c'est-à-dire en le mettant en condition de ne pas pouvoir récupérer l'autre moitié de l'argent, ils s'exposent à ses réactions. C'est d'accord que tout a été organisé par des pros, mais si le bruit court que ceux de New York ne paient pas après avoir commandité un travail, ce bruit portera sûrement préjudice à l'organisation. Ce serait une espèce de suicide commercial. Il n'y a qu'une conclusion, simple et banale. Pendant que moi j'étais sous interrogatoire dans la caserne des carabiniers, quelqu'un les a avertis de comment s'étaient passées les choses avec Mme Cosentino. A savoir que le tueur à gages n'était jamais arrivé à la villa et qu'à sa place s'était présentée une tête de nœud, c'est-à-dire le soussigné. Quand j'ai téléphoné, ils m'ont fait une réponse intelligente, ils m'ont fait tenir tranquille pendant quelques heures pendant qu'eux, à New York, ils faisaient à coup sûr disparaître les traces de l'organisation. »

Le noir, d'un coup, tomba. Pas dans le sens que les lumières s'éteignirent à l'improviste, mais réellement parce que les paupières de Montalbano lui tombèrent sur les yeux et qu'il s'endormit sans même s'en rendre compte, drogué de fatigue et accablé par la chaleur du radiateur qui était au maximum.

Le téléphone le réveilla. Il regarda sa montre : il s'était fait trois heures de sommeil.

— *Dottor* Montalbano ? Il y a un capitaine des carabiniers qui désire vous parler.

— Passez-le-moi.

— *Dottor* Montalbano ? Je suis le capitaine De Maria. Nous avons fait connaissance la nuit dernière.

Il lui sembla qu'en disant la dernière phrase, monsieur le capitaine buvait du petit-lait.

— Dites-moi, dit-il, irrité.

— Je voudrais échanger deux mots avec vous.

— Laissez-moi le temps de m'habiller et puis je viens à la caserne.

— Quel besoin avez-vous de venir à la caserne ? Je suis venu moi pour vous voir. Prenez votre temps, je vous attends en bas au bar.

Bouh, quel tracassin ! Il perdit exprès du temps à se laver et à s'habiller, puis il descendit et se dirigea vers le bar. Le capitaine, en le voyant, se leva. Il lui serra la main. Le bar était désert. Ils s'assirent à une table d'angle. Le capitaine avait un petit sourire qui agaçait le commissaire.

— Je dois vous faire des excuses, déclara De Maria.

— Et de quoi ?

— Vous, depuis que vous avez quitté cette nuit notre caserne, vous avez été constamment suivi par un agent de chez nous, très bon pour ce genre de filatures. Songez que vous-même…

— … moi-même je lui ai parlé, l'interrompit Montalbano. Il était habillé en gardien de nuit, non ?

L'autre le regarda, ébahi.

— Laissons tomber, dit le commissaire, magnanime. De quoi me soupçonniez-vous ?

— A dire vrai, on ne vous soupçonnait pas. Mais je me suis dit : quelqu'un comme Montalbano, il ne laisse pas les choses à moitié. S'il est entré par hasard dans cette histoire, il voudra aller jusqu'au bout. Suivons-le et voyons où il nous mène.

— Merci. Et vous êtes arrivé aux mêmes conclusions que moi ?

— Je crois que oui. Je pense qu'avant que vous ne téléphoniez à New York de mon bureau, quelqu'un a averti les organisateurs que leur plan était tombé à l'eau. Et ils ont fourni la fausse adresse du magasin de chaussures.

— Vous, vous avez une idée de qui ça peut être, qui a averti New York ?

— Moi oui, dit le capitaine.

— Moi aussi, dit Montalbano.

— Je parle moi ou vous parlez vous ?

— Parlez vous.

— La seule personne à savoir que le plan était tombé à l'eau, c'était Mme Cosentino.

— Exact. Laquelle, pendant que vous m'emmeniez à la caserne, a téléphoné de chez elle au bar de New York. Mais vous, vous aviez mis son téléphone sur écoute et elle, Mme Cosentino, elle ne le savait pas.

— Exact, dit à son tour le capitaine. Dans toute cette histoire, le mari…

— … n'a absolument rien à voir. Il ne lui est jamais passé même par l'antichambre de la cervelle de faire assassiner sa femme. C'était elle qui voulait se débarrasser de lui. Je ne sais pas comment, elle a contacté quelqu'un pour mettre en scène une fausse tentative de meurtre. Elle vous a prévenu et s'est fait mettre sous protection. Mais mon homonyme tueur ne savait pas que, en allant dans cette villa, il allait tomber dans le piège. S'il avouait, il aurait joué le jeu de la femme : tout ce qu'il aurait pu dire, c'est qu'il avait été payé pour la tuer. Et pour le mari, ça se serait très mal passé.

— Exact, dit le capitaine.

— Et maintenant, que comptez-vous faire ?

— C'est déjà fait, dit le capitaine. Nous avons arrêté Mme Cosentino et nous l'avons interrogée. Elle a avoué, donné les noms.

— Pourquoi avez-vous voulu me raconter cette histoire ? demanda Montalbano.

— Pour rien. Comme ça. Prenez-le comme un cadeau de Noël.

Catarella résout une affaire

« Mais qu'est-ce qui m'a pris de me fourrer là-dedans ? » se demanda Montalbano en descendant de la voiture et en regardant alentour. Il était six heures et la matinée s'annonçait d'une confortable sérénité. A présent, après une demi-heure de route vers Fela et après un quart d'heure d'un chemin impraticable, il lui restait encore à faire un autre quart d'heure grand minimum, mais tout à pied, car le chemin s'était tout à coup changé en une sente juste bonne pour les chèvres. Il regarda en haut. Sur le sommet de la petite colline qu'il allait devoir atteindre, le vieux bunker ne se voyait pas, caché au milieu des buissons de plantes sauvages. Il jura, prit sa respiration comme s'il devait plonger en apnée et attaqua la grimpette.

Une heure et demie plus tôt, il avait été réveillé par la sonnerie du téléphone.

— Allô, *dottori* ? C'est vous pirsonnellement en pirsonne ?

— Oui, Catarè.

— Quèsque vous faisiez, vous dormiez ?

— Jusqu'à il y a une minute, oui, Catarè.

— Et maintenant, par contre, vous dormez pus ?

— Non, maintenant je dors plus, Catarè.

— Ah, tant mieux.

— Tant mieux pourquoi, Catarè ?

— Passque comme ça je vous aréveille pas, *dottori*.

Soit lui coller une balle dans le crâne à la première occasion, soit faire semblant de rien.

— Catarè, si ça t'embête pas trop, tu veux me dire pourquoi tu me téléphones ?

— Passque le *dottori* Augello a la fruxion avec la fierve.

— Catarè, qu'est-ce que ça me fout à moi que tu viennes me raconter à quatre heures et demie du matin qu'Augello est malade ? Appelle un médecin et téléphone à Fazio.

— Même Fazio il est pas là. Il est en embuscation avec Gallo et Galluzzo.

— D'accord, Catarè, qu'est-ce qu'il y a ?

— Tiliphona un birger. Il dit qu'il trouva un mort.

— Et où ça ?

— Au lieu-dit du Pas du Chien. Dedans à un vieux banker. Vous vous assouvenez que vosseigneurie y a eu affaire y a trois ans passés pour…

— Oui, Catarè, je sais où c'est. Et on dit bunker.

— Pirquoi, moi comment j'ai dit ?

— Banker.

— Toujours pareil c'est, *dottori*.

— D'où il téléphonait, ce berger ?

— Et d'où il devait tiliphoner ? Du banbunker, *dottori*.

— Mais là-bas, y a pas de téléphone ! Un coin paumé, c'est.

— Le birger tiliphona de son protable, *dottori*.

Et comment t'avais pu te gourrer ? Encore un an et puis, en Italie, celui qui serait surpris sans portable serait passible d'une arrestation immédiate.

— Ça va, Catarè, j'y vais. Et dès qu'au bureau quelqu'un rentre, tu me l'envoie au bunker.

— Et comment je fais, *dottori* ?

— Quoi donc ?

— Comment je fais à savoir qui rentre au bureau ? Moi là-bas je suis.

Le commissaire sentit son sang se glacer.

— T'es en train de me dire que tu es allé toi au bunker ?

— Oh que oui, *dottori*. Etant donné qu'y avait pirsonne…

— Attends-moi là et touche à rien, surtout. A propos, d'où tu me téléphones ?

— Je vous l'ai dit. Je suis sorti dehors passque dedans y passe pas. Avec mon protable je tiliphone.

— Puisque t'as ton protable, tu vas protabler à Pasquano et au juge.

— *Dottori*, vous me pirdonnâtes, on dit pas protabler. Même si quelqu'un tiliphone avec le protable, toujours tiliphoner on dit.

Dès qu'il le vit apparaître au loin, Catarella commença à agiter les bras en l'air comme un naufragé sur une île déserte qui voit passer un bateau.

— Là je suis, *dottori* ! Là je suis !

Le bunker avait été construit juste au bord d'une falaise à la paroi très à-pic. Dessous, il y avait une mince bande de plage jaune d'or et la mer. Montalbano remarqua sur la plage une auto arrêtée.

— Mais qu'est-ce qu'elle fait là, cette voiture ?

— Ça, moi je le saurais, *dottori*.

— Accouche.

— Passque moi avec cette voiture je vins. Elle est à moi d'appartenance.

— Et comment t'as fait pour monter jusqu'ici ?

— La paroi je me fis. Moi, meilleur qu'un chasseur alpin je suis.

Au cou, Catarella portait une grosse lampe torche. Pour une fois, il avait fait ce qu'il fallait, le bunker aurait été complètement dans le noir. Après avoir descendu un escalier qui avait autrefois été en béton et se présentait à présent comme un dépôt d'ordures, c'est d'autres ordures qu'ils trouvèrent dedans. A la lumière de la lampe de Catarella, le commissaire marcha sur une épaisse couche de merde, sacs en plastique, boîtes, bouteilles, préservatifs et seringues. Il y avait même une poussette rouillée. Le corps gisait sur le dos, la moitié inférieure cachée par les détritus. C'était une femme torse nu, le jean légèrement ouvert sur le ventre. Rongeurs et chiens lui avaient dévasté le visage, la rendant méconnaissable. Montalbano se fit donner la lampe et regarda le corps de près.

— *Dottori*, si vous me prémettez, moi je sors dehors, dit Catarella qui ne devait pas supporter le spectacle.

On ne voyait pas traces de blessures d'arme à feu. Mais elle pouvait avoir été étranglée ou frappée par une arme blanche dans le dos. La seule chose à faire était de s'en aller dehors et d'attendre le docteur Pasquano, ne serait-ce que parce que dedans on ne respirait pas, il régnait une puanteur qui prenait à la gorge.

— Vous me l'offrez, une cigarette ? lui demanda Catarella, la pâleur au visage.

Ils fumèrent en silence un petit moment, en regardant la mer.

— Et le berger ? demanda le commissaire.

— Il est parti passqu'il avait quoi faire avec les brebis. Mais je lui pris ses nom, prénom et atresse.

— Il te l'a dit pourquoi il est entré dans le bunker ?

— Un besoin lui apressait.

— Moi, une petite idée de qui peut être cette pôvrette, je l'ai, dit Fazio qui était revenu d'une planque inutile destinée à capturer un type recherché.

Montalbano était rentré au bureau après que le docteur Pasquano s'était emporté le cadavre pour l'autopsie. Il avait promis de faire savoir quelque chose le lendemain.

— Et qui c'est, d'après toi ?

— Elle devrait s'appeler Lojacono Maria, mariée avec un certain Pìscopo Salvatore, camelot de profession.

Le commissaire donna des signes évidents de nirvosité. Les états civils méticuleux de Fazio lui étaient toujours pénibles.

— Et toi comment tu le sais ?

— Parce que le mari, il y a trois mois, il en a déclaré la disparition. J'ai là-bas la photographie, je vais vous la prendre.

Maria Lojacono avait été une belle fille, au visage souriant et ouvert, aux grands yeux noirs. Elle devait avoir de peu passé 20 ans.

— Quand est-ce arrivé ?

— Pile aujourd'hui, ça fait trois mois.

— Le mari a donné des détails ?

— Oh que oui. Maria Lojacono s'est mariée qu'elle avait à peine fait dix-huit ans. Neuf mois après, il lui est né une minotte. Elle est morte deux mois plus tard. Un malheur terrible : étouffée par une régurgitation. Depuis, la fille a commencé à être mal dans sa tête, elle voulait se tuer, elle disait que la responsable de la mort de la petite, c'était elle. Son mari l'a amenée à Montelusa pour la faire soigner, mais il n'y a pas eu moyen. Elle allait de plus en plus mal. Au point que Pìscopo, le mari, ne voulant pas la laisser seule, quand il devait aller faire ses tournées, il l'amenait chez sa sœur à elle qui la tenait à l'œil. Un soir, la sœur alla se coucher et, avant de s'endormir, elle entendit que Maria allait aux toilettes. Elle s'endormit parce qu'elle était fatiguée. Quand elle s'aréveilla, vers quatre heures du matin, elle eut une espèce de pressentiment et se leva. Le lit de Maria était vide et froid. La fenêtre des toilettes était ouverte. Maria s'était échappée depuis au moins cinq heures. Le mari rentra à la maison même pas une heure plus tard et se mit à la chercher dans les environs. Puis il nous avertit, nous et les carabiniers. Depuis, de cette pôvrette, on n'en a plus rien su.

— Pìscopo nous a décrit comment était habillée sa femme ?

— Oh que oui. J'ai regardé dans la déclaration quand je suis allé prendre la photo. Elle avait une paire de jeans, un chemisier rouge, un gilet noir, des chaussures...

— Ecoute, Fazio, quand on l'a vue nous, elle avait pas de soutien-gorge et elle avait ni chemisier ni gilet.

— Aïe.

— Bah, c'est pas dit que ça signifie grand-chose. Rends-moi un service. Prends une bonne lampe, fais-toi accompagner par Galluzzo et allez au bunker. Emportez des gants solides et faites bien attention à ne pas vous blesser les mains. Cherchez des vêtements qui auraient pu lui appartenir.

— A ce que vous savez, le slip, elle l'avait ?

— Oui. On le voyait sous le jean à moitié déboutonné.

Fazio se présenta quatre heures plus tard. Il avait à la main un sachet en plastique transparent ; à l'intérieur, on apercevait ce qui jadis devait avoir été un gilet noir.

— Excusez-moi pour le retard. Mais après avoir cherché, Galluzzo et moi, pendant une heure et quelque en plein dans la merde, j'avais l'impression d'empester. Avant de venir ici, je suis passé chez moi me faire une toilette et changer de vêtements. Juste un gilet, on a trouvé. Il correspond à la couleur que dit le mari. A lui, comment elle était habillée, c'est la sœur qui lui expliqua.

— Ecoute, Fazio, la pôvrette, quand on l'a trouvée, elle avait une alliance à l'annulaire. Fais un saut à Montelusa et fais-la-toi donner par le docteur Pasquano. Ensuite, avec le gilet et l'alliance, tu vas voir ce Pìscopo et tu les lui fais voir. S'il les reconnaît, tu me l'amènes ici.

Salvatore Pìscopo, qui avait la quarantaine, apparut aussitôt au commissaire comme quelqu'un qui éprouvait une véritable et profonde douleur. Il était maigrichon, avec une paire de moustaches très fines.

— C'est sûrement ma femme, dit-il d'une voix étouffée.

— Condoléances, dit Montalbano.

— On s'aimait. Cette minotte qui est morte, pauvre 'nnocente, elle a consumé notre vie.

Et il ne put plus retenir ses sanglots, terribles. Montalbano se leva, il contourna le bureau, s'assit à côté de l'homme et lui serra fort un genou.

— Courage. Vous voulez un peu d'eau ?

Pìscopo fit *'nzinga di no*, signe que non, avec la tête. Le commissaire attendit qu'il se reprenne.

— Ecoutez, monsieur Pìscopo. Quand vous avez appris que votre femme avait disparu, où êtes-vous allé la chercher d'abord ?

Malgré la douleur et l'abattement, l'homme regarda droit dans les yeux le commissaire.

— Pourquoi vous me posez cette question ?

— Parce que je vois que votre douleur est sincère, monsieur Pìscopo. Du jour de la disparition de votre femme à aujourd'hui, trois mois sont passés. Pendant tout ce temps, vous avez espéré que votre femme soit vivante ? Et si oui, où avez-vous pensé qu'elle soit allée se cacher ? Chez une parente ? Chez une amie ? Voilà pourquoi je vous pose cette question.

— Non, commissaire, moi, déjà, le lendemain de sa disparition, j'étais persuadé que je ne la reverrais plus vivante.

— Pourquoi ?

— Parce qu'elle n'avait ni parents, ni amis, ni relations. Elle n'avait pas où aller, seulement sa sœur, il y avait. Et si vous, vous me voyez comme je suis, commissaire, c'est parce que c'est une chose de penser au pire et une autre de savoir que le pire est arrivé.

— Comment se fait-il que votre femme n'avait pas d'amies ?

— D'abord, elles étaient restées orphelines, elle et sa sœur Annarita qui est plus âgée de quatre ans et qui s'est mariée tôt. Moi, j'habitais près de chez elles, je les connaissais depuis qu'elles étaient minottes. Entre Maria et moi, il y avait vingt ans de différence. Mais ça ne comptait pas. Après le mariage, elle, pauvre fille, elle n'a pas eu moyen de faire des connaissances. Vous savez ce qui nous est arrivé.

— Et alors où êtes-vous allé la chercher, votre femme ?

— Bah… j'ai tourné tout autour de la maison… je demandai aux voisins s'ils l'avaient vue… Entre autres, cette nuit-là, il faisait froid et il pleuvait. Et puis il était tard et des gens, dans la rue, il en passait plus. Personne ne sut rien me dire. Alors d'abord, je suis allé chez les carabiniers et puis ici. Je me suis mis à chercher dans les 'pitaux de Vigàta, de Montelusa, des villes voisines, dans les monastères, dans les maisons de charité, dans les églises... Rin.

— Votre femme avait de la religion ?

— Le dimanche, elle allait à la messe. Mais elle se confessait pas et elle communiait pas. Elle avait pas confiance, même dans les curés.

Il fit un évident effort sur lui-même pour demander au commissaire à voix basse :

— Elle s'est tuée ? Ou elle est morte de froid ? Il y a trois mois, il y avait le gel.

Montalbano écarta les bras.

— Non, elle n'est pas morte de froid ou de privations, dit le docteur Pasquano. Elle a été tuée. Ou elle s'est tuée.

— Comment ? demanda Montalbano.

— Mort-aux-rats des plus communes. J'ai parlé avec le collègue qui lui avait donné des soins ici à Montelusa. Elle souffrait de très fortes crises dépressives ; elle a tenté plusieurs fois et avec les moyens les plus disparates de se donner la mort.

— Donc l'hypothèse du suicide serait la plus plausible ?

— Ce n'est pas dit. Apparemment la plus plausible, comme vous dites.

— Pourquoi apparemment ?

— Parce que j'ai trouvé... Attention, Montalbano,

que je me trompe pas : on la gardait attachée, avec un bout de corde, par les poignets et par les chevilles.

Le commissaire réfléchit là-dessus un instant.

— Il se pourrait que des personnes de la famille, est-ce que je sais, le mari ou la sœur, l'aient attachée quand, par nécessité, ils devaient la laisser seule, pour éviter qu'elle se suicide, qu'elle fasse du mal aux autres. Au fond, la vieille camisole de force des asiles devait servir à ça, non ?

— Moi je sais pas si on la maintenait attachée pour son bien ; ça, ça regarde votre enquête. Moi je suis juste en train de vous dire comment les choses se présentent.

— D'accord, docteur, je vous remercie, dit Montalbano en se levant.

— Je n'ai pas fini.

Montalbano s'assit. Le caractère du médecin légiste n'était pas très compatible avec le reste de l'univers ; s'il lui prenait la lubie de ne plus parler, le commissaire allait devoir attendre les longs délais du rapport écrit.

— Il y a une chose qui ne me convainc pas.

Le commissaire ne pipa mot.

— Quand avez-vous dit qu'elle avait disparu de chez sa sœur ?

— Plus de trois mois, ça fait.

— D'une chose, je suis absolument certain, commissaire. Elle n'est pas morte il y a trois mois. Le corps était en très mauvais état, mais seulement parce que des animaux de toutes sortes en avaient profité. Curieusement, le processus de décomposition a été très lent. Mais la mort ne remonte pas à il y a trois mois.

— Et quand serait-elle morte, alors ?

— Depuis deux mois. Peut-être un peu moins.

— Et qu'est-ce qu'elle aurait fait durant ce mois de vie ? Où est-elle allée ? Il paraît que personne ne l'a vue !

— Ça, démerdez-vous, commissaire, dit fort courtoisement le docteur Pasquano.

— Alors, je te dis où en est la situation ? dit Mimì Augello encore pâle de la grippe qu'il avait eue. La sœur de Maria Lojacono s'appelle Concetta. Et elle m'a semblée une brave femme. Même son mari, qui travaille à surgeler le poisson. Ils ont trois enfants, le plus grand a six ans. Mme Concetta exclut que sa sœur se soit procuré le poison chez elle, ils n'en ont jamais eu. Elle dit qu'avec les minots qu'elle se fade, turbulents comme ils sont, ils étaient capables de se le manger eux à la place des souris. Et ça me paraît un argument convaincant. A ma question précise si quelquefois, par nécessité, ils avaient été forcés d'attacher Maria, ils m'ont regardé avec indignation. Je crois qu'ils l'ont jamais fait. Alors j'ai demandé si ça pouvait avoir été Pìscopo, le mari. Mme Concetta a exclu cette possibilité : si Salvatore l'avait fait, elle s'en serait rendu compte, comme de tout autre type de violence. Parfois, elle m'a expliqué, sa sœur tombait dans un état d'aboulie complète, elle avait l'air d'une poupée de chiffon, elle m'a dit textuellement. Alors elle, Mme Concetta, elle était obligée de la mettre toute nue pour la laver. Si quelqu'un a gardé Maria Lojacono pieds et poings liés, c'est pas de ce côté qu'il faut chercher. Ah, elle m'a demandé des nouvelles d'une bague.

— Quelle bague ?

— Le mari de Maria lui a dit que, pour l'identification, on lui a fait voir un gilet et une alliance. C'est ça ?

— Oui, on a fait comme ça.

— Et elle avait pas d'autre bague ?

— Non.

— Mme Concetta m'a dit que Maria portait au petit doigt une petite bague sans valeur, mais à laquelle elle était très attachée. C'était le premier cadeau qu'elle avait reçu quand elle était toute minotte.

— Sûrement qu'elle y était pas, Pasquano me l'aurait donnée. A moins qu'elle ne soit dans une poche du jean.

Il téléphona, pour plus de sûreté, au docteur. Dans les poches, ils n'avaient absolument rien trouvé.

Il avait fait faire des copies de la photo de Maria Lojacono. Il appela Gallo et Galluzzo : photo en main, ils devaient demander si quelqu'un l'avait vue ou avait cru la voir, le long d'une ligne en zigzag qui, de la maison de la sœur de la morte arrivait au bunker du Pas du Chien.

— Au grand minimum il faudra trois, quatre jours, dit Montalbano. Procédez parallèlement, en partant de Vigàta, de manière à être sûrs de pas sauter une maison.

Ils étaient à peine sortis qu'entra Catarella avec des brègues de deux pans de long.

— Qu'est-ce qui t'arrive ?

— Juste maintenant je sus l'admission que vous avez donnée à mes collègues Gallo et Galluzzo.

— Ça te va pas ?

— Vosseigneurie est libre de faire ce que ça lui déchante et des comptes, il a pas à en rendre.

— Et alors ?

— Je demande pardonnement, *dottori*, mais ça me paraît pas de juste.

— Catarè, parle carrément.

— Ce fut moi à vous dire du cadavre de la pôvre fille. Et pour ça, il me paraît de juste que moi aussi j'aie l'icelle même admission que mes collègues.

— Catarè, mais tu es précieux ici ! Si toi tu manques, le commissariat entier se retrouve dans la merde !

— *Dottori*, moi, mon importance ici, je la connais. Et pourtant ça me paraît pas de juste pareil.

— D'accord. Voilà une photo. Mais toi, tu vas au Pas du Chien et tu commences les recherches dans les environs du bunker.

— *Dottori*, vosseigneurie est granne et ginireuse !

Comme Allah. Mais c'était une vengeance raffinée : à coup sûr, Catarella allait se sentir en devoir d'escalader à nouveau la paroi à pic.

Gallo et Galluzzo rentrèrent au soir les mains vides : aucun de ceux à qui ils avaient demandé et montré la photo n'avait vu la jeune fille. Catarella, en revanche, ne rentra pas. Et il faisait déjà noir. Le commissaire commença à s'inquiéter.

— Tu veux voir qu'il s'est perdu ?

Il était sur le point d'organiser une équipe de secours, quand Catarella donna enfin signe de vie en téléphonant.

— *Dottori*, c'est vous pirsonnellement...

— ... en pirsonne, Catarè. Qu'est-ce qui t'est arrivé ? Je m'inquiétais.

— Rin il m'arriva, *dottori*. Je voulais vous dire que moi, grand maximum dans une demi-heure, je suis au commissariat, en brève, je suis sur le point d'arriver. Vous m'attendez ? Je dois vous parler.

Montalbano se le vit apparaître après pile une demi-heure, fatigué et étrangement perplexe, une expression qu'il ne lui avait jamais vue.

— Intraloqué je suis, *dottori*.

— Et pourquoi ?

— Pour cause de pensées qui me viennent, *dottori*.

Ah, voilà : cet air hagard était le signe qu'une pensée s'aventurait courageusement dans le désert de la cervelle de Catarella.

— Et que penses-tu, Catarè ?

Catarella ne répondit pas directement à la question de son chef.

— Donc, *dottori*, au Pas du Chien, y a plein de villas et de baraques de paysans, le fait est qu'une est aloignée de l'autre, pour ça j'ai fait tard. Je m'étais compté que je m'étais déjà fait quatorze maisons, quand je me dis : on a tiré le vin ? On se le boit !

— Bravo. Ote-moi d'un doute : au Pas du Chien, comment tu y es arrivé ? Tu t'es grimpé la paroi ?

— Oh que non, *dottori*. Je fis comme vous avez fait vous l'autre fois.

Il était devenu futé, Catarella.

— Donc, *dottori*. Je frappai à la quinzième baraque, toute petite, sans crépi. Il y avait des brebis, des chièvres, des pioules, une gage avec les lapins, un porc cochon…

— Catarè, laisse tomber le zoo. Continue.

— En brève, *dottori*, il vint me rouvrir rien de moins que Scillicato !

— Vraiment ? demanda le commissaire, émerveillé.

— Vraiment de vrai, *dottori* !

— Catarè, maintenant que je me suis étonné comme toi tu voulais, tu m'expliques qui c'est, putain, ce Scillicato ?

— Quoi, je vous l'ai pas dit ? Scillicato Pasquale, c'est le berger qui aretrouva le corps, celui qui tiliphona !

— Et toi tu le savais pas ? Tu m'avais pas dit qu'il t'avait donné son adresse ?

— Oh que si, *dottori*, lui l'atresse, il me la donna, mais moi je compris pas à quoi correspondait l'atresse. En brève, *dottori*, la baraque de Scillicato se trouve à un peu plus d'un kilo de mètres du banbunker.

— Intéressant.

— Ça me paraît aussi comme dit vosseigneurie. *Dottori*, Scillicato, un sauvage c'est.

— Dans quel sens ?

— *Dottori*, ça va bien que dans la baraque, y a la tilivision, ça va bien que dans la baraque y a le rifrigérateur, ça va bien que lui il a le protable, ça va bien que lui il a ce truc que là le nom, il me vient pas, qui fait zzzzzzzz et qui pique…

— La *Vespa*, la guêpe ?

— Oh que non, *dottori*, la coussine de la guêpe.

La cousine. Et qu'est-ce que ça pouvait être ?

— L'abeille ? L'*Ape*[1] ? hasarda Montalbano.

— Précisément de précis. Ça va bien qu'il a l'Ape, ça va bien que…

— Catarè, dis-moi ce qui va mal, pas ce qui va bien.

— *Dottori*, à part qu'y s'habille comme un qui demande l'aumône, à part qu'y se tient les pantalons attachés avec la ficelle, à part que dans une poche il a le saucisson et dans l'autre le pain, à part que…

Il était en train d'entamer une autre litanie.

— Catarè, viens-en au fait.

— Les faites, *dottori*, sont grand minimum trois faites. Le premier faite, c'est que quand je lui fis voir la photographie, lui, il m'arépondit que cette femme, il l'avait vue seulement morte, quand c'est qu'il l'avait trouvée dedans le banbunker et qu'il nous avait tiliphoné.

— Eh ben ?

— *Dottori*, ah, *dottori* ! Avant que de tout, quand lui il vit le *catafero*, le cadavre, il faisait noir dehors, alors, figure-toi dedans le banbunker ! Grand massimum, lui, il aura vu le *catafero* et pas comment elle était, sa figure ! Et puis la figure de la pôvrette, elle était toute mangée par les chiens et par les souris ! S'il l'a arreconnue, c'est passqu'il l'avait vue avant !

— Continue ! dit Montalbano, tout ouïe.

— Le second faite, c'est qu'à moi, il m'apressa.

---

1. Ape : marque de triporteur. *(N.d.T.)*

— Scillicato t'apressa ?

— Oh que non, *dottori*, à moi, ça m'apressa. J'eus à faire un besoin et pour ça, je lui demandai où était le chiotte. Et lui, il m'arépondit que dans la maison, il y avait pas le chiotte. Si ça m'apressait, je pouvais aller en plein champ, comme lui il faisait.

— Bof, Catarè, j'y vois rien de...

— Je demande pardonnement, *dottori*. Mais si quelqu'un est 'bitué à faire ses besoins au grand air, en plein champ, quel besoin il a de s'enfiler dans le banbunker quand il sent le besoin de faire son besoin ?

Montalbano le regarda les yeux écarquillés. Le raisonnement de Catarella se tenait à merveille.

— Le troisième faite, *dottori*, c'est que ce Scillicato s'enfila dans le banbunker à trois heures et demie du matin quand dans ce coin-là, y passait même pas le fameux chien du Pas du Chien. Et qui le voyait, à cette heure-là ?

Et il se mit à rire, fier de sa bonne blague. Tout à coup, Montalbano se leva, il embrassa Catarella, bruyamment sur les deux joues.

— Mimì, d'après moi, l'histoire s'est passée de cette façon. Maria Lojacono s'échappe de la maison de sa sœur et, pour son malheur, elle tombe sur Scillicato qui passe avec son triporteur. Le berger s'arrête, peut-être Maria lui a-t-elle demandé de l'emmener. Mais un petit moment suffit à Scillicato pour se rendre compte que la fille a pas toute sa tête. Alors il décide d'en profiter et se l'emmène chez lui. A coup sûr, Maria traverse une période d'aboulie, ce qui lui vient après des jours passés à ressasser en vain, et qui l'a poussée à fuir. C'est facile pour Scillicato et il continue pendant un mois. Quand il doit s'éloigner, il attache la fille avec une corde. Il la considère de la même façon que ses poules, que ses brebis. Mais un jour, Maria se réveille, elle se libère et s'échappe. Seulement, avant, tentée par l'idée du suicide comme les autres fois, elle s'empare de la mort-aux-rats que Scillicato a certainement chez lui. Quand le berger rentre et ne la trouve pas, il ne s'inquiète pas tant que ça. Peut-être il pense que la fille est rentrée chez elle. En revanche, Maria s'est cachée dans le bunker et s'est empoisonnée. Très longtemps après, Scillicato apprend que Maria, on la cherche encore. Et il se met à la chercher lui aussi, craignant peut-être qu'elle puisse raconter les violences qu'elle a dû subir pendant un mois. Finalement, il découvre le corps et il nous téléphone.

— C'est ça que je comprends pas, dit Mimì. Pourquoi il a voulu s'en mêler ? S'il ne nous avertissait pas de sa découverte, Dieu sait pendant combien de temps le cadavre serait resté dans le bunker.

— Bah, fit Montalbano. Va savoir. Peut-être, en la croyant morte de privations, il s'est senti rassuré, elle ne pourrait plus parler. Et alors il a voulu jouer le rôle du citoyen respectueux des lois. Il a cru nous égarer.

— Qu'est-ce qu'on fait, maintenant ?

— Tu te fais faire un mandat de perquisition et tu vas chez Scillicato.

— Qu'est-ce qu'on doit chercher ?

— Je ne sais pas. On n'a trouvé ni le soutien-gorge ni le chemisier rouge de Maria. Mais à l'heure qu'il est, ils sont brûlés. Vois un peu toi. Surtout, ça m'intéresse que vous mettiez Scillicato sous pression.

— D'accord.

— Ah, une chose. Emmène Catarella. Et si Scillicato doit être arrêté, fais-lui mettre les menottes par Catarella. Il se la mérite, cette satisfaction.

Pendant des heures, ils perquisitionnèrent la bicoque. Ils avaient désormais perdu tout espoir quand, dans le coin d'un cagibi sans fenêtres, qui puait à tordre l'estomac, Catarella remarqua, au milieu des saletés, quelque chose qui brillotait. Il se pencha pour le ramasser : c'était une bague de quatre sous. Le premier cadeau qu'une gamine, tant d'années auparavant, avait reçu.

Le jeu du bonneteau

Il pleuvait tant que le commissaire Montalbano s'emmitoufla de la tête aux pieds pour faire les trois pas qui le séparaient de sa voiture garée devant l'entrée de la maison. Mais il ne pouvait s'empêcher de haïr les parapluies, y avait rien à faire. Le moteur devait avoir pris l'humidité, il ne partit pas tout de suite. Montalbano jura ; depuis qu'il avait ouvert les yeux, il s'était persuadé que ce serait une journée contrariante. Puis la voiture démarra, mais l'essuie-glace du côté passager était cassé et donc de grosses gouttes s'écrasaient librement sur la vitre, limitant encore plus la visibilité de la rue. Pour faire bon poids, à quelques mètres du commissariat, il dut faire la queue derrière un corbillard qui, à première vue, lui parut vide. Regardant mieux, il s'aperçut au contraire qu'il s'agissait bel et bien d'un enterrement : derrière le corbillard se trouvait un homme qui tentait de s'abriter sous un parapluie. L'homme était complètement trempé et le commissaire lui souhaita de se dépêtrer de la pneumonie qui, presque inévitablement, l'attendait sous vingt-quatre heures. Il entra dans son bureau que la rage à cause du mauvais temps lui était passée ; à présent, il se sentait pris de mélancolie : un convoi funèbre avec une seule personne derrière, et en plus un jour de déluge, c'était pas du genre à vous rouvrir le cœur. Fazio, qui connaissait son supérieur comme lui-même, s'inquiéta. Dans une seule autre occasion sérieuse, il l'avait vu aussi abattu et taciturne.

— Qu'est-ce qui vous arriva ?

— Qu'est-ce qui devait m'arriver ?

Ils se mirent à parler d'une enquête en cours qui, à ce moment-là, occupait Mimì Augello, l'adjoint du commissaire. Mais Montalbano semblait avoir la tête ailleurs et ne décrochait que des monosyllabes. Tout à coup, sans aucun rapport avec la question sur laquelle ils étaient en train de raisonner, il dit :

— En venant ici, j'ai croisé un enterrement.

Fazio le regarda, ébahi.

— Derrière le corbillard, il y avait une personne seule, poursuivit Montalbano.

— Ah, fit Fazio qui, de Vigàta et des Vigatais, en savait vie et mort. Ça devait être ce pôvre Girolamo Cascio.

— Qui s'appelle Cascio, le mort ou le vivant ?

— Le mort, *dottore*. Celui de derrière, sûrement c'était Ciccio Mònaco, l'ex-secrétaire de mairie. Le pôvre Cascio aussi, il était employé de mairie.

Montalbano se représenta la scène péniblement entrevue à travers le pare-brise, il mit l'image au point :

oui, effectivement, l'homme derrière le corbillard était M. Mònaco qu'il connaissait superficiellement.

— La seule personne amie que ce pôvre Cascio avait à Vigàta, poursuivit Fazio, était l'ex-secrétaire de mairie. A part Mònaco, Cascio vivait seul comme un chien.

— De quoi il est mort ?

— Il a été renversé par un chauffard. C'était tard le soir, il faisait noir, personne n'a rien vu. C'est quelqu'un qui allait besogner de grand matin qui l'a trouvé mort par terre. Le docteur Pasquano lui a fait l'autopsie et a envoyé son rapport au *dottor* Augello. Il l'a sur sa table, je vais le prendre ?

— Non. Qu'est-ce qu'il disait ?

— Il disait qu'au moment de l'accident, Cascio avait assez d'alcool dans le sang pour soûler une armée. Il était tout taché de vomi. Certainement qu'il marchait comme s'il tanguait par vent arrière et il se sera lui-même jeté tout d'un coup devant une voiture qui n'a pas pu l'éviter à temps.

Dans l'après-midi, le vent tomba ; les nuages disparurent, le *sirèno*, le beau temps, revint et, avec le *sirèno*, même la mélancolie de Montalbano s'en alla. Le soir, comme il s'était morflé un 'pétit de loup, il décida d'aller manger à la trattoria San Calogero. Il entra comme un bolide dans le troquet et la première personne qu'il vit fut justement Ciccio Mònaco, assis tout seul à une table. Il avait l'air d'une âme égarée, le garçon venait juste de lui apporter un potage de légumes, le genre de plat pour lequel le cuisinier de la trattoria était carrément nul. L'ex-secrétaire de mairie le vit et le salua, étouffant un éternuement avec sa serviette. Montalbano lui rendit son salut. Puis, mû par une impulsion dont il ne sut s'expliquer la raison, il ajouta :

— Je suis désolé pour votre ami Cascio.

— Merci, dit Ciccio Mònaco.

Et puis il ajouta timidement, accompagnant sa proposition de quelque chose qu'en étant généreux, on pouvait appeler un sourire :

— Vous voulez vous asseoir avec moi ?

Le commissaire hésita ; il n'aimait pas parler pendant qu'il mangeait, mais il fut vaincu par la compassion. En toute logique, ils en vinrent à l'accident et l'ex-secrétaire de mairie, tout à coup, se passa la main sur les yeux comme pour empêcher que les larmes en sortent.

— Vous savez à quoi je pense, commissaire ? Au temps qu'il aura fallu à mon ami pour mourir. Si ce salaud qui l'a renversé s'était arrêté…

— Ce n'est pas dit qu'il a filé direct. Peut-être qu'il s'est arrêté, qu'il est descendu, a vu que Cascio était mort et qu'il est parti. Votre ami buvait habituellement ?

L'autre le regarda d'un air étonné.

— Girolamo ? Non, il ne buvait plus depuis trois ans. Il ne pouvait pas. A la suite d'une opération, il lui était resté cette séquelle-là, il suffisait d'un doigt de whisky pour le faire dégobiller, sauf votre respect.

— Pourquoi avez-vous nommé le whisky ?

— Parce que c'est ce qu'il buvait avant ; le vin, il l'aimait pas.

— Vous, vous savez ce qu'avait fait Cascio le soir où il a été renversé ?

— Bien sûr que je le sais. Il vint chez moi après manger, on a bavardé un peu, et après on s'est mis à regarder à la télé le « Maurizio Costanzo Show », qui finit tard. Et il s'en alla qu'il pouvait être une heure du matin. D'ici à la maison où il habitait, il y a plus ou moins un quart d'heure de marche à pied.

— Il était normal ?

— Bon Dieu, commissaire, quelle question que vous me posez ! Bien sûr qu'il était normal. Ses soixante-dix ans, il se les portait très bien.

D'habitude, après s'être fait une belle ventrée de poisson bien frais, Montalbano s'en savourait long-temps le goût dans la bouche, au point qu'il ne voulait pas se mettre dessus même un café. Cette fois-là, il se le but ; il n'avait pas envie de laisser filer une réflexion qui lui était venue après la discussion avec Ciccio Mònaco. Au lieu de rentrer à Marinella, chez lui, il s'arrêta devant le commissariat. De garde, il y avait Catarella.

— Pirsonne, vraiment pirsonne de pirsonne il y a, *dottori* !

— T'excite pas, Catarè. Moi, pirsonne je veux voir.

Il entra dans le bureau de Mimì Augello ; sur sa table, se trouvait le dossier qu'il cherchait. Il en apprit un peu plus, mais pas beaucoup. Que l'accident était arrivé à deux heures deux (la montre de gousset du mort s'était arrêtée à cette heure-là), que l'homme était presque certainement mort sur le coup vu la violence du choc (le chauffard devait rouler à grande vitesse) et que la Scientifique s'était pris les habits du mort pour les examiner.

Du bureau même, il appela le domicile de son adjoint. Il n'y croyait pas.

— Salut, Salvo, t'as eu de la chance, j'allais sortir.

— T'allais aux putes ?

— Allez, qu'est-ce que tu veux ?

— Qui a fait les premiers relevés pour la mort de Girolamo Cascio, celui qui a été renversé il y a trois jours ?

— Moi. Pourquoi ?

— Je veux savoir juste une chose : tu as vu des bouteilles dans les parages du cadavre ?

— Des bouteilles ?

— Mimì, tu sais pas ce que c'est qu'une bouteille ? C'est un récipient en verre ou en plastique pour y mettre dedans du liquide. Ça a un long col, ce qu'en général tu utilises pour te l'enfiler dans le...

— Quand tu te mets à faire le con, t'y réussis bien, Salvo. Je réfléchissais. Non, pas de bouteilles.

— Sûr ?

— Sûr.

— Bisou.

Il était trop tard pour téléphoner à Jacomuzzi de la Scientifique. Il s'en alla à Marinella.

Le lendemain matin, ce que dit Jacomuzzi confirma l'idée que Montalbano s'était faite. D'après Jacomuzzi, le choc avait été extrêmement violent ; Cascio, presque certainement projeté sur le capot de la voiture,

avait fendu le pare-brise avec son crâne. Si Montalbano tenait à le savoir, la voiture qui avait pris Cascio
de plein fouet devait être de couleur bleu foncé.

Il convoqua Mimì Augello.

— Tu devrais faire faire un tour des carrossiers de
Vigàta pour savoir si on leur a amené une voiture bleu
foncé à remettre en état.

— J'ignorais que l'auto était bleu foncé. Mais le tour
des carrossiers, je l'ai fait en personne. Rien. Remarque,
Salvo, c'est pas dit que ça ait été quelqu'un de Vigàta,
peut-être une voiture de passage.

— Mimì, tu m'expliques pourquoi tu t'es pris à
cœur cette histoire ?

— Parce que ceux qui fichent le camp avec leur
auto après avoir renversé quelqu'un, ils me dégoû-
tent. Et toi ?

— Moi ? Parce que je ne crois pas que ça ait été un
accident, mais un crime. Et soigneusement préparé.
L'assassin suit en auto Cascio lorsqu'il sort de chez lui
pour aller chez son ami Mònaco. Il ne le descend pas
tout de suite parce qu'il y a encore trop de gens qui se
baladent. Il attend patiemment que Cascio, de retour,
sorte par la porte ; il est maintenant une heure passée,
il n'y a pas un chat. Il s'approche de Cascio, l'oblige à
monter en voiture, probablement sous la menace
d'une arme. Il le force à boire et à boire beaucoup.
Cascio commence à se sentir mal. L'assassin le laisse
partir. Titubant et vomissant tripes et boyaux, le
pauvre bougre tente de regagner sa maison. Il n'y par-
vient pas, l'auto lui arrive derrière comme un boulet
de canon et l'écrase. Un accident très plausible, d'au-

tant plus que la victime était ivre. Et ceci explique comment Cascio, parti de chez son ami à une heure du matin, n'avait pas encore fini à deux heures un trajet d'un quart d'heure. Il avait été intercepté et séquestré.

— Ta reconstitution me va, dit Mimì Augello. Mais pourquoi pas le buter tout de suite, au moment où il sortait de chez Mònaco, sans organiser tout ce cirque ? Une arme, il devait en avoir, s'il a forcé Cascio à monter en voiture.

— Parce que s'il s'agissait d'un meurtre évident, quelqu'un peut-être, je dis bien peut-être, au courant de la vie de Cascio, aurait pu donner un nom à l'assassin. Et ceci fait exclure une autre hypothèse.

— Laquelle ?

— Qu'un, deux ou trois petits voyous, peut-être camés, l'aient descendu pour rigoler. Du reste, c'est un sport qui se pratique pas chez nous.

— D'accord, j'ai pigé. J'essaierai de savoir ce qui est arrivé à Cascio ces derniers temps.

— Gaffe, Mimì : tu dois chercher quelque chose qui remonte à plus de trois ans.

— Et pourquoi ?

— Parce que depuis trois ans, le pauvre bougre, après une opération, il était plus capable de boire. Il était malade immédiatement.

— Mais alors, pourquoi il l'a rempli comme un fût ?

— Parce que des séquelles de l'opération, il en a rien su. Lui, l'assassin, il s'est arrêté à il y a trois ans, quand Cascio se sifflait encore du whisky. Ça te convainc ?

— Ça me convainc, oui.

— Et tu sais pourquoi l'assassin n'en savait rien ? Parce que pendant au moins trois ans, il a été loin de Vigàta. Il n'a pas eu le temps de se mettre au courant. Il a tenté d'avaliser la thèse de l'accident avec le whisky. Et nous, on était en train de tomber dans le panneau. Mais après ce que nous a dit Mònaco, c'est justement le whisky qui nous a révélé qu'il ne s'agissait pas d'un malheur.

Montalbano n'avait aucune envie de faire devenir une habitude le fait d'aller s'asseoir, à la trattoria, à la même table que Ciccio Mònaco. C'est pourquoi il lui téléphona et le fit venir au commissariat. Il avait décidé de jouer cartes sur table et lui raconta donc tout ce qu'il supposait. Le premier résultat fut que Ciccio Mònaco, lui aussi plus que septuagénaire, se sentit mal et eut besoin d'un verre de cognac. Lui, il n'avait pas les problèmes de son défunt ami. Le deuxième résultat fut en revanche important.

— Moi, ce truc de la cuite, je le savais pas, commença l'ex-secrétaire de mairie. Si j'avais imaginé qu'il ne s'agissait pas d'un accident, mais d'un meurtre, dès hier soir je vous aurais dit ce que je vais vous dire maintenant. Depuis quand est-ce que vous êtes en service à Vigàta ?

— Depuis cinq ans.

— Le fait s'est produit un an avant que vous arriviez. Girolamo besognait à la mairie, il était géomètre ; il avait un poste au bureau de l'ingénieur en chef, Riolo. Il commença à s'apercevoir de quelques irrégularités dans les adjudications, il fit une copie des documents qui révélaient les magouilles et il alla les remettre au *dottor* Tumminello, du parquet de Montelusa. Il n'avait pris conseil de personne, même pas de moi qui étais son seul ami. Moi, je me suis vexé, ça me parut un manque de confiance et pendant quelque temps, nos rapports furent froids. Je me souviens qu'une fois...

— Que fit le procureur Tumminello ? coupa le commissaire peu poliment.

— Il fit arrêter l'ingénieur en chef, un entrepreneur du nom d'Alagna et un collègue de Girolamo, Pino Intorre, qui était devenu une espèce de secrétaire de l'ingénieur Riolo. Et c'est tout. Ce sont les trois seules personnes, dans tout l'univers, qui pouvaient avoir des raisons d'en vouloir à Girolamo.

— Ils sont tous les trois vigatais ?

— Non, commissaire. L'ingénieur est de Montelusa, Alagna est de Fela. Seul Intorre est de Vigàta.

— Ils ont été condamnés ?

— Bien sûr. Mais je ne sais pas vous dire à combien.

D'après les informations que Mimì Augello avait réussi à rassembler, il apparut que l'ingénieur en chef Riolo et l'entrepreneur Alagna étaient encore à la prison San Vitto à Montelusa, alors qu'au contraire, Pino Intorre avait été libéré pile quatre jours avant le décès de Cascio. « Cherchez à lui faire faire un faux pas », ordonna Montalbano à Augello et à Fazio. Il se désintéressa de l'enquête : il la tenait pour résolue et même trop facilement. Son intérêt se raviva quelques heures plus tard.

— Sainte Madone, quelle connerie on était en train de faire ! dit Fazio en entrant dans le bureau du commissaire.

— Qu'est-ce que tu veux dire ?

— Je veux dire que Pino Intorre n'a pas de voiture, sa femme l'a vendue quand son mari était en prison. Et il y a autre chose : il souffre d'une cataracte, il est presque aveugle. Vous vous le voyez, vous, en train de conduire une voiture à une heure du matin ? Celui-là, si ça se trouve, il allait se jeter contre un réverbère et il se tuait lui bien avant de tuer Cascio !

— Il a des enfants ?

— *Dottore*, j'ai pigé ce que vous pensez. Oh que non, il a pas de garçons, il s'est pas fait aider. Il a deux filles mariées, une à Rome et l'autre à Viterbe.

Ils entendirent un brusque vacarme.

— Va voir ci qui se passe.

Fazio sortit et revint tout de suite.

— Rien, *dottore*. Sur le quai, il y avait un type qui jouait au bonneteau, il a vu Gallo et il s'est esbigné. Gallo l'a suivi, il l'a chopé mais le mec lui a flanqué un coup de poing sur le nez. Il l'a arrêté.

Mais le commissaire ne l'écoutait plus ; il s'était mis debout, le regard fixe, la bouche ouverte.

— Qu'est-ce qui vous prend, *dottore* ?

Le bonneteau.

— *Dottore*, vous vous sentez mal ?

Le commissaire se reprit, il s'assit et regarda sa montre.

— Fazio, j'ai une heure avant d'aller manger. Je

veux que toi, d'ici une demi-heure, tu me fasses savoir une chose.

A la trattoria San Calogero, le commissaire y arriva un peu en retard par rapport à son habitude. Il avait l'air d'humeur *nìvura*, noire. Mais il accepta l'invitation de Ciccio Mònaco de prendre place à sa table. L'ex-secrétaire de mairie avait juste entamé un merlu bouilli. Il se le mangeait après l'avoir assaisonné seulement d'une goutte d'huile.

— Les nouvelles ne sont pas bonnes, attaqua Montalbano.

— Dans quel sens ?

— L'ingénieur et Alagna sont encore en prison. Intorre a été libéré il y a quelques jours.

— Et ça vous paraît une mauvaise nouvelle ? Mais comment donc, commissaire ! Intorre sort de prison, il est plein de rancune envers mon pôvre ami et à peine il le voit qu'il le tue !

— Intorre n'a pas de voiture.

— Mais ça ne signifie rien ! Il se la sera fait prêter par quelqu'un de son acabit !

— Vous le saviez qu'Intorre est devenu presque aveugle ?

La fourchette tomba des mains de Ciccio Mònaco. Il était tout pâle.

— Non… je ne le savais pas.

— Mais, dit Montalbano, peut-être que ça peut ne rien vouloir dire. Peut-être qu'il s'est fait aider par un complice.

— Voilà ! C'est à ça que j'étais en train de penser !

Le garçon apporta au commissaire son hors-d'œuvre de poisson. Montalbano se mit à manger comme si la discussion était close.

— Et que pensez-vous faire maintenant ?

A la question, le commissaire répondit par une autre question. « Vous étiez au courant que votre ami Girolamo Cascio s'était acheté, au cours des six dernières années, deux appartements et trois magasins à Montelusa ? »

Là, Ciccio Mònaco pâlit qu'on aurait dit un mort.

— Je ne… je ne…

— Vous ne le saviez pas, bien sûr, termina pour lui le commissaire.

Et il continua de manger. Son hors-d'œuvre fini, il regarda l'ex-secrétaire de mairie qui semblait changé en pierre sur sa chaise.

— A présent, je me demande comment fait un gratte-papier, avec un salaire de misère, pour s'acheter deux appartements et trois magasins. Et pense que je t'y repense, j'en suis arrivé à une conclusion : chantage.

On amena à Montalbano un loup qui semblait encore nager dans la mer.

— Vous me feriez une faveur, monsieur Mònaco ? Vous pourriez attendre que je me finisse ce loup sans parler ?

L'autre obéit. Dans le temps que le commissaire employa à transformer le poisson en arête, Mònaco but quatre verres d'eau. A la fin, le commissaire, satisfait, s'appuya au dossier de sa chaise et poussa un soupir de plaisir.

— Revenons à nos moutons. Qui était la personne

que Girolamo Cascio faisait chanter ? J'ai une hypothèse plausible : quelqu'un que lui, il avait laissé en
dehors de sa dénonciation pour les adjudications tru-
quées. La victime du chantage ne peut rien faire
d'autre que payer. Mais elle guette la bonne occasion.
La libération d'Intorre est le moment qu'il attendait. Il
va faire retomber la faute sur l'ex-détenu avec une
idée géniale : il va feindre une erreur d'Intorre, lequel
aurait dû ignorer que Cascio était dans l'impossibilité
de boire. La victime du chantage nous a pris par la
main et nous a amenés où lui, il voulait. Une fausse
erreur, vraiment génial ! Mais étant donné que la vie
est ce qu'elle est, elle décide de marquer une des trois
cartes avec lesquelles l'assassin voulait jouer à
embrouiller tout le monde. Qu'est-ce qu'elle te fait, la
vie ? Elle te joue un tour. Comme l'assassin voulait
faire passer pour vraie une fausse erreur, elle le met en
condition de commettre une véritable erreur, exactement en reflet de l'autre. L'assassin ignore, cette fois
sérieusement, qu'Intorre est devenu presque aveugle.

Ciccio Mònaco fit mine de se lever.

— Je voudrais aller aux toilettes…

Il n'y parvint pas et retomba sur sa chaise.

— Vous avez une auto, monsieur Mònaco ?

— Oui… mais… je ne m'en sers pas depuis…

— Elle est bleu foncé ?

— Oui.

— Où la rangez-vous ?

L'autre était sur le point de parler, mais de sa
bouche, il ne lui sortit pas un son.

— Dans votre garage ?

Un imperceptible oui des yeux.

— On y va ?

Ciccio Mònaco, inopinément, parla.

— Vous avez raison, j'y étais moi aussi dans l'histoire des adjudications. Mais lui, il m'a tenu en dehors, pour pouvoir me sucer le sang. Les autres, au procès, ils n'ont pas dit mon nom. Remarque, je n'avais pas dans la tête de le tuer, ce soir-là. Ce fut quand il me dit que Pino Intorre était sorti de prison et que, si je lui donnais pas plus, il allait le lâcher après moi ; ce fut alors que je décidai de le tuer en faisant retomber la faute sur Intorre.

Il voulait se lever pour suivre Montalbano mais il n'arrivait pas à se décoller de sa chaise, ses jambes ne le portaient plus. Le commissaire l'aida, il lui offrit son bras. Ils sortirent de la trattoria comme deux vieux amis.

Bouts de ficelle absolument inutilisables

— *Dottore* ? C'est Fazio. Vous pourriez faire un saut ici ?

— Et pourquoi ?

Il ne voyait pas de raison pour laquelle il devrait se déranger du bureau, monter dans sa voiture, qui entre autres se faisait prier avant de démarrer, traverser tout Vigàta, prendre la route de Montelusa, après cinquante mètres tourner à main gauche, s'engager dans un sentier que même les chèvres oseraient pas, faire un kilomètre de fossés et de pierraille et enfin arriver à la maison du comptable Ettore Ferro avec le dos cassé.

— Et pourquoi ? redemanda-t-il, agacé, vu que Fazio hésitait.

— Comme ça, fut la réponse.

Le commissaire s'énerva, il haussa la voix.

— Mais putain qu'est-ce que ça veut dire « comme ça » ? Tu veux t'expliquer ? Y a des complications ?

— Oh que non, des complications y en a pas, mais c'est mieux si vous venez.

Il monta en voiture en ronchonnant. C'était possible

que ses hommes en soient réduits à pas savoir s'enlever un doigt du cul sans son aide ?

Le comptable Ferro s'était aprésenté aux aurores au commissariat et avait obligé Catarella à téléphoner à Montalbano qui était sous sa douche à Marinella, lui demandant de venir au bureau « en grande presse et en pirsonne pirsonnellement ». Le commissaire connaissait de vue le comptable, un homme dans la soixantaine qui frayait avec personne et habitait seul dans une maison de trois étages loin de tout. Il passait pour une pirsonne sérieuse même s'il était connu qu'il souffrait de curieuses fixations.

Quand il entra dans son bureau, le comptable était assis sur la chaise devant la table.

— Ne vous dérangez pas, dit Montalbano en voyant que l'autre faisait mine de se lever. Dites-moi tout.

— Cette nuit, on a tenté de voler chez moi.

— Tenté ?

— Oh que oui monsieur, tenté.

— Laissez-moi comprendre. Ils ne se sont rien emporté ?

— Rien de rien.

— Vous êtes tout à fait sûr que des voleurs sont entrés ?

— Absolument sûr. A cause qu'ils ont cassé une vitre du soupirail de la cave, ils y ont glissé la main, ils l'ont ouvert, ils sont montés dans la maison, ils ont déverrouillé toutes les portes des chambres que moi je garde toutes fermées à clé, ils ont…

— Ça va, ça va, l'interrompit le commissaire.

Une colère froide était en train de lui tomber dessus.

Ce con qui se trouvait devant lui, pour une tentative de vol, il l'avait fait se précipiter de grand matin au bureau !

— Vous, où vous avez dormi, cette nuit ? reprit Montalbano.

— Et où je devais dormir ? Chez moi, répondit l'autre en le regardant, sidéré.

— Et vous n'avez rien entendu ? Vous n'avez pas été réveillé par le bruit ?

— Moi ?! Quand je me prends le somnifère, même des coups de canon, y me réveilleraient pas.

— Fazio !

Le cri du commissaire fit sursauter le comptable. Fazio s'aprésenta immédiatement.

— Fais le procès-verbal de ce qui est arrivé à ce monsieur et aussi va jeter un coup d'œil chez lui.

Il fallut une copieuse heure avant que la mauvaise humeur commence à lui passer. Et après, était arrivé le coup de fil.

Fazio, qui l'attendait, courut lui ouvrir le portail. Montalbano le foudroya d'un regard noir.

— Pourquoi tu m'as fait venir ?

— Le comptable a découvert que les cambrioleurs lui ont volé un truc.

— Quel truc ?

Fazio parut vivement intéressé par la pointe de ses chaussures.

— Peut-être c'est mieux si c'est le comptable qui vous le dit lui-même.

Montalbano était sur le point de répliquer quand, sur la porte de la maison, apparut le comptable.

— Venez, commissaire, je vous fais voir par où sont entrés les voleurs.

Ils pénétrèrent dans une petite entrée avec trois portes et un escalier qui menait aux étages du dessus.

Ettore Ferro s'arrêta devant la plus grande des trois portes, il sortit de sa poche déformée un gigantesque trousseau de clés, ouvrit, laissa passer le commissaire et Fazio, entra lui aussi, alluma la lumière et referma la porte à clé. Une vingtaine de marches amenaient à une immense cave, très haute de plafond. Elle était divisée en deux. Du côté gauche, se trouvaient une bonne dizaine de barriques, si grandes que Montalbano n'avait pas imaginé qu'il en existât de pareilles.

— Comment avez-vous fait pour les faire entrer là-dedans ? demanda-t-il spontanément.

— De fait, elles n'y sont pas entrées. Je les ai fait faire ici même, répondit le comptable.

Et il poursuivit :

— D'ailleurs, cette cave a entièrement été conçue par moi, elle va bien au-delà des murs de la maison.

— Vous, vous êtes œnologue ?

— Qui ? Moi ? Pas le moins du monde.

Le commissaire préféra ne pas insister ; du coin de l'œil, il saisit l'expression sur le visage de Fazio, il n'en pouvait plus : à grand-peine, il se retenait d'éclater de rire à en pleurer.

— Ils sont entrés par là, poursuivit le comptable. Vous voyez la vitre cassée ? Ensuite ils ont sauté sur cette barrique et ils sont descendus par l'échelle de bois qui y est appuyée.

Montalbano ne l'entendait pas, il était en train de

regarder l'autre moitié de la cave, celle de droite, où régnait une dense obscurité. A l'évidence, il n'y avait pas de fenêtres pour donner de la lumière. Il décida de demander.

— De ce côté, qu'est-ce qu'il y a ?

— Le congélateur, la chambre froide, différents box.

— Vous faites du commerce ?

— Qui ? Moi ? Non.

Fazio camoufla sous une quinte de toux le fou rire qu'il n'avait pas réussi à contenir. Montalbano écuma.

— Ecoutez, monsieur Ferro, dites-moi ce qu'on vous a volé et finissons-en.

— Nous devons monter au deuxième étage.

Il refit tout le tintouin de rouvrir la porte, la refermer. Ils montèrent l'escalier, s'arrêtèrent sur le palier du second étage ; avec une autre clé, le comptable ouvrit la porte de droite et la referma ; il y avait un couloir, il s'arrêta devant la troisième porte à main gauche, sortit son trousseau de clés, ouvrit, entra, alluma la lumière, invita le commissaire et Fazio à entrer. La pièce n'était pratiquement qu'un rayonnage métallique, parfaitement ordonné ; sur les étagères, des boîtes en carton de toutes les tailles, attachées par du ruban adhésif d'emballage. Le comptable indiqua à droite, vers une étagère qui contenait des boîtes comme pour les chaussures.

— Ils ont volé la boîte des capsules de bière de l'année passée. Voyez, commissaire, aujourd'hui c'est le 4 janvier. Eh bien, le 2, j'ai scellé la boîte où j'avais rangé les capsules des bières que j'ai bues en 1997. Trois cent soixante-cinq, y en avait, je m'en fais une par jour.

Montalbano le regarda. Celui-là, il galéjait pas. Au contraire, il semblait troublé.

— Ecoutez, monsieur Ferro. Qu'est-ce qu'il y a dans cette grosse boîte à gauche ?

— Là ? Des bouts de ficelle absolument inutilisables.

— Et dans celles d'à côté ?

— Des sacs en plastique ou en papier déjà utilisés. Vous voyez ? Ils sont répartis par année. Lisez : élastiques 1978, 79, 80... maillots de corps usagés 1979, 80, 81... et ainsi de suite. Je garde tout, moi, je ne jette rien depuis vingt ans.

— Même l'étage du dessus est comme ça ?

— Bien sûr. Il y a des papiers, des journaux, des revues... et puis les habits que je ne porte plus, les chaussures... Les choses comme les bouchons, les bouteilles, les canettes sont dans la pièce voisine. Mais je vais devoir faire construire d'autres pièces au rez-de-chaussée... Je fume quarante cigarettes par jour, savez-vous ? Les mégots, je sais plus où les mettre.

Avec un effort, le commissaire attrapa la raison qui était en train de s'esbigner de sa tête. Il fallait qu'il s'en aille tout de suite, il suait. Il s'apprêta à sortir, mais devant la porte il s'arrêta.

— Excusez-moi, monsieur Ferro, demanda-t-il, ébloui par une soudaine illumination. Qu'y a-t-il dans les barriques qui sont à la cave ?

— Mes déchets organiques, dit le comptable Ettore Ferro.

Montalbano sortit sans même le saluer.

Il ne se sentit pas de rentrer directement au bureau. Un peu avant la côte qui descendait sur Vigàta, il y avait un sentier qui aboutissait à une clairière solitaire au centre de laquelle se dressait un olivier sarrasin tordu qui lui était sympathique. Il s'assit un moment sur une branche. Il ressentait, dans son for intérieur, un sourd mal-être, un malaise qui naissait d'une interrogation précise : pourquoi le comptable Ferro faisait-il ce qu'il faisait ? Juste parce que la cervelle lui fonctionnait en courant alterné ? Ou y avait-il des raisons plus subtiles ? Voulait-il être sûr de son existence à travers l'accumulation des ordures produites par lui ? Ou bien s'agissait-il d'une forme d'avarice absolue ? Il se fuma trois cigarettes d'affilée ; à force de raisonner là-dessus, il se retrouva complètement paumé. Mais d'une chose il était sûr : cet homme lui avait fait grand-peine.

Une demi-heure après qu'il était arrivé au bureau, Fazio entra dans la pièce.

— J'ai bien fait de vous faire voir la maison du comptable ? Pinsez, *dottore*, qu'il m'a dit, comme si c'était la chose la plus naturelle du monde, que dedans ces barriques que vous avez vues dans la cave, non seulement il y transvase sa merde et sa pisse mais il y met aussi les ongles qu'il se coupe, les poils de barbe et les cheveux !

— Tu le sais ce qu'il garde au congélateur, dans la chambre froide et dans les box ?

— Et comment ! Il me les a ouverts. Vous voyez, *dottore*, le comptable calcule combien de viande il va manger en un an, combien de poisson, combien de pâtes, combien de fromage… Bref, tout ce qu'il peut pinser nécessaire à un homme pour vivre trois cent soixante-cinq jours… tout de tout, croyez-moi, même, à ce que je sais, les cure-dents. Le 2 janvier, arrivent les camionnettes des fournisseurs et lui, il emmagasine le tout, ce qui est à congeler, ce qui est à garder au frigo… Il pourrait rester une année entière sans mettre les pieds hors de chez lui.

— Il a de la famille ?

— Seulement un neveu, fils d'une sœur qui s'est installée à Venise avec son mari et qui est morte là-bas. La maison, il la lèguera à son neveu, avec obligation de ne rien céder, il a dit comme ça, rien de ce qu'il trouvera à l'intérieur. Tout doit rester comme c'est. Vous vous la voyez, vous, la tête du neveu quand il va ouvrir les barriques ?

Montalbano ajouta une hypothèse à celles déjà faites : un désir ingénu d'immortalité ? Mais au moins, les pharaons, ils se faisaient construire les pyramides !

— Et vous voulez savoir une chose ? poursuivit Fazio. Il me parlait de ces capsules de bière usagées qu'on lui a volées comme si c'étaient des choses précieuses, des perles, des diamants !

Ce fut alors qu'il s'en retournait à Marinella que lui vint à nouveau à l'esprit l'histoire du comptable et il fut tout à coup persuadé que la bizarrerie de la maison et de son propriétaire l'avait empêché de discerner le véritable problème : pourquoi des voleurs s'étaient-ils donné la peine d'entrer de nuit, d'ouvrir les portes avec de fausses clés ou des passe-partout, de courir le risque de finir en prison juste pour s'emporter une boîte en carton pleine de capsules de bière usagées ? Ce larcin, qui semblait à première vue insensé, un sens caché, à coup sûr, il l'avait. La première chose qu'il fit à peine entré chez lui fut de chercher dans l'annuaire. Le comptable Ferro y apparaissait.

— Allô ? Le commissaire Montalbano je suis. Comment allez-vous ?

— Et comment voulez-vous que j'aille, commissaire ? Désespéré, je me sens. Il me semble qu'on m'a volé une part de ma vie.

— Courage, monsieur Ferro. J'ai besoin que vous me rendiez un service.

— Si je peux, à votre disposition.

— J'ai besoin que vous me contrôliez si chez vous, il manque autre chose.

— Je l'ai déjà fait, commissaire. J'ai passé toute la journée à regarder. Il ne manque rien d'autre.

— Pardonnez-moi si j'insiste. La boîte des capsules de 1996 est à sa place ?

— Oh que oui, monsieur.

— Bonne nuit, monsieur Ferro. Excusez-moi du dérangement.

Il ouvrit le frigidaire : il n'y avait que des canettes de bière. Il sortit, remonta en voiture, se rendit au bar de Marinella, il s'acheta cinq bouteilles de marques différentes, s'en retourna chez lui, déboucha les bouteilles, s'assit à la table de la salle à manger et aligna les cinq capsules. Peu après, il se leva et rappela le comptable.

— Montalbano je suis. Je me sens mortifié de...

— Ne vous inquiétez pas, dites-moi.

— Vous, quelle bière vous buvez ?

— Elle s'appelle Torrefelice.

— Jamais entendu parler.

— Vous avez raison. C'est une petite brasserie d'un bourg à côté de Messine. Elle y est depuis trois ans. Moi je l'aime. Vous connaissez la Corona Extra, celle qui ressemble à du vin blanc ?

— Je n'y connais pas grand-chose en bière.

— Ben, elle ressemble. Mais d'après moi, elle est meilleure. Comme je m'en bois une grande bouteille par jour, le 2 janvier, je m'en fais envoyer trente-six caisses de dix et cinq bouteilles au détail.

— Une autre question, monsieur Ferro. Vous vous êtes aperçu que les voleurs étaient entrés juste à cause de la vitre cassée et des portes ouvertes ?

— Qui a dit que j'ai trouvé les portes ouvertes ?

— Vous. Ce matin.

— Je me suis mal exprimé. Les portes avaient été refermées par les voleurs, mais avec un seul tour, alors que moi, toujours, j'en donne deux. Alors j'ai eu des soupçons et puis je me suis aperçu de la vitre cassée.

— Je promets que je ne vous dérangerai plus. Bonne nuit.

— S'il plaît à Dieu.

Une chose était sûre : les voleurs s'étaient donné du mal pour que le vol ne soit pas découvert ; la vitre cassée, en effet, ça pouvait avoir été un fait quelconque, une vibration, un jet de pierre. Mais ils avaient commis l'erreur de refermer les portes d'un seul tour de clé.

Vu qu'il ne pouvait pas laisser les bières au frigo,

puisque, décapsulées comme elles étaient, elles auraient perdu leur saveur, il décida de se les boire avec une sainte patience. Il y mit deux heures durant lesquelles il resta à regarder les cinq capsules en fer légèrement déformées par l'ergot du décapsuleur. Après il se leva pour jeter les bouteilles à présent vides dans la poubelle et son œil tomba sur l'inscription d'une des étiquettes. Elle disait : DÉCAPSULEZ ET GAGNEZ ! SOULEVEZ LE DISQUE EN PLASTIQUE ET LISEZ CE QUI EST ÉCRIT SUR LE FOND DE LA CAPSULE. Suivait la liste des prix. Montalbano repéra la capsule correspondante ; avec un couteau, il détacha le disque en plastique, il lut l'inscription : VOUS N'AVEZ PAS GAGNÉ, RÉESSAYEZ. A cet instant, il sut en revanche qu'il avait gagné, contrairement à ce qu'il était en train de lire.

Aidé par la bière qui lui gonflait la panse, il lui fut facile de trouver le sommeil. Mais, un instant avant de fermer les yeux, il revit les boîtes disposées en bon ordre sur les rayonnages de la pièce du comptable. Des alvéoles. Les boîtes étaient des *tabbuti*, des cercueils dans lesquels Ettore Ferro déposait amoureusement les restes de sa vie qui quotidiennement se décomposait.

Le lendemain matin, à tête froide, il décida que de l'idée qui lui était venue, seuls Augello et Fazio pouvaient être mis au courant. Il ne devait absolument pas en parler à la ronde, autrement le journaliste-ennemi de Televigàta aurait bu du petit-lait : « Savez-vous de quelle affaire importante s'occupe le célèbre commissaire Salvo Montalbano ? Du vol de trois cent soixante-cinq capsules de bouteilles de bière usagées ! » Et de rigoler et de se gondoler. Et ensuite l'inévitable coup de fil du Questeur préoccupé : « Ecoutez, Montalbano, mais c'est vrai cette information que... »

Au bureau, il appela tout de suite Fazio.

— Nous deux, à hier, on a été cons.

— Tous les deux, *dottore* ?

— Tous les deux.

— Alors je me sens rassuré.

— Et tu le sais pourquoi on a été cons ? Passqu'on n'a pas pris au sérieux le vol chez le comptable.

— Mais, commissaire...

— Et c'est toi qui m'as mis sur la bonne voie.

— Moi ?!

— Toi. Quand tu m'as raconté que le comptable parlait de ces capsules comme si pour lui, c'étaient des choses précieuses. Alors j'ai pensé : et s'il y a quel-qu'un d'autre qui les considère lui aussi comme pré-cieuses, au point de les lui voler ?

— Un autre collectionneur de capsules ? demanda Fazio, stupéfait.

— Mais dis pas de couillonnades ! Laissons tomber. Je veux tout savoir d'une brasserie de bière, elle s'ap-pelle Torrefelice et se trouve dans un bourg à côté de Messine. Attention, Fazio : tout ça doit rester entre toi et moi.

— Soyez tranquille. J'ai combien de temps ?

— Le temps est déjà écoulé.

Deux heures après, Fazio s'aprésenta au rapport ; il s'assit et se mit à parler sur un ton de curé :

— Entre Paix et Contemplation, se trouve le Paradis...

Montalbano l'interrompit en levant une main :

— Ah Fà', je t'avertis que j'ai pas envie de galéjer.

— Je galéjais, *dottore*, mais en même temps je disais une chose vraie. Paix et Contemplation sont deux bleds qui s'appellent vraiment comme ça, pratiquement des quartiers de Messine, et entre eux, il y a un hôtel qui s'appelle Paradis. Derrière l'hôtel, à une cinquantaine de mètres, il y a la brasserie qui vous intéresse.

— Tu as appris autre chose ?

— Oh que oui. La Torrefelice a commencé à produire en 1993. Elle a un petit roulement, mais sa bière trouve des amateurs. On m'a dit qu'ils sont en train de s'agrandir.

— Tu sais qui sont les propriétaires ?

— Je suis pas arrivé jusque-là.

Il décrocha le téléphone et appela le maréchal Laganà de la Brigade financière de Montelusa qui, d'autres fois, lui avait donné un coup de main dans ses enquêtes. Il parla longtemps.

— Jésus ! dit Laganà lorsque le commissaire eut terminé.

— Maréchal, je sais que…

— Commissaire, il faut que vous compreniez que ce n'est pas mon territoire et que je vais devoir m'adresser à un collègue de cet endroit. Il va falloir du temps.

— Combien, à peu près ?

— Si je trouve celui dont je parle, maximum une semaine.

Montalbano poussa un soupir de soulagement, il s'était préparé à une plus longue attente.

— Je vous enverrai un fax avec tous les éléments, poursuivit le maréchal.

— Merci. Ah, écoutez. Dans le fax, ne spécifiez pas le nom de l'entreprise Torrefelice qui produit la bière. La chose doit rester très discrète.

— Ah *dottori*, mon bon *dottori* ! cria Catarella surgissant dans le bureau de Montalbano et faisant claquer la porte contre le mur d'un coup tel que tout le monde eut peur. Y a un fasque qui arrive pour vous en pirsonne pirsonnellement. Très Sainte Mère, *dottori* ! Pour le moment d'à présent, il est déjà long de plus de trois mètres et encore y continue à sortir du fasque ! Suspinueux comme un serpent il est ! Toute la pièce, il me prend !

Il ne s'était passé que quatre jours depuis le coup de fil, on voyait que Laganà avait trouvé la bonne personne.

Se faisant aider de Gallo et de Galluzzo, Catarella engagea une véritable bataille pour parvenir à enrouler le fax.

La brasserie était propriété des frères Gaspare et Michele Pizzuso, au casier judiciaire vierge. Jamais eu affaire avec la loi, ni en tant que citoyens ni en tant que petits industriels. Ils fournissaient des magasins de vins en gros et au détail, bars, restaurants et clientèle privée. Ils se servaient de cinq camionnettes leur appartenant.

Suivait la très longue liste des clients. A Montalbano, c'étaient les particuliers qui l'intéressaient. Il faisait déjà noir quand il lut un nom qui le fit littéralement bondir de sa chaise : Vincenzo Cacciatore, 18 via Paternò, Vigàta. Vincenzo Cacciatore devait être un consommateur de bière plus soiffard qu'un Irlandais : il se faisait expédier trente cartons de dix tous les trois mois. Et lui, Montalbano, même si c'était pas en qualité de buveur de bière, ce Cacciatore, il le connaissait bien.

Il appela Gallo qui conduisait la voiture de service.

— Toi tu le sais où se trouve la via Paternò, ici à Vigàta ?

Gallo le lui expliqua. C'était la rue parallèle à l'espèce de chemin où se dressait la maison du comptable Ettore Ferro.

Mais il voulut, avant d'en parler avec son adjoint Mimì Augello, faire une sorte de contre-preuve.

— Monsieur Ferro ? Montalbano je suis. Je suis encore forcé de vous déranger. Vous conservez les cartons de bière, n'est-ce pas ?

— Bien sûr ! fut la réponse.

Il s'était un peu senti offensé, le comptable, par une telle question. Comment pouvait-on penser que lui, il jette quelque chose ?

— Même si je suis obligé de les plier. Vous savez, pour la place, précisa-t-il.

— Vous m'avez dit que vous vous faites envoyer depuis trois ans la bière Torrefelice, c'est exact ? Donc chez vous, il devrait y avoir quatre-vingt-dix caisses.

— Exact.

— Il faudrait vérifier si les trente caisses de l'année passée se différencient en quelque manière des précédentes.

— De quelle façon, excusez-moi ? Elles sont toutes du même format.

— Regardez alors si, dessus, il y a un signe particulier.

— Je vous rappelle dans une heure.

Il rappela en fait au bout de presque deux heures, quand Montalbano était dévoré par une faim de loup.

— Excusez-moi si j'ai mis si longtemps, mais j'ai voulu vérifier et revérifier. Comment avez-vous fait pour deviner, commissaire ? Celles de l'année dernière sont marquées au feutre bleu. Une espèce d'astérisque.

— Une dernière question, monsieur Ferro. Qui est au courant du fait que vous conservez habituellement vos…

Le mot lui manqua. Vos déchets ? Vos ordures ? Le comptable le tira d'embarras.

— Les fournisseurs, certainement. Puis un électricien qui…

— Je vous remercie, monsieur Ferro.

— Tu vois, Mimì, à mon avis, les choses se passent de cette façon. Les très chers et irréprochables frères Pizzuso sont trafiquants de drogue. Je ne sais pas quel type de drogue, mais qui peut aisément se glisser entre le fond de la capsule et le disque en plastique. Leur client, mais il y en aura d'autres du même genre, est ici à Vigàta Vincenzo Cacciatore, que toi-même tu as arrêté pour trafic il y a des années. L'an dernier, les frères Pizzuso expédient un chargement à Cacciatore, mais le transporteur se trompe et livre les caisses marquées à notre comptable. Sûrement, les Pizzuso s'aperçoivent quelques jours plus tard de l'erreur. Mais ils ont les mains liées : faire disparaître les caisses encore pleines équivaut à signer leur larcin. Ils décident d'attendre, ils savent que le comptable garde tout. Et ainsi, au début de cette année, ils entrent dans sa maison et récupèrent les trois cent soixante-cinq capsules. Mais ils font une deuxième erreur : ils ne referment pas les portes à double tour. Et Ferro découvre le vol.

— Ils auraient dû voler quelque chose d'autre pour brouiller les pistes, commenta Augello après y avoir pinsé dessus.

— Mimì, heureusement que les délinquants ne sont pas tous intelligents.

— Et maintenant qu'est-ce qu'on fait ? demanda l'adjoint.

— On attend le 30 mars, quand arrivera la nouvelle livraison pour Cacciatore. On arrête la camionnette, on décapsule une bouteille et on voit ce qu'ils ont mis entre la capsule et le disque.

— Et avec les frères Pizzuso, comment on s'arrange ?

— On avertit nos collègues de Messine après avoir arrêté la camionnette.

Augello le regarda d'un air interrogateur.

— Après, Mimì, après. T'as jamais entendu parler de taupes ?

Le 30 mars, à dix heures du matin, la camionnette s'arrêta devant la maison de Vincenzo Cacciatore. Lequel Cacciatore se trouvait menotté dans sa chambre à coucher, gardé à vue par Gallo. Mimì Augello, avec ses hommes, stoppa le transporteur, ouvrit les portes de la camionnette, repéra une caisse marquée au feutre bleu, prit une bouteille, la décapsula en la tenant appuyée sur le bord de la porte et détacha le disque. Entre celui-ci et le fond de la capsule, il n'y avait absolument rien.

— Comment rien ?! dit Montalbano en sentant instantanément la sueur qui trempait sa chemise.

— Je te le jure, dit Mimì. Entre le bouchon et le disque, il n'y a rien. Tu vois, Salvo, la camionnette est arrivée à dix heures et…

— A dix heures ?! Mais il est midi passé ! D'où tu téléphones ?

— De Montelusa. De la Questure.

— T'es allé jouer les balances, hein, grand cornard !

— Tu me laisses finir ? Vu que sous le disque y avait rien, il m'est venu une idée et j'ai fait un saut ici, chez Jacomuzzi, pour un contrôle. Tu sais quoi ? Le disque n'est pas en plastique, dans les bouteilles destinées à Cacciatore. Jacomuzzi a fait faire les analyses à un de ses hommes de la Scientifique. La drogue, c'est le disque lui-même. Il s'agit d'un procédé qui…

Montalbano raccrocha. Il n'avait pas besoin d'entendre quoi que ce soit d'autre.

Référendum populaire

Ce matin-là, alors qu'il allait en voiture au bureau, Montalbano remarqua un groupe étoffé de personnes qui, l'air amusé, commentait une espèce d'avis placardé sur le mur d'une maison. Un peu plus loin, quatre ou cinq personnes crevaient de rire devant une autre feuille placardée qui lui parut semblable à la première. Le fait l'étonna ; en général, il y a rarement de quoi rigoler devant un avis public et celui-ci semblait être la typique et récurrente annonce de la suspension de distribution d'eau. Lorsqu'il vit la même scène se répéter un peu plus tard, il ne résista pas à la curiosité ; il s'arrêta, descendit et alla lire. C'était un carré de papier adhésif d'une quarantaine de centimètres de côté. Les caractères étaient de ceux qui se composent à la main en utilisant des lettres en caoutchouc à imprégner sur un tampon encreur.

RÉFÉRENDUM POPULAIRE
MADAME BRIGUCCIO EST-ELLE UNE P... ?
(Tout citoyen pourra répondre au référendum en écrivant sa libre opinion sur cette même feuille.)

Il ne connaissait pas Mme Briguccio, il n'en avait jamais entendu parler. C'est pourquoi la première chose qu'il fit fut d'en parler avec Mimì Augello, le premier coureur de jupons de tout le commissariat.

— Mimì, toi tu connais Mme Briguccio ?

— Eleonora ? Oui, pourquoi ?

A l'évidence, il n'avait pas vu les affiches.

— Tu sais rien du référendum populaire ?

— Quel référendum ? demanda Augello, complètement largué.

— On a placardé des affiches au bourg qui annoncent un référendum pour décider si Mme Briguccio, Eleonora, comme tu l'appelles, est une « p » ou non. Et ce « p », évidemment, c'est pour putain.

— Tu galèjes ?

— Pourquoi je devrais ? Si tu me crois pas, va te prendre un café au bar Contino, dans les parages, y a au moins trois affiches.

— Je vais voir, dit Augello.

— Attends, Mimì. Vu que tu la connais, toi, comment tu répondrais au référendum ?

— Quand je reviens on en cause.

Augello était sorti depuis même pas cinq minutes que la porte du bureau du commissaire s'ouvrit violemment, claqua contre le mur, Montalbano sursauta et Catarella entra.

— Vous m'ascusez, *dottori*, la main m'échappa.

Le rite coutumier. Lucidement, le commissaire sut

qu'un jour ou l'autre, sur un journal, allait apparaître un titre rédigé ainsi : LE COMMISSAIRE SALVO MONTALBANO TUE UN DE SES AGENTS.

— Ah *dottori, dottori* ! Le monsieur et mare Tortorigi tiliphona. Au secours il appelle ! Il dit comme ça qu'à la marie, y a du grabuge !

Montalbano se précipita suivi de Fazio.

Lorsqu'il arriva, un quinquagénaire écumant de rage, vainement maintenu par quelques hommes de bonne volonté, s'acharnait à coups de pied et de poing sur une porte marquée d'une plaque : BUREAU DU MAIRE.

— Toi tu le connais, celui-là ? demanda Montalbano à Fazio.

— Oh que oui. C'est M. Briguccio.

Montalbano s'avança.

— Tout d'abord calmez-vous, monsieur Briguccio.

— Vous qui êtes-vous ?

— Le commissaire Montalbano je suis.

— Qui vous appela ? Le maire ? Ce très grand cornard de maire ?

— Sasà', dit un des hommes de bonne volonté, monsieur le commissaire a raison. D'abord tu te calmes.

— Je voudrais te voir, à toi, si on écrivait sur la place publique que ta femme est une putain !

— Sasà', poursuivit l'homme de bonne volonté, mais qui te dit que ce « p » veut forcément dire putain ?

— Ah oui ? Et qu'est-ce qu'il signifie d'après toi ?

— Beh. Peureuse, par exemple.

— Ou bien patiente, pour en dire une autre, intervint un second homme de bonne volonté.

Les deux interprétations firent encore plus enrager, et avec raison, M. Briguccio qui, échappant à ceux qui le tenaient, flanqua deux puissants coups de pied dans la porte.

— Lève-le de là, ordonna Montalbano à Fazio.

Fazio, avec l'aide des hommes de bonne volonté, traîna M. Briguccio dans une autre pièce. Le commissaire, revenu à la porte, frappa discrètement.

— Montalbano je suis.

— Un instant.

La clé tourna, la porte s'ouvrit. Aux côtés du maire Tortorici, il y avait un petit bonhomme, un sexagénaire gros et chauve qui s'inclina.

— Le premier adjoint Guarnotta, présenta Tortorici.

— Qu'est-ce qu'il vous voulait, M. Briguccio ?

Le maire, lui aussi sexagénaire, sec comme un coup de trique, de curieuses moustaches à la tartare, écarta les bras d'un air désolé.

— Eh, commissaire, c'est une longue histoire qui traîne depuis trente ans. Briguccio, moi et le *dottor* Guarnotta ici présent, nous avons milité ensemble dans ce vieux parti glorieux qui a garanti la liberté à notre pays. Puis il est arrivé ce qui est arrivé, mais tous les trois nous nous sommes nouvellement retrouvés dans le nouveau parti rénové. Sinon que, du fait de ce malheureux jeu des courants, le *dottor* Guarnotta et moi nous avons toujours eu certaines convictions non partagées par Briguccio. Vous voyez, commissaire, quand De Gasperi…

Montalbano n'avait aucune envie de s'embourber dans une discussion politique.

— Excusez-moi, monsieur le maire, je répète la question : pourquoi Briguccio vous en veut-il ?

— Bah… que vous voulez-vous que je vous dise ? Lui, il essaie de changer le fait d'avoir été traité publiquement de cornard — parce que c'est ça que signifie, au fond, le référendum — en une question exclusivement politique. En d'autres termes, il soutient que derrière cette affiche, il y a notre complicité, au *dottor* Guarnotta et à moi.

Lequel *dottor* Guarnotta s'inclina légèrement, les yeux fixés sur Montalbano.

— Mais qu'est-ce qu'il veut de vous, à part se passer les nerfs ?

— Que je fasse enlever les affiches.

— Et nous l'avons rassuré dans ce sens, intervint le *dottor* Guarnotta. En lui faisant remarquer que nous l'aurions fait sans sa, comment dire, tempétueuse requête : pour ces affiches, en fait, la taxe d'affichage n'a pas été payée.

— Et alors ?

— Mais nous avons exposé à Briguccio quel est le problème. Et lui, il s'est mis en fureur.

— Et quel est le problème ?

— Nous avons en ce moment seulement huit gardes municipaux en service. Très occupés déjà à se débrouiller avec leurs occupations habituelles. Nous avons garanti que d'ici une semaine maximum, les affiches seraient enlevées. Alors lui, sans aucun motif, a commencé à nous insulter.

Des politiciens très fins, de vieille et haute école, le maire Tortorici et son premier adjoint Guarnotta.

— En conclusion, monsieur le maire, vous voulez déposer plainte pour agression ?

Guarnotta et Tortorici se regardèrent, en se parlant sans paroles.

— Jamais de la vie ! proclama généreusement Tortorici.

— J'ai fait le compte, dit Augello. En tout, on a collé vingt-cinq affiches. Peu nombreuses, artisanales, mais elles ont suffi à faire naître un de ces bordels. Au pays, on ne parle que de ça. Et on a su aussi l'engueulade que Briguccio a eue avec Tortorici et Guarnotta.

— Il y a déjà eu des réponses au référendum ?

— Pour sûr ! Une majorité bulgare. Rien que des oui. La pauvre Eleonora, selon la conviction populaire, est indiscutablement une radasse.

— Et c'en est une ?

Mimì hésita un instant avant de répondre.

— Avant tout, entre Eleonora et Saverio Briguccio, il y a une notable différence d'âge. Eleonora a une trentaine d'années, elle est élégante, belle, intelligente. Lui, en revanche, quinquagénaire rougeaud, habile commerçant. Tout les sépare, les goûts, l'éducation, les façons de vivre. En outre, au pays, on murmure que la poudre à canon de Briguccio est mouillée. De fait, ils n'ont pas eu d'enfants.

— Mimì, il me semble que tu es en train de me dresser la liste des raisons pour lesquelles cette dame est contrainte par les circonstances de mettre les cornes à son mari.

— Beh, en un certain sens, c'est comme tu dis.

— Et combien de fois, jusqu'à l'heure actuelle, elle s'est consolée ?

— Je ne les ai pas comptées.

— Mimì, joue pas au gentilhomme avec moi.

— Beh, pas mal de fois.

— Avec toi aussi ?

— Ça, je te le dis pas, même sous la torture.

— Mimì, tu sais comment ça s'appelle, aujourd'hui, ton attitude ? Qui ne dit mot consent, ça s'appelle.

— Je m'en fous, de comment ça s'appelle.

— Ecoute, une chose : le mari, il le sait ?

— Qu'Eleonora le cocufie ? Il le sait, il le sait.

— Et il ne réagit pas ?

— Le pôvre, à moi, il me fait peine. Il supporte, ou du moins, il a supporté, étant donné qu'il sait très bien de n'être pas en mesure, disons comme ça, de satisfaire les, disons comme ça, aspirations et les désirs d'Eleonora, laquelle, disons comme ça…

— Mimì, ne disons pas comme ça, disons comme c'est. Lui, c'est un *cornuto pacinzioso*, un cocu patient.

— Oui, mais c'est ça qui m'inquiète. Tant que toute l'histoire se déroulait en silence, il pouvait faire mine de rien. Comme si tout ça, c'étaient ragots et méchancetés. Mais maintenant, ils l'ont obligé à sortir à découvert. Et on sait jamais quelle est la réaction d'un cocu patient, quand on l'oblige à perdre patience.

— Tu penses que ça a été une manœuvre politique de ses adversaires ?

— Peut-être. Mais ça peut aussi être la vengeance d'un amant congédié par Mme Briguccio. Tu vois, Eleonora ne veut pas d'histoires sentimentales qui durent longtemps. Elle est, à sa manière, fidèle au sentiment qu'elle nourrit pour son mari. Maintenant, il est possible que quelqu'un n'ait pas compris les intentions, comment dire, limitées d'Eleonora et se soit abandonné à des rêves de grand amour, d'une relation durable…

— Tu t'es très bien expliqué, Mimì : Mme Eleonora est du genre on tire un coup et puis salut.

— Salvo, quand tu t'y mets, tu es d'une vulgarité déconcertante. Mais je dois admettre que c'est comme ça.

— Bien, dit Montalbano. Maintenant, parlons de choses sérieuses. Cette affaire de Briguccio me semble seulement une farce paysanne villageoise.

Une farce, certes. Mais elle dura une semaine. Une fois les affiches enlevées, quand il sembla que tout le monde avait oublié, la farce changea de genre et devint une tragi-comédie.

— Je parle pirsonnellement en pirsonne avec le commissaire Montalbano ?

Ce n'était pas un matin à ça. Il soufflait une tramontane qui avait fait venir le *nirbùso*, les nerfs, à Montalbano lequel, de plus, le soir précédent, avait eu une dispute téléphonique avec Livia.

— Catarè, me casse pas les couilles. Qu'est-ce qu'y a ?

— Il y a que M. Bricuccio tira.

Oh, Seigneur Dieu, le cocu patient s'était réveillé comme le craignait Augello ?

— Sur qui il tira, Catarè ?

— Sur un que je me suis incriptionné son nom, *dottori*. Ah, voilà, il s'appelle Manifò Carlo.

— Il l'a tué ?

— Oh que non, *dottori*. Force heureusement, la main lui trembla et il le toucha à l'os pizzidre.

— Et où c'est l'os pizzidre ?

— L'os pizzidre, *dottore*, c'est juste là où qu'est l'os pizzidre.

Il se l'était cherché. Pourquoi poser de telles questions à Catarella ?

— C'est grave ?

— Oh que non, *dottori*. Le *dottori* Augello l'a fait conduire au 'pital de Montelusa.

— Mais toi, comment tu l'as su ?

— Par le fait que M. Bricuccio, après le coup de feu, il est venu à se cronstituer prisonnier. Comme ça nous avons su la chose.

Au commissariat, à attendre Montalbano, il y avait déjà le premier adjoint Guarnotta. Il entra dans le bureau du commissaire en multipliant les courbettes, qu'on aurait dit un Japonais.

— J'ai jugé de mon imprescriptible devoir de venir témoigner à l'instant même où j'ai appris la nouvelle du malheureux geste de l'ami Briguccio.

— Vous le savez comment s'est déroulée la chose ?

— Non, nullement. Je sais seulement ce qu'on raconte au pays.

— Et alors, sur quoi voulez-vous témoigner ?

— Sur mon absolue extériorité au fait.

Et comme Montalbano le fixait d'un air interrogateur, il jugea de son devoir de préciser :

— Vous, commissaire, vous étiez présent lors du regrettable épisode survenu à la mairie et tout entier à imputer à l'ami Briguccio. Je ne voudrais pas que vous puissiez donner du crédit aux insinuations inconsidérées de l'ami Briguccio, manifestement en proie à un état de forte tension.

Montalbano le fixa sans rien dire.

— Cela s'appelle une tentative d'homicide. Ou non ? demanda, suave, Guarnotta.

Il voulait vraiment lui tailler un beau costard, à l'*ami* Briguccio.

— Merci, je prends acte de votre déclaration, dit Montalbano puis, pris par un accès de malignité, il ajouta : Vous, naturellement, vous parlez à titre personnel.

— Je ne comprends pas, dit Guarnotta, sur la défensive.

— C'est simple : comme les accusations de M. Briguccio impliquaient surtout le maire, je voudrais savoir si vous parlez aussi en son nom.

L'hésitation de Guarnotta dura une seconde. Au point où il en était, pourquoi ne pas plomber aussi l'*ami* maire ?

— Commissaire, moi, je ne peux parler qu'en mon

nom. Qui peut prétendre connaître même la personne la plus chère ? L'âme humaine est insondable.

Il se leva, exécuta deux ou trois courbettes successives et il allait partir quand Montalbano l'arrêta.

— Excusez-moi, monsieur Guarnotta, vous savez où a été blessé Manifò ?

— A la malléole.

Le commissaire eut un grand sourire qui étonna Guarnotta. Mais il ne riait pas de la blessure, il était content parce qu'il avait finalement appris que l'os pizzidre correspondait à la malléole[1].

— Mimì, qu'est-ce que tu penses de cette farce qui a bien failli finir en tragédie ?

— Qu'est-ce que tu veux que je te dise, Salvo ? J'ai deux hypothèses, qui peut-être reviennent au même. La première est qu'un imbécile, par vengeance envers Eleonora, imprime et colle ces affiches sans savoir que la chose peut avoir de graves conséquences. La seconde est qu'il s'agit d'une opération conçue exprès pour faire craquer les nerfs de Briguccio.

— Mimì, quel pouvoir a Briguccio au pays ?

— Beh, il en a. Lui, par principe, il s'oppose à toutes les initiatives du maire. Et il réussit toujours à avoir un certain soutien. Je me suis fait comprendre ?

— Tu t'es très bien fait comprendre : le maire et associés doivent, à chaque fois, traiter avec Briguccio. Et qu'est-ce que tu me dis de Mme Eleonora ?

— En quel sens ?

1. Dans le texte italien, Catarella dit *l'osso pizzidro*, italianisation sauvage du sicilien *ussu pizziddru*. (N.d.T.)

— Dans le sens de ton hypothèse, la première. L'amant abandonné. Qui est-ce qu'elle s'envoyait, ces derniers temps, Mme Eleonora ?

— Pourquoi tu l'appelles « madame » ?

— C'en est pas une ?

— Salvo, tu dis « madame » d'une manière… C'est comme si tu disais « radasse ».

— Je ne me permettrais jamais ! Alors : comment vont les amours d'Eleonora ?

— Je ne suis pas renseigné sur les développements récents. Mais d'une chose, je suis sûr, j'en mets la main au feu : Briguccio n'a pas tiré sur la bonne personne.

Montalbano, qui jusque-là blaguait, tendit d'un coup l'oreille.

— Explique-toi mieux.

— Moi, à Carlo Manifò, je le connais bien. Il est marié, sans enfants. Et il est amoureux de sa femme, à part que c'est une personne sérieuse. Moi, ces choses, je les devine toujours : je ne crois pas que Manifò ait eu une histoire avec Eleonora.

— Ils se connaissaient ?

— Ils ne pouvaient pas ne pas se connaître : les familles Manifò et Briguccio habitent dans le même immeuble, sur le même palier.

— Qu'est-ce qu'il fait comme profession, Manifò ?

— Il enseigne l'italien au lycée. C'est un érudit, il est même connu à l'étranger. Plus que ça, je ne sais pas te dire.

— Briguccio a été interrogé par le Substitut. Qu'est-ce qu'il lui a raconté ?

— Il dit que Manifò a fait des avances à Eleonora.

Qu'Eleonora l'a repoussé et que lui, alors, s'est vengé en la couvrant de merde.

— C'est sa femme qui lui a raconté l'histoire ?

— Non, Briguccio soutient qu'il ne l'a pas appris d'Eleonora. Qu'il l'a compris seul. Il dit aussi qu'il a les preuves de ce qu'il affirme.

— Non, commissaire, je suis tout à fait désolé, mais vous ne pouvez pas parler avec le patient, dit, inébranlable, le professeur Di Stefano au 'pital de Montelusa.

— Mais pourquoi ?

— Parce que nous n'avons pas encore réussi à l'opérer. M. Manifò, outre la blessure, a subi un choc très fort. Il a beaucoup de fièvre et il délire.

— Je pourrais au moins le voir ?

— Vous pourriez. Mais pour quoi faire ? Pour entendre ce qu'il dit dans son délire ?

— Beh, certaines fois, dans le délire, on dit des choses qui...

— Commissaire, le professeur répète toujours la même chose, d'une manière monotone.

— Je pourrais savoir ce qu'il dit ?

— Bien sûr. Il a perdu la boule, c'est le cas de le dire.

— La boule ?

— Mais oui, il dit des numéros : 39, 18, 19. Jouez-les à la roulette, si vous voulez.

— A première vue, on dirait un numéro de télé-phone, dit Augello.

— Oui, Mimì, mais comme il ne dit pas l'indicatif,

nous sommes foutus. J'ai fait contrôler les numéros de notre province. Rien. J'ai besoin de parler avec Mme Manifò.

— Mais pourquoi tu le prends tant à cœur ? La situation est claire, il me semble.

— Eh non ! Mimì, tu peux pas lancer la pierre et puis cacher ta main.

— Qu'est-ce que j'ai à voir là-dedans, moi ?

— Tu as à voir ! C'est toi qui m'as dit que tu étais convaincu que Manifò n'était pas l'amant d'Eleonora ! Et si tu as raison, pourquoi Briguccio lui a-t-il tiré dessus ?

— J'ai raison. Mais Mme Manifò n'est pas à Vigàta. Elle est américaine, elle est allée voir ses parents à Denver. Elle n'a été informée que depuis quelques heures. Elle va rentrer à Vigàta après-demain. Mais pourquoi tu veux parler avec Mme Manifò ?

— Je veux regarder l'agenda de son mari. Peut-être que nous allons y trouver ce numéro de téléphone qui nous intéresse et que nous saurons à qui il correspond.

— C'est vrai. Mais, étant donné que Mme Manifò n'est pas là…

— Faisons comme si elle était là.

— Petite madone sainte, quelle frousse on se prit quand on entendit le coup de revorber ! dit la gardienne de l'immeuble pendant qu'elle ouvrait la porte de l'appartement du professeur Manifò. Les clés, ils me les laissent toujours passque que j'y viens nettoyer.

— Mme Briguccio est là ? demanda Augello en montrant l'appartement voisin.

— Oh que non. Madame est allée à habiter chez so' père, à Montelusa.

— Merci, vous pouvez partir, dit Montalbano.

L'appartement était grand, la pièce la plus vaste était le bureau, pratiquement une énorme bibliothèque avec au centre une table encombrée de cartes. Pendant que Mimì fouillait dans le bureau à la recherche de l'agenda, Montalbano s'attarda à contempler les livres. Dans un coin, il y avait, bien rangées, des histoires de la littérature italienne, des encyclopédies, des essais critiques. Sur une tablette, il y avait des revues de littérature qui contenaient des essais de Manifò : des études surtout sur Dante dans ses rapports avec la culture arabe. Une cloison en revanche était entièrement recouverte d'étagères qui contenaient des études bibliques : le professeur Manifò s'intéressait particulièrement à ce sujet. Au point qu'une section entière était occupée par des publications sur ces questions. Il y avait aussi un petit volume qui, pendant un moment, intéressa Montalbano. Il s'intitulait : *Exégèse de la Genèse*. Il était là, à le tenir en main et à le regarder, quand la voix de Mimì le tira de sa contemplation :

— Que dalle, merde !

— Qu'est-ce que ça veut dire ?

— Ça veut dire que j'ai là devant moi trois agendas, neufs et vieux, et que ce numéro de téléphone, 391819, n'est écrit nulle part.

Ils refermèrent la porte, remirent les clés à la concierge.

La Révélation (oui, exactement, celle avec le R majuscule), Montalbano l'eut vers une heure du matin chez lui, à Marinella, alors qu'en slip et en proie à l'insomnie, il s'adonnait à contre-cœur au zapping télé. Il était, inexplicablement, fasciné par certaines émissions qu'une pirsonne dotée de bon sens aurait soigneusement évitées : téléventes de meubles, d'appareils de gymnastique compliqués, de tableaux à quatre sous. Ce soir-là, son regard tomba sur un couple, James et Jane, pasteurs d'une indéfinissable église d'origine américaine. Dans un italien boiteux, le couple expliquait que le salut de l'homme consistait à avoir toujours la Bible sous la main pour la consulter en toute occasion. Montalbano s'amusait de Jane, coiffure choucroute et vêtements adhérents comme une Marylin de quatrième ordre, et aussi de James, barbiche, œil magnétique, Rolex au poignet. Il était sur le point de changer de chaîne quand James dit :

— Amis, prenez en main la Bible. Deutéronome : 20.19.20.

Ce fut comme si une secousse électrique l'avait parcouru tout entier. Merde, qu'est-ce qu'il était con ! Il chercha dans toute la maison, n'en trouva pas. Il regarda sa montre, une heure du matin, Augello était certainement encore réveillé.

— Mimì, excuse-moi. Tu l'as, une bible ?

— Salvo, pourquoi tu te décides pas à te faire soigner ?

Il raccrocha. Puis il eut une idée, composa un numéro.

— Hôtel Belvédère, j'écoute.

— Le commissaire Montalbano je suis.

— En quoi puis-je vous être utile, commissaire ?

— Ecoutez, il me semble que dans votre hôtel, vous avez l'habitude de mettre la Bible dans les chambres.

— Oui, on le faisait.

— Pourquoi, vous ne le faites plus maintenant ?

— Non.

— Mais des bibles, vous en avez, à l'hôtel ?

— Autant que vous en voulez.

— D'ici une demi-heure, je suis chez vous.

Assis dans le fauteuil, Bible à la main, Montalbano réfléchit un peu. Il n'allait pas se la lire toute, il lui aurait fallu une simaine. Il décida de commencer par le commencement, la Genèse. De toute façon, Manifò n'avait-il pas écrit dessus ? Il alla regarder le chapitre 39 : celui-ci parlait des fils de Jacob et en particulier de Joseph. Aux versets 18 et 19, on contait les malheurs du pôvre jeune avec la femme de Putiphar.

Joseph, qui avait « belle prestance », disait la Bible, fut pris comme esclave dans la maison de Putiphar, capitaine du Pharaon. Il sut conquérir la confiance de son maître qui lui confia tous ses biens. Mais la femme de Putiphar posa les yeux sur lui et ne manqua pas une occasion pour l'inviter à faire des choses dégueulasses avec lui. Elle avait beau l'inviter, jamais il ne consentit à « coucher à son côté, à se donner à elle ». Mais un jour la dame perdit vraiment la tête et lui sauta dessus : le pôvre Joseph réussit à s'échapper mais son vêtement resta aux mains de la femme. Laquelle, pour se venger, proclama que Joseph avait tenté de la violer, à preuve, il avait laissé son vêtement dans la chambre. Et ainsi Joseph se retrouva en taule.

La roulette, tu parles ! Dans son délire, le professeur Manifò se sentait dans la même situation que le biblique Joseph et tentait d'expliquer comment ça s'était passé : c'était lui la victime, pas Mme Briguccio. Mais, si on tenait pour vraie la suggestion du professeur, il y avait beaucoup de choses qui ne collaient pas. Donc : le professeur soutient que, se trouvant chez Eleonora, il est agressé par elle pour « coucher à son côté », pour parler comme la Bible. Mais le professeur s'enfuit, laissant aux mains d'Eleonora quelque chose d'assez intime, d'assez personnel, pour convaincre M. Briguccio que la tentative de viol (du moins c'est ainsi que le raconte la femme pour se venger du refus) a bien eu lieu. Même en admettant cette hypothèse, il n'y avait pas de logique dans le fait suivant : qui avait imprimé et apposé les affiches ? Le professeur Manifò pour se venger à son tour ? Allons donc ! Il ne sut se donner de réponse et alla se coucher.

Le lendemain matin, à peine sorti du lit, une pinsée toute fraîche comme de l'eau de source bouillonnait dans sa cervelle. Il se précipita au téléphone.

— Mimì ? Montalbano je suis. Tu devrais aller, peut-être en te faisant accompagner par quelqu'un de chez nous, dans l'appartement de Manifò. Mais avant, il faut que tu demandes à la gardienne si Mme Briguccio lui a récemment demandé les clés des Manifò pendant que le professeur était hors de chez lui.

— Bon d'accord, mais qu'est-ce que je dois faire ?

— Une espèce de perquisition. Tu dois déplacer les rangées les plus basses des livres dans le bureau et regarder si par hasard, derrière, il y a quelque chose.

— Un ami à moi y cachait le whisky que sa femme ne voulait pas qu'il boive. Et si je trouve quelque chose ?

— Tu me l'amènes au commissariat. Ah, écoute, tu as réussi à savoir qui est le dernier amant ou le dernier homme amoureux d'Eleonora ?

— Oui, j'ai su quelque chose.

— A plus tard.

— Nous avons trouvé ça, dit Mimì, très sombre, en tirant de sa poche une culotte rose, très fine, très élégante, mais déchirée.

Montalbano la fixa : les initiales E.B. y étaient brodées. Eleonora Briguccio.

— Pourquoi Manifò la gardait cachée ? demanda Augello.

— Non, Mimì, tu te trompes. C'est pas Manifò, c'est Eleonora Briguccio qui l'a cachée derrière les livres pour la sortir au moment opportun. A propos, tu as demandé à la gardienne ?

— Oui. Deux jours avant que Briguccio tire sur le professeur, Eleonora a voulu les clés, elle disait qu'elle s'était oublié quelque chose chez le voisin. Tu vois, Salvo, ils se fréquentaient régulièrement, la gardienne n'y a pas vu malice et elle lui a remis les clés qui lui ont été rendues dix minutes plus tard.

— La dernière question : tu sais avec qui Eleonora...

— Ecoute, Salvo, c'est une histoire très étrange. On dit qu'Eleonora rend complètement dingue un gamin qui n'a même pas dix-huit ans, le fils de l'avocat Petruzzello qui...

— Ça ne m'intéresse pas. Tu t'en occuperas toi, du gamin. Maintenant, écoute-moi et réfléchis bien avant de répondre. Même, tu répondras à la fin de ce que je te raconte. Donc, contrairement à ce qui, en général, arrive, Eleonora Briguccio tombe amoureuse pour du bon de son voisin de palier et ami de la famille, le professeur Manifò. Et elle le lui fait comprendre de toutes les manières. Mais le professeur fait mine de rien. Un moment ça continue comme ça, elle toujours plus acharnée, lui toujours plus ferme dans son refus. Puis la femme de Manifò part pour Denver. Sûrement, de jour ou de nuit, quand le mari n'est pas là, Eleonora Briguccio frappe à la porte de son voisin, le contraint à lui ouvrir, réitère ses propositions. A un certain moment, le refus doit avoir été si grave qu'il a été pour Eleonora une souffrance insupportable. Elle décide de se venger. Un plan génial. Elle convainc un gamin qui est amoureux d'elle d'imprimer les affiches du référendum et de les coller. Il obéit. M. Briguccio, cocu patient tant qu'il n'y a pas eu de scandale public, est contraint de réagir, d'autant plus que tout le pays se moque de lui. Quand elle a porté son mari au juste point d'ébullition, Eleonora passa à la deuxième partie. Elle cache une culotte, après l'avoir déchirée, dans la bibliothèque du professeur et ensuite avoue au mari que Manifò l'a attirée chez elle et a tenté de la violer. Elle a réussi à lui échapper mais quand elle était déjà pratiquement nue. Et alors Manifò s'est vengé en imprimant ces affiches. A Briguccio, il ne reste plus qu'à aller tirer sur Manifò, mais comme c'est un homme prudent, il lui tire sur l'os pizzidre.

— Je suis pas convaincu par cette histoire de culotte.

— Eleonora aurait trouvé le moyen de la faire apparaître au moment du procès. Là, où elle était, elle pouvait rester des années. Qui c'est qui nettoie ses livres, à part à Pâques ?

— Pourquoi tu as voulu savoir, pour le gamin ?

— Parce que c'est comme je me l'étais imaginé. Eleonora l'a convaincu de faire ce qu'elle voulait, elle. Un adulte peut-être se serait dérobé. Donc toi, aujourd'hui même, tu commences à travailler ce gamin jusqu'à ce qu'il avoue. Raconte aussi tout au père, fais-toi aider par lui. Moi, de cette histoire, je ne veux plus m'en occuper.

— Tu ne devais pas me poser une question ?

— Je te la pose tout de suite : après ce que je t'ai raconté, tu crois qu'Eleonora Briguccio soit une femme capable de tant de choses ? De combiner une vengeance si raffinée qui a envoyé un homme au 'pital (mais aurait pu l'envoyer au cimetière) et le mari en taule ? Une vengeance, fais attention, pour laquelle il est nécessaire qu'elle, d'abord, paie le prix d'être couverte de honte aux yeux de tout le pays. Est-il possible que cette femme ait un esprit de ce genre ?

— Oui, c'est possible, dit Mimì Augello, à contre-cœur.

La démission de Montalbano

Cette nuit de fin avril semblait tout juste comme jadis elle était apparue à Giacomo Leopardi qui était en train de se la savourer : douce et claire et sans vent. Le commissaire Montalbano conduisait sa voiture au pas, se délectant de la brise tandis qu'il s'en retournait à sa maison de Marinella. Il s'emmaillotait dans sa fatigue comme quand tu es à l'intérieur d'un vêtement sale, humide de sueur, mais dont tu sais que, sous peu, tu vas pouvoir l'échanger, après la douche, avec un autre propre et parfumé. Il avait été au bureau depuis le matin qu'il était même pas huit heures et à présent sa montre indiquait minuit passé.

Toute la journée, il l'avait passée à tenter de faire avouer un vieux dégueulasse qui avait abusé d'une minotte de neuf ans et après avait cherché à la tuer en la frappant avec une pierre à la tête. La minotte était dans le coma au 'pital de Montelusa et elle n'était donc pas en mesure de reconnaître son violeur. Après des heures d'interrogatoire, le commissaire s'était mis à nourrir quelque doute que le coupable soit l'homme qu'ils avaient arrêté. Mais celui-ci s'était enfermé dans une négation qui ne permettait pas d'ouvertures. Il avait essayé avec peaux de banane, traquenards, chausse-trappes et questions pièges : et lui rien, toujours le même disque identique :

— Ce n'est pas moi, vous n'avez pas de preuves.

A coup sûr, les preuves seraient là après l'examen ADN du sperme. Mais cela demandait trop de temps — trop de paille pour faire mûrir le sorbier, comme disaient les paysans.

Vers cinq heures de l'après-midi, ayant épuisé tout le répertoire fliquesque, Montalbano commença à se sentir une espèce de cadavre ambulant.

Il se fit remplacer par Fazio, alla aux toilettes, se mit tout nu, se lava de la tête aux pieds et se rhabilla. Il entra dans la pièce pour reprendre l'interrogatoire et entendit le vieux qui disait :

— Ce n'est pas moi, fous n'afez pas de preufes.

Il était d'un coup devenu allemand ? Il regarda le suspect : de la bouche lui coulait un filet de sang, il avait un œil gonflé et fermé.

— Qu'est-ce qui s'est passé ?

— Rien, *dottore*, répondit Fazio avec une face d'ange qu'il lui manquait juste l'auréole. Il a eu comme une défaillance. Il s'est tapé la tête contre le coin de la table. Peut-être qu'il s'est cassé une dent, une broutille.

Le vieux ne répliqua pas et le commissaire se remit à le pressurer des mêmes questions. A dix heures du soir, alors qu'il avait même pas aréussi à se faire un sandwich, apparut au commissariat Mimì Augello,

frais comme une rose. Montalbano se fit immédiatement remplacer par lui et se précipita direct vers la
trattoria San Calogero. Il avait un tel arriéré de 'pétit
qu'à chaque pas, il lui semblait devoir plier genou à
terre comme un cheval fourbu. Il commanda un hors-
d'œuvre de fruits de mer et se pourléchait déjà de sa
saveur quand Gallo fit irruption.

— *Dottore*, venez, le vieux veut vous parler. Il s'est
déculotté tout d'un coup, il dit que c'est lui qui a fra-
cassé la tête de la minotte après l'avoir violée.

— Et comment c'est possible ?!

— Beh, *dottore*, c'est le *dottor* Augello qui l'a persuadé.

Montalbano se fâcha et certes pas à cause du hors-
d'œuvre de fruits de mer qu'il n'allait même pas avoir
le temps de manger. Quoi ?! Lui, il avait passé toute la
journée à suer sang et eau après ce vieux porc et en
revanche Mimì y avait réussi en un tournemain ?

Au commissariat, avant de voir le vieux dégueulasse, il appela à part son adjoint.

— Comment t'as fait ?

— Crois-moi, Salvo, ça a été un hasard. Tu le sais
que moi je me rase au rasoir à lame. J'y arrive vraiment
pas avec les rasoirs mécaniques. C'est peut-être un
problème de peau, qu'est-ce qu'il faut que je te dise ?

— Mimì, de ta peau, tu dois rien me dire parce que
je m'en fous. Je veux savoir comment tu as fait pour le
faire avouer.

— Justement aujourd'hui, je m'étais acheté un
rasoir neuf. Je l'avais dans la poche. Bon, j'avais commencé à interroger le vieux quand celui-ci m'a dit

qu'il avait envie de pisser. Je l'ai accompagné aux chiottes.

— Pourquoi ?

— Ben, c'est qu'il se tenait pas très bien sur ses jambes. Bref, à peine il a sorti son bidule, moi j'ai ouvert mon rasoir et je lui ai fait une entaille.

Montalbano le regarda, sidéré.

— Où est-ce que tu lui as fait une entaille ?

— Où veux-tu que je la lui fasse ? Mais c'est rien du tout. Bien sûr, il a pissé un peu de sang, mais rien de...

— Mimì, t'es devenu dingue ?

Augello le considéra avec un petit sourire de supériorité.

— Salvo, toi tu n'as pas compris un truc. Ou le vieux parlait ou, dans le cas contraire, nos hommes d'ici ne l'auraient pas laissé sortir vivant. Comme ça j'ai résolu le problème. Celui-là, il a pensé que moi j'étais capable de le lui couper tout net et il s'est déculotté.

Montalbano se promit de causer le lendemain matin avec Mimì et tous les hommes du commissariat ; il ne digérait pas comment ils s'étaient comportés avec le vieux. Il abandonna le violeur-assassin à Augello, qui de toute façon maintenant n'avait plus besoin d'utiliser son rasoir, et il retourna à la trattoria. Son hors-d'œuvre l'attendait et s'emporta la moitié des pensées qu'il avait. Les rougets en sauce firent disparaître l'autre moitié.

Hors de la trattoria, la rue était dans l'obscurité. Ou quelqu'un avait cassé les ampoules ou elles étaient grillées. Au bout de quelques pas, son œil s'habitua. A côté d'une porte cochère, il y avait un type qui pissait, pas contre le mur, mais sur une grosse boîte en carton. Quand il fut à hauteur de l'homme, il s'aperçut que celui-ci était en train de faire ses besoins sur un malheureux qui était dans le carton et qui ne parvenait pas à réagir ni à parler car il était complètement soûl.

— Eh bè ? fit Montalbano en s'arrêtant.

— Qu'est-ce t'as, putain ? dit l'autre en refermant sa fermeture Eclair.

— Tu crois que ça se fait de pisser sur un chrétien ?

— Chrétien ? Çui-là, un tas de merde c'est. Et si ça te va pas, je te pisse dessus à toi aussi.

— Excusez-moi et bonne nuit, dit le commissaire.

Il lui tourna le dos, fit un demi-pas, se retourna et lui flanqua un puissant coup de pied dans les burettes. L'autre s'écroula sur le malheureux dans la boîte, le souffle coupé. Digne conclusion d'une dure journée.

A présent, il était presque arrivé. Il obliqua sur la gauche, tourna, prit le chemin qui menait chez lui, gagna le terre-plein, s'arrêta, descendit, ouvrit la porte, la ferma derrière lui, chercha l'interrupteur, mais sa main se figea en l'air.

Qu'est-ce qui l'avait paralysé ? Une espèce de flash, l'image fulgurante d'une scène entrevue un peu plus tôt, trop rapidement pour que son cerveau transmette à temps les données perçues. Il n'alluma pas la lumière, l'obscurité l'aidait à se concentrer, à reconstituer ce qui l'avait frappé de manière subliminale.

Voilà, c'était quand il avait braqué pour prendre le chemin, les phares avaient un instant éclairé une scène. Devant lui, arrêté dans le même sens que lui, un tout-terrain Nissan. Du côté opposé de la rue, trois silhouettes en mouvement. On aurait dit qu'elles dansaient un ballet, tantôt formant presque un corps unique, tantôt s'éloignant l'une de l'autre.

Il ferma les yeux, il les serra fort. Le gênait même la clarté de la lumière restée allumée sous la véranda et qui tachait l'obscurité dense dans laquelle il voulait s'immerger.

Deux hommes et une femme, maintenant il en était sûr. Ils dansaient et de temps en temps s'enlaçaient. Non, c'était ce qu'il avait cru voir, mais il y avait quelque chose dans leurs attitudes à tous les trois qui pouvait laisser supposer une situation différente.

— Mets mieux au point, Salvo, des yeux de flic sont toujours des yeux de flic.

Et tout à coup, il n'eut plus de doute. Avec une espèce de travelling mental, il zooma sur une main agrippée dans les cheveux de la femme, avec violence, avec férocité. La scène prit son juste sens. Un enlèvement, tu parles de couillonnades ! Deux hommes qui cherchaient à embarquer de force la fille dans la Nissan.

Sans y réfléchir à deux fois, il rouvrit la porte, sortit, monta en voiture et partit. Combien de temps était passé ? Il calcula une bonne dizaine de minutes. Deux heures, il fut à rouler avec l'auto, entêté, les lèvres serrées, le regard fixe, d'avant en arrière, parcourant les rues, les ruelles, les chemins, les sentiers.

Alors qu'il avait désormais perdu tout espoir, il vit la Nissan arrêtée devant une maison sur la colline, une maison qu'il avait toujours vue inhabitée, les rares fois où il lui était arrivé de passer devant. Par les fenêtres de la façade, il ne passait pas de lumière. Il s'arrêta, craignant qu'ils aient entendu le bruit du moteur. Il attendit, immobile, quelques minutes. Puis il descendit de l'auto en laissant la portière ouverte et précautionneusement, plié en deux, il fit le tour de la maison. Sur l'arrière, à travers les persiennes fermées, filtrait la lumière de deux chambres éclairées, l'une au rez-de-chaussée et l'autre au premier étage.

Il retourna sur le devant de la maison, poussa lentement la porte d'entrée laissée entrouverte et qu'il prit garde de ne pas faire grincer. Il transpirait. Il se retrouva dans une entrée, dans le noir ; il poursuivit, il y avait un salon et, à côté, une cuisine. Là se trouvaient deux gars en jeans, longues barbes et boucles d'oreilles. Ils étaient torse nu. Ils étaient en train de cuisiner quelque chose sur deux camping-gaz et vérifiaient le degré de cuisson. L'un surveillait une petite poêle, l'autre avait soulevé le couvercle d'une cocotte en terre et remuait avec une grosse cuillère en bois. Il régnait une odeur de friture et de sauce.

Mais la fille, où était-elle ? Etait-il possible qu'elle ait réussi à échapper à ses agresseurs ou que ceux-ci l'aient laissée partir ? Ou bien s'était trompé ? La reconstitution de la scène qu'il avait mentalement faite pouvait-elle avoir un sens différent ?

Quelque chose, cependant, du plus profond de son instinct, le poussait à ne pas se fier à ce qu'il voyait : deux gars qui préparaient le dîner. C'était justement cette normalité apparente qui l'inquiétait.

Avec la prudence d'un chat, Montalbano commença à grimper l'escalier en maçonnerie qui menait au premier. Arrivé au milieu des marches, couvertes d'un carrelage disjoint, il manqua de glisser. Un liquide épais et sombre était répandu le long de l'escalier. Il se baissa, le toucha de la pointe de l'index, le sentit : il avait trop d'expérience pour ne pas comprendre que c'était du sang. Sûrement, il était trop tard pour trouver la jeune fille encore en vie.

Il fit les deux dernières marches presque avec peine, alourdi déjà de ce qu'il s'imaginait qu'il allait voir et qu'en effet il vit.

Dans la seule chambre éclairée du premier, la fille, ou du moins ce qu'il en restait, était étendue par terre, complètement nue. Toujours prudemment, mais en partie rassuré par le fait qu'il continuait à entendre les voix des deux types à l'étage au-dessous, il s'approcha du corps. Ils avaient besogné avec précision au couteau après l'avoir violée aussi avec un manche à balai qui était à côté d'elle, ensanglanté. Ils lui avaient arraché les yeux, découpé tout le mollet de la jambe gauche, amputé la main droite. Ils avaient même commencé à lui ouvrir le ventre, puis ils avaient laissé tomber.

Pour mieux regarder, il s'était accroupi et il lui était à présent difficile de se remettre debout. Pas parce qu'il avait les jambes en coton, mais justement pour la raison opposée : il sentait que s'il avait commencé à se redresser, le paquet de nerfs qu'il était devenu l'aurait fait bondir jusqu'au plafond, comme un diable hors de sa boîte. Il resta ainsi le temps nécessaire pour se calmer, pour repousser la fureur aveugle qui l'avait envahi. Il ne devait pas commettre d'erreurs, à deux contre un ils auraient facilement eu le dessus.

Il redescendit les escaliers sur la pointe des pieds et entendit à nouveau clairement les voix des deux types :

— Les yeux sont frits à point. T'en veux un ?

— Oui, si tu goûtes un morceau de mollet.

Le commissaire sortit de la maison, il ne parvint pas à regagner à temps sa voiture, il dut s'arrêter pour vomir, en essayant de ne pas se faire entendre, se faisant venir des élancements de douleur au ventre pour contenir ses haut-le-cœur. Arrivé à l'auto, il ouvrit le coffre, sortit un jerricane d'essence et le vida juste après la porte d'entrée. Il était certain que les deux types n'allaient pas sentir l'odeur d'essence, masquée par les fumets bien plus forts d'une paire d'yeux frits et d'un mollet bouilli ou en sauce, va savoir. Son plan était simple : mettre le feu à l'essence et contraindre les assassins à sauter par la fenêtre de la cuisine sur l'arrière. Là, il y serait, lui, à les attendre.

Il revint à la voiture, ouvrit la boîte à gants, prit son pistolet et engagea une balle dans le canon. Et là il s'arrêta.

Il reposa le pistolet dans la boîte à gants, mit une main dans sa poche et en sortit son portefeuille ; oui, une carte téléphonique, il y en avait une. En venant, il avait remarqué à une centaine de mètres de distance une cabine. Laissant l'auto où elle se trouvait, il y alla à pied, après s'être allumé une cigarette. Miraculeusement, le téléphone marchait. Il inséra la carte, composa un numéro.

Le septuagénaire qui, dans la nuit romaine, était en train de taper à la machine, se leva brusquement ; il se dirigea vers le téléphone, inquiet. Qui cela pouvait être à cette heure ?

— Allô ? Qui est à l'appareil ?

— Montalbano je suis. Qu'est-ce que tu fais ?

— Tu le sais pas ce que je fais ? Je suis en train d'écrire la nouvelle dont tu es le héros. J'en suis arrivé au point où tu es dans la voiture et où tu as engagé la balle dans le canon. D'où tu téléphones ?

— D'une cabine.

— Et comment tu y es arrivé ?

— Ça te regarde pas.

— Pourquoi tu m'as téléphoné ?

— Parce qu'elle me plaît pas, cette nouvelle. Je ne veux pas y être mêlé, c'est pas mon truc. Et puis l'histoire des yeux frits et du ragoût de mollet est complètement ridicule, une véritable connerie, excuse-moi de te le dire.

— Salvo, je suis d'accord avec toi.

— Et alors pourquoi tu l'écris ?

— Mon garçon, essaie de me comprendre. Il y en a qui écrivent que moi je suis une espèce de curé, quelqu'un qui raconte des histoires mielleuses et rassurantes ; d'autres disent au contraire que le succès que j'ai grâce à toi ne m'a pas fait de bien, que je suis devenu répétitif, que je ne pense qu'aux droits d'auteur... Ils prétendent que je suis un écrivain facile, même si après ils s'inquiètent de comprendre comment j'écris. Je cherche à me mettre au goût du jour,

Salvo. Un peu de sang sur le papier ne fait de mal à personne. Qu'est-ce que tu as, tu veux te mettre à finasser ? Et puis, je te le demande à toi qui es vraiment un fin gourmet : tu l'as jamais essayée, une assiette d'yeux humains frits, peut-être avec une fondue d'oignons ?

— Fais pas le malin. Ecoute-moi bien, je vais te dire une chose que je te répéterai plus. Pour moi, Salvo Montalbano, une histoire comme ça, ça a pas lieu d'être. Toi tu es tout à fait maître d'en écrire d'autres, mais alors tu t'inventes un autre héros. J'ai été clair ?

— Très clair. Mais en attendant, cette histoire, comment je la finis ?

— Comme ça, dit le commissaire.

Et il raccrocha.

Amour et fraternité

De son homonyme qui, en devenant pape, se fit appeler Pie II, Enée Silvio Piccolomini ne savait pas même l'existence. Il s'appelait comme ça parce que dans les dernières années du XIXᵉ siècle, il y avait eu à l'état civil un employé du genre plaisantin : aux enfants trouvés, il imposait des noms comme Jacopo Ortis, Aleardo Aleardi et autres belles couillonnades du même acabit. En 1894 un pauvre minot à peine né fut une de ses victimes et fut donc nommé comme ce pape passé à l'histoire surtout parce qu'il était homme de culture. L'Enée Silvio de Vigàta, en revanche, resta analphabète jusqu'à sa mort. Il se tapa la Première Guerre mondiale et aussi la Seconde. Il prit femme à peine installé comme ouvrier portuaire débardeur, eut trois fils auxquels il donna des noms raisonnables, Giuseppe, Gerlando et Luigi. Les deux premiers émigrèrent en Amérique où ils ne firent pas fortune ; Luigi, lui, resta à Vigàta où il gagnait son pain comme maçon. Il eut trois enfants, deux garçons et une fille. Au premier des gars échut le prénom du grand-père,

Enée Silvio. A vingt ans, Enée Silvio s'en fut chercher de la besogne à Turin. A quarante-cinq ans, il lui arriva l'accident : une bouffée de flammes le rendit instantanément aveugle, une lame d'acier rougi lui trancha la jambe gauche. Deux mois après ce drame, il aurait dû marier une veuve de son âge, mais ce qui lui était arrivé, même au cas où la veuve aurait encore voulu de lui, le fit changer d'opinion. Il s'en retourna au pays où il n'y avait plus personne de sa famille : l'autre frère gagnait sa vie à Pordenone où il s'était marié ; la sœur, 'Gnazia, à laquelle Enée Silvio était très attaché, s'était transférée dans l'île de Sampedusa avec son mari et ses deux enfants. Fermé, solitaire et querelleur, Enée Silvio s'était loué une masure juste à la sortie de Vigàta. Il vivait des sous de la pension. Peu de temps était passé depuis son retour quand l'œuvre pie Amour et Fraternité le repéra et l'adopta, lui fournissant une béquille, une canne et un chien d'aveugle qui s'appelait Rirì. La cérémonie de la remise de la béquille, de la canne blanche et du chien fut solennelle ; il vint des journalistes et des télévisions de tous les coins de l'île. Tous purent ainsi encore une fois voir le visage souriant de l'ingénieur Di Stefano, fondateur et président de l'œuvre charitable Amour et Fraternité, à côté de son protégé. Dans les cinq ans qui suivirent, Enée ne se fit voir au pays à peu près jamais, juste le strict nécessaire pour faire les courses ou pour quelque autre nécessité. Taiseux, il ne se fit pas d'amis. Un matin de septembre, M. Attilio Cucchiara, qui pour aller au bureau devait passer près de la masure, entendit le chien Rirì qui gémissait qu'on aurait dit un homme.

Quand il repassa pour aller manger chez lui, le chien était encore là à geindre. Alors il s'approcha de la porte de la masure, cogna l'huis. Le chien geignit plus fort. M. Cucchiara frappa encore et appela à haute voix Enée Silvio que les Vigatais connaissaient sous le nom de Nenè. On ne lui ouvrit pas et on ne lui répondit pas. Alors, il alla téléphoner au commissariat.

S'y rendirent Mimì Augello et Galluzzo, lequel d'un coup d'épaule défonça la porte. Enée Piccolomini était installé sur son lit et paraissait dormir. Sauf qu'il était mort. Asphyxié au gaz : il s'était oublié la camomille qu'il était en train de préparer. En bouillant et en versant, le liquide avait éteint la flamme mais le gaz avait continué à sortir de la bouteille. Mimì donna une caresse au chien Rirì qui paraissait ne pas pouvoir se calmer. Et ce fut ce geste qui lui mit en route le mécanisme que les flics ont dans l'intérieur de la tête. Il y avait le téléphone dans la masure, mais il ne voulut pas s'en servir. Il utilisa son mobile pour appeler Montalbano.

— Salvo, tu peux faire un saut ici ?

Si, extérieurement, la maisonnette était une masure avec un crépi qui partait en morceaux, à l'intérieur c'était un confortable appartement avec deux pièces minuscules, une kitchenette et une salle de bains presque invisible. Tout en ordre parfait. Réfrigérateur, radio portable, téléphone : seule manquait la télévision, pour des motifs évidents. Sur la table de nuit, trois boîtes de médicaments : un puissant somnifère, un antidouleur et un hypotenseur. Enée Silvio gisait sur le flanc gauche, sa jambe unique légèrement recroquevillée, en slip et tricot de corps, la main gauche sous la joue, le bras droit le long du corps, les yeux fermés. Aucune trace de lutte, aucun signe visible de griffures ou de coups. Depuis que Montalbano était arrivé, Augello et lui ne s'étaient pas parlé, il n'y avait pas besoin de mots, ils s'entendaient par *taliàte*, brefs échanges de coups d'œil. Puis le commissaire demanda :

— Galluzzo, où il est ?

— Je l'ai envoyé chercher M. Cucchiara, celui qui nous a téléphoné.

Dedans une armoire, il y avait quatre boîtes de nourriture pour chien. Montalbano en ouvrit une, la versa dans la gamelle qui se trouvait près de la salle à manger, à côté de la table. Il appela Rirì qui ne bougea pas. Alors, il prit la gamelle et la porta dans la chambre à coucher, la posant à côté de l'arnimal. Mais Rirì cette fois non plus ne fit pas attention à la nourriture. Il restait immobile, les yeux fixés sur son maître : on aurait dit un chien de faïence.

Attilio Cucchiara, dès qu'il vit le corps sur le lit, blêmit et tomba à genoux. Galluzzo le soutint, le fit asseoir sur une chaise dans la salle à manger, lui apporta un verre d'eau.

— Les morts me foutent la trouille, se justifia Cucchiara.

— Vous étiez amis ? lui demanda Montalbano.

— Ça risque pas ! Il faisait confiance à personne. Pendant cinq ans, je suis passé au moins quatre fois par jour devant cette maison et on s'est jamais dit que bonjour-bonsoir.

— Et le chien ?

— Qu'est-ce que ça veut dire : et le chien ?

— Quand vous passiez, il aboyait ?

— Jamais. Il aboyait jamais après les pirsonnes. Il devenait une bête sarvage avec les autres chiens. A peine il en voyait un, il se jetait en avant, il essayait de l'attraper à la gorge. Féroce, il devenait. S'il était en laisse, il se tirait après lui le pôvre Nenè. De quoi il est mort ?

— Bah. Comme ça, à vue de nez, il doit avoir eu un infarctus dans son sommeil. Vous savez où dormait le chien ?

— Certes. Ici dedans, avec son maître.

« Et alors, pourquoi il est pas mort, lui aussi ? » se demandèrent en même temps Montalbano et Augello avec une *taliàta* rapide. Le doute qui était venu à Augello pendant qu'il caressait la tête de Rirì s'était révélé fondé.

— La porte était fermée, mais pas à clé. Il a suffi d'un coup d'épaule de Galluzzo pour l'ouvrir. Les chambres étaient pas saturées de gaz, il y avait l'odeur, ça oui, mais légère. Les fenêtres étaient hermétiquement fermées. Je suis convaincu qu'ils l'ont tué, conclut Mimì.

— Moi aussi je pense pareil, dit Montalbano. Quand il allait se coucher, Piccolomini se prenait un puissant somnifère, assez fort pour le faire tomber dans une espèce de catalepsie. Quelqu'un attend qu'il s'endorme, ouvre avec une fausse clé, entre, prend le chien qui, comme nous le savons, n'attaque pas les hommes, le mène dehors, rentre, ouvre la bonbonne, sort de nouveau. Quand il est certain que Piccolomini est mort, il rentre dans la maison, ouvre les fenêtres, fait sortir une partie du gaz pour éviter que Rirì meure asphyxié, ramène le chien à l'intérieur, ferme la porte derrière lui et bonsoir chez vous.

— D'accord, dit Augello. Mais la question reste : pourquoi ils ont voulu épargner Rirì ?

— Si c'est ça, des questions, il y en a tant. Pourquoi ils ont tué Piccolomini ? Pour le voler, sûrement pas. Pourquoi voulaient-ils nous faire croire à un accident ?

— Ou bien à un suicide ? S'il s'agissait d'un suicide, tout s'expliquerait. C'est lui-même qui a mis dehors le chien auquel il s'était attaché...

— ... et puis, une fois mort, il a fait rentrer Rirì chez lui ! Mais ne dis pas de conneries, Mimì !

Augello rougit.

— Excuse-moi, excuse-moi, dit-il. J'ai déparlé. Quoi qu'il en soit, c'est une histoire manigancée par quelqu'un qui fait dans le grand art, avec froideur et intelligence. Sauf que celui qui a matériellement commis l'homicide a fait l'erreur du chien.

— Et moi je me demande pourquoi l'élimination d'un pauvre type comme Piccolomini aurait besoin de froideur et d'intelligence, comme tu dis toi.

— Peut-être que Piccolomini n'était un pauvre type qu'en apparence.

— Possible. Mais tu vois, Mimì, dans toute cette

affaire, il y a une chose qui tient pas debout. Nous avons dit que l'assassin entre dans la maison et ouvre la bonbonne de gaz. Pas vrai ?

— C'est vrai.

— Bè, comment il fait pour savoir que, dans la bonbonne, il y a assez de gaz pour tuer Piccolomini ? Parce que si la bonbonne est presque vide, au maximum, quand Piccolomini se réveille, il souffrira d'un peu de mal au crâne. Tu te souviens comment elle était, la bonbonne ?

— Du genre petite. Elle était dans l'espace prévu sous la gazinière.

— Procédons ainsi. Donne des instructions à Fazio pour qu'il nous fasse tout savoir sur Piccolomini. Et avertis Galluzzo qu'il ne doit pas se laisser aller à en dire le moindre mot à son beau-frère journaliste. Ils voulaient nous faire croire à un accident ? Et nous, on y croit.

— Du chien, qu'est-ce qu'on en fait ? demanda Mimì Augello.

— Ah oui. Passe-moi le portable. Allô, Fazio ? Rends-moi service. Téléphone à Montelusa, à cette œuvre charitable qui a fourni à Piccolomini béquille, canne et chien. Dis-leur que Piccolomini est mort parce qu'il a oublié le gaz allumé. Que le chien et le reste, on se les amène au commissariat. Ils peuvent envoyer quelqu'un se les reprendre.

Enfin, ils virent trois voitures qui prenaient la route défoncée. Le médecin légiste, le magistrat et ceux de la Scientifique arrivaient.

Il venait juste de prendre la route qui menait à Vigàta quand il remarqua quelques bonbonnes de gaz alignées devant un petit magasin sans enseigne. Il s'arrêta, descendit, entra. Assis sur une chaise paillée, un jeune lisait *La Gazzetta dello Sport*.

— Excusez-moi. Le commissaire Montalbano je suis. Vous connaissez Nenè Piccolomini ?

— L'aveugle avec une seule jambe ? Oui. C'est un de nos clients. Il lui arriva quelque chose ?

— Il est mort.

— Le pôvre ! Et comme ? Comme y mourut ?

— Asphyxié au gaz. Il se l'est oublié ouvert, la flamme s'est éteinte et…

— Quel jour on est ? demanda le jeune sans crier gare, comme pris par une pensée soudaine. Puis il regarda la date qu'il y avait sur le journal.

— C'est pas possible, dit-il.

— Qu'est-ce qui n'est pas possible ?

— Que dedans cette bonbonne il y ait eu tant de gaz.

— Et vous, vous faites comment, à le savoir ?

— Lui, il voulait toujours la bonbonne petite, celle de dix. Seul comme il était, elle lui durait trois mois. Il y a deux jours, en passant ici devant, il me dit : « Rappelle-toi, le 13, de me porter une bonbonne neuve, la vieille est presque finie. Et aujourd'hui, on est le 11. »

— Vous pensez donc qu'il n'y avait pas assez de gaz pour le tuer ?

— Ecoutez, dans ce genre de truc, il y a rien de sûr. Peut-être qu'il est mort tout seul et qu'il a pas pu éteindre le gaz à temps.

Intelligent, le jeune.

— Et le chien ? demanda-t-il, inquiet.

— Le chien va bien.

— Vous voyez ? Si c'était une question de gaz, le chien serait mort lui aussi.

Montalbano remercia, remonta en voiture, partit.

Quand il revint au bureau l'après-midi, Galluzzo vint à sa rencontre, préoccupé :

— Le chien ne veut pas manger.

Il le suivit dans la salle des agents. Gallo et Catarella entouraient l'arnimal qui était très triste, la queue entre les jambes. Sûrement, il avait compris que son maître était mort et s'était pris de mélancolie. Galluzzo, outre la béquille et la canne, à la baraque de Piccolomini, il s'était pris l'écuelle de l'eau et la gamelle que le chien de temps en temps regardait avec dégoût. Montalbano le caressa.

— *Dottori*, possibilement que si je l'emmène à se promener peut-être bien que le 'pétit lui vient en marchant.

— Mais ces cons de l'œuvre charitable, qu'est-ce qu'ils foutent ? s'énerva le commissaire.

— Ils ont dit qu'ils allaient passer, dit Galluzzo.

— Alors, attendons-les. De toute façon, pour l'instant, le chien va pas mourir de faim.

Il besognait depuis une demi-heure sur de la paperasse, ce qui lui mettait les nerfs, quand le téléphone sonna.

— *Dottori*, ici, il y a l'ingigneur Stefano qui veut vous parler pirsonnellement en pirsonne.

— C'est bon, fais-le entrer.

L'ingénieur Angelo Di Stefano était un quinquagé-naire grassouillet, jovial.

— Quel malheur ! Quel malheur ! dit-il.

— Vous le connaissiez bien ?

— Et comment donc, commissaire ! Voyez-vous, nous ne nous consacrons pas seulement à alléger les maux du corps, chez nos protégés, mais aussi ceux de l'esprit. Et donc je m'occupe d'aller les voir au moins une fois par mois, où qu'ils se trouvent.

Ayant fini de parler, il fit une tête que, sur le moment, Montalbano ne comprit pas. Puis il se rendit compte que ce type attendait un mot d'éloge. Mais qui, au commissaire, ne lui vint pas. Alors il leva la main droite et la posa sur l'épaule de l'ingénieur.

— Non, non, dit Stefano. La charité ne vaut que si elle est silencieuse, ignorée du plus grand nombre. Et moi, je n'aspire pas à la reconnaissance.

« Et tous les journalistes que tu convoques, où tu te les mets ? » voulut lui lancer le commissaire. Mais il n'en fit rien.

— Il va falloir avertir les parents.

— J'y ai pourvu ce matin, dès que j'ai appris la tra-gique nouvelle de l'accident... Parce que ça a été un accident, n'est-ce pas ?

— Oui. Il a oublié d'éteindre le gaz.

— Et dire que c'était un homme si ordonné, si pré-cis ! Du reste, un aveugle doit l'être par force. Je disais que ce matin, je me suis empressé d'avertir son frère à Pordenone et sa sœur à Sampedusa. Naturellement, nous prendrons en charge les funérailles, dès qu'il sera possible de l'enterrer. Je vous remercie pour tout, commissaire.

Va savoir pourquoi, il lui prit de dire :

— Je vous accompagne.

Devant le commissariat était stationnée une grosse limousine bleue de prestige. Rirì se tenait sur le siège postérieur, tête basse. Un homme, quadragénaire trapu, tenant lui aussi la tête basse, ouvrit la portière.

— Voici notre irremplaçable factotum, dit l'ingénieur. Chauffeur, brancardier, dresseur.

Ils se saluèrent chaleureusement. Le commissaire rentra dans son bureau, pensif. Il avait entendu, ou vu, quelque chose qui, un instant, l'avait étonné. Mais il ne réussissait pas à changer ce quelque chose en une parole précise, en une image définie. Il recommença, à contre-cœur, à apposer sa signature.

Le lendemain téléphona le Dr Pasquano. Lequel, au lieu de lui communiquer les résultats de l'autopsie, lui posa une question :

— Comment ça se fait que le chien est pas mort ?

— Je ne sais pas, mentit Montalbano.

Ça lui fut facile parce qu'il était au téléphone. Entre quatre-z-yeux, ça lui aurait été difficile : il n'y arrivait pas, à raconter des bobards aux personnes qu'il estimait.

— Bè, Piccolomini avait pris un somnifère. Un truc normal. Il est mort d'asphyxie. Vous êtes sûr que c'était un accident ?

— A quatre-vingt-dix pour cent.

Même au téléphone, il n'arrivait pas à mentir à cent pour cent.

— Bof, fit Pasquano.

Et il raccrocha.

Comme s'ils s'étaient passé le mot, cinq minutes plus tard téléphonait Jacomuzzi, chef de la Scientifique.

— Nous n'avons rien trouvé d'anormal. Le pauvre homme a dû vraiment oublier de couper le gaz.

— Des empreintes ?

— Toutes de Piccolomini. Une seule différente, je l'ai relevée.

— Où était-elle ?

— Sur l'interrupteur près de la porte. Très visible, parce que l'interrupteur était couvert de poussière. Et tu sais quoi ? Il y avait même pas d'ampoule dans la lampe, la seule de toute la maison, dans la salle à manger.

Un geste instinctif de l'assassin, en entrant de nuit, dans le noir. Ou bien quand il était ressorti après avoir commis le meurtre. La deuxième erreur, après celle du chien.

Et comme, visiblement, il était dit que tout devait se précipiter durant cette matinée, à la porte frappa Fazio, il demanda s'il pouvait, entra, s'assit devant le bureau, tira de sa poche un feuillet écrit très serré.

— Je suis prêt, *dottore*.

— Dis-moi.

Fazio commença à lire.

— Piccolomini Enée Silvio, né à Vigàta de feu Luigi et feu Catanzaro Antonietta, le 27 avril...

— Va te faire foutre, toi et ton complexe de l'état civil ! Je t'ai dit cent fois que ces conneries ne m'intéressent pas !

— Bon, bon, d'accord, dit Fazio d'un air pincé en remettant le feuillet dans sa poche.

Mais il ne se remit pas à parler.

— Eh bè ?

— Commissaire, posez-les vous, les questions. Et moi, ce que je sais, je vous le dis.

— Allons nous prendre un café.

Le café bu et la paix faite, le commissaire apprit que Piccolomini, au pays, n'avait pas d'amis, que des connaissances. Il se faisait verser sa pension auprès de la Banca dell'Isola. Il avait mis de côté six millions trois cent mille lires. Il ne fumait pas, ne buvait pas, ne fréquentait pas les radasses historiques de Vigàta, n'était ni homosexuel ni pédophile. Rien qu'un pôvre malheureux.

« On tue pas les pôvres diables », se dit à part soi le commissaire, citant un titre de Simenon.

— Depuis quatre ans, poursuivit Fazio, été comme hiver, chaque vendredi soir, il partait avec le paquebot qui fait le service de Sampedusa. Il rentrait le lundi.

— Il allait voir sa sœur ?

— Oui. Sa sœur 'Gnazia est mariée avec un certain Impallomèni Silvestro, maçon. 'Gnazia avait douze ans de moins que Piccolomini. Lui, il était très attaché à ses neveux, Giacomo, dix ans et Marietta, huit.

— C'est tout ?

— C'est tout.

Montalbano jeta un coup d'œil déçu à Fazio. Celui-ci écarta les bras.

— Je peux pas m'inventer qu'il était un gangster pour vous contenter.

— Réserve-moi une cabine sur le paquebot pour ce soir même. Procure-moi l'adresse de la sœur.

Fazio parut ahuri.

— Vous parlez sérieusement ? Si vous voulez, je peux y aller moi.

— Non.

Le paquebot quitta le quai à minuit. Il était surchargé, surtout de jeunes des deux sexes, groupes nombreux armés de sacs de couchage qui se rendaient sur l'île pour savourer les dernières baignades, les meilleures. Montalbano resta quelques heures appuyé au bastingage, à se nourrir de l'air collant d'embruns salés. Puis le vent du large l'obligea à gagner sa cabine. Il avait emmené *La corda pazza* de Sciascia qu'il relisait souvent, peut-être pour y comprendre de lui-même quelque chose de nouveau. Tout à coup, tandis qu'il lisait, il comprit ce qui l'avait troublé la veille. C'était une question de l'ingénieur Di Stefano, posée au milieu d'autres propos : « Parce que c'était un accident, n'est-ce pas ? » Phrase très normale, mais le ton sur lequel l'ingénieur l'avait prononcée ne cadrait pas. Il y avait un arrière-fond d'appréhension, d'anxiété qui avait disparu dès qu'il lui avait confirmé qu'il s'agissait bien d'un accident. Un rien, une ineptie. « Ça, ça s'appelle enculer les mouches », l'avait réprimandé, voilà bien des années, un Questeur milanais :

« Vous, mon cher Montalbano, vous avez le vice d'enculer les moineaux. » Voilà, il s'était trompé : les moineaux, pas les mouches. Il s'endormit d'un coup, lumière allumée, le livre entre les mains. Il fut réveillé par le garçon de cabine qui frappait à la porte : « On arrive dans une demi-heure. » Il regarda sa montre : sept heures. Trop tôt pour aller 12, via Cordova, où habitait Mme 'Gnazia. Prenant rapidement une décision, il passa le maillot de bain qu'il avait emporté dans sa mallette. Il monta sur le pont supérieur et aussitôt l'accueillit l'embrassade d'une matinée claire, ouverte, tiède. Au point de lui faire regarder avec sympathie un jeune Allemand, un géant à sac à dos, qui lui piétina salement un pied et ne s'excusa même pas. Deux marins étaient en train de finir d'accrocher l'échelle de coupée pour le débarquement. Il entendit, venant de l'intérieur, les cris aigus d'une femme et rentra : une quinquagénaire embijoutée avait cherché querelle au commissaire de bord, il paraît qu'un garçon de cabine lui avait mal répondu. Quand elle eut fini, Montalbano s'approcha du commissaire.

— Je voudrais vous demander un renseignement.

— Si c'est sur les horaires, adressez-vous au bureau à terre.

— Il ne s'agit pas d'horaires. Je voulais savoir si vous connaissiez une personne qui...

— Je n'ai pas le temps, pour le moment. Attendez que tous les passagers soient débarqués. Ecoutez, faisons comme ça : à neuf heures, voyons-nous au bureau de la compagnie, juste en face d'où nous sommes amarrés.

Il avait réussi à se foutre en l'air le bain qu'il s'était promis de faire. Tant pis. Il descendit, repéra un bar, s'assit à une table dehors, commanda un granité de café et une brioche. Il passa le temps à regarder les gens, commanda un autre granité et une autre brioche. Puis, l'heure étant arrivée, il alla au rendez-vous avec le commissaire de bord.

— Que désirez-vous ? Vous savez, je n'ai pas beaucoup de temps.

— Le commissaire Montalbano je suis.

L'autre se donna une grande tape sur le front.

— Il me semblait bien connaître cette tête ! Pardonnez-moi pour tout à l'heure. Vous savez, il y a des passagers qui… Dites-moi.

— Je voulais des informations sur un de vos passagers qui chaque semaine embarquait le vendredi soir… un aveugle.

— M. Piccolomini ! l'interrompit le commissaire de bord. Bien sûr que je le connaissais. Il est mort dans un accident, n'est-ce pas ?

Le ton de la question : là oui, il était normal, pas comme celui employé malgré lui par l'ingénieur Di Stefano.

— Oui. Le gaz. Vous vous êtes déjà parlé ?

— Avec Piccolomini ? Tout juste s'il répondait quand on lui disait bonjour. Mais vous voyez, nous avions eu une discussion, il y a pas mal d'années, je crois que c'était la première fois qu'il faisait le voyage. Puis il n'y a plus eu de problèmes.

— Pourquoi, cette fois-là… ?

— A cause du chien. Il ne pouvait pas le garder avec lui, comme il l'aurait voulu.

— Il avait une cabine ?

— Il ne prenait jamais de cabine, ça lui aurait coûté trop cher. Il réservait un siège de pont. Le chien était placé dans le chenil spécial qu'il y a à bord.

— Est-ce qu'il s'est jamais passé des événements étranges, inhabituels, durant les voyages avec Piccolomini à bord ?

— Que voulez-vous qu'il se passe ? Ecoutez, commissaire, si Piccolomini est mort à cause d'un accident, pourquoi me posez-vous ces questions ?

La nécessité du boniment fut épargnée à Montalbano : à ce moment, un marin passa et le commissaire de bord l'appela :

— Matteo !

Et tandis que le marin s'approchait, il dit :

— Il s'appelle Matteo Salamone. Lui, il barjaquait avec Piccolomini.

Matteo Salamone était un quadragénaire maigre, aux yeux très vifs. Le commissaire de bord lui expliqua ce que voulait Montalbano et s'éloigna, il avait à faire, dit-il.

— Que voulez-vous que je vous dise, commissaire ? Moi, je l'assistais quand il montait et qu'il descendait, l'échelle peut être dangereuse pour un aveugle qui en plus n'a qu'une jambe. Je l'accompagnais au fauteuil, j'emmenais le chien au chenil et quand nous arrivions, je refaisais la même chose, mais en sens inverse. Il me donnait quelques lires, mais moi je le faisais plutôt parce que j'avais de la peine, le pôvre.

— Il s'est jamais passé quelque chose de particulier, quelque chose qui…

— Rien, jamais. Ah oui, l'année dernière, mais c'était une connerie…

— Dites-moi quand même.

— Ben, c'était sur le trajet Vigàta-Sampedusa. Moi je le vis au pied de l'échelle, je descendis, il me reconnut à la voix, je pris le chien en laisse et lui commença à monter. A mi-chemin de l'échelle de coupée, va savoir comment, le bâton lui tomba dans l'eau, entre la coque et le bord du quai. Il se mit à gueuler comme un fou : *U vastuni !* *U vastuni !* Le bâton ! Le bâton ! Désespéré, il était ; on aurait dit que c'était un minot qui lui était tombé des mains. Moi je regardai en bas et je vis le bâton qui flottait. Par la grâce du Bon Dieu, je réussis à le mener à bord. Les autres passagers ne comprenaient pas, ils s'étaient pris d'inquiétude. Je me fis donner un harpon et lui récupérai le bâton. Quand il a récupéré le bâton, pour un peu il se lui donnait des bises comme à un fils perdu et retrouvé. Cinquante mille lires, il m'a donné !

— Qui sait pourquoi il y tenait tant ? C'était un bâton de bois normal, non ?

— Il était pas en bois, commissaire. Le bâton, et la béquille aussi, ils étaient en métal.

— S'il avait été en métal, il aurait coulé.

— Non, pas s'il était vide, creux. Et celui-là, il était sûrement creux en dedans. Pourquoi vous vous intéressez tant à ce pauvre malheureux ?

— A cause de l'assurance.

Mais l'autre, et c'était clair à la lueur plus forte dans ses yeux, ne le crut pas.

— Un *angilù* ! Un ange c'était !

Mme 'Gnazia, vêtue de noir, gémissait en balançant le buste d'avant en arrière. Montalbano, qui s'était présenté comme Panzeca, des Assurances, sentait que cette douleur était sincère.

— Les enfants, ils sont où ? demanda-t-il, comme pour la distraire.

— Les minots ? Quand y a pas école, le samedi, ils sont dehors toute la sainte journée. Ils vont à pêcher avè mon mari qui a une barque avè les rames.

— Ecoutez, madame, votre frère regretté, quand il venait vous voir, comment il passait la journée ?

— A peine débarqué, il venait ici. S'il y avait mes enfants, mais c'était rare, il restait avec eux. Il les aimait beaucoup, les minots. Il mangeait ici avec nous tous.

— Avec votre mari, il s'entendait bien ?

— Ils s'aimaient pas trop. Et puis, mon mari, je vous le dis, le samedi, y va à la pêche et le dimanche, y dort. Y besogne beaucoup du lundi au vindredi. Et il est pas mal malade.

— En somme, votre frère regretté, quand il venait à vous trouver, il sortait jamais de la maison.

— J'ai pas dit ça, monsieur Panzeca. Le samedi après-midi ou le dimanche matin, il passait Totò Recca avec la camionnette et il se l'emmenait promener.

— C'était son seul ami ? Il en avait d'autres ?

— Oh que non. Le seul. Il me dit qu'ils s'étaient aconnus à Vigàta.

— Vous pouvez me donner l'adresse de Recca ?

— Il mourut, le pôvre.

— Il est mort ? Quand ? Comment ?

— Y a une simaine. Il est tombé avec la camionnette d'une falaise, dans le coin de l'île des Lapins. Vous le savez, où elle est ?

Dans la zone au sud de Sampedusa, il le savait. Un endroit superbe et solitaire, un lieu idéal pour se retrouver assassiné, dans un faux accident.

Il comprit que 'Gnazia Imallomèni lui avait dit tout ce qu'elle savait.

Il se leva pour partir, la femme aussi se leva, mais elle posa une main sur le bras.

— Vosseigneurie est des Assurances, pas vrai, monsieur Panzeca ?

— Oui.

— Vous vous y entendez, question sous ?

— En quel sens, excusez-moi ?

— Pour les sous que Nenè gardait à la banque.

— Bah, moi je sais pas exactement combien il y a à la banque de Vigàta…

— Je vous demande bien pardon, je vous parlais pas de la banque de Vigàta mais de celle d'ici, à Sampedusa.

Montalbano s'assit de nouveau, Mme 'Gnazia aussi.

— Il avait un compte en banque ?

— Un compte non. Un livret. La première fois qu'il y alla, à la banque, je l'accompagnai moi, il connaissait pas la route. Après, il y alla seul, Nenè, il marchait comme s'il voyait.

— Vous l'avez vous, le livret ?

— Oh que si. Je vous le fais voir. Je le garde caché parce que Nenè me recommandait que mon mari il devait pas le voir.

Et ainsi, le commissaire apprit qu'Enée Silvio Piccolomini, retraité, avait cent douze millions sur un livret au porteur.

— Qu'est-ce que je dois faire, monsieur Panzeca ?

— Continuez à le garder. Et ne dites rien à votre mari.

Il se précipita au port, juste à temps pour le paquebot du retour.

Le lendemain matin, après avoir dormi toute la nuit d'un sommeil de plomb, il se présenta au commissariat à sept heures. Pour commencer, il appela Galluzzo.

— C'est toi qui as pris chez Piccolomini la canne, la béquille et le chien ?

— Oui. Et puis, l'après-midi, j'ai tout remis au chauffeur de l'ingénieur Di Stefano. Vous vous rappelez ?

— Ça pesait ?

Galluzzo parut hésiter.

— Bon, en fait, je n'ai pas eu l'occasion de prendre le chien dans mes bras.

— Galluzzo, tu te prends pour Catarella, maintenant ? Je parlais de la canne et de la béquille. Ça pesait ?

— Sûr qu'elles pesaient. Même qu'en la prenant, la

béquille m'a échappé et elle est tombée par terre, elle a fait un fracas qu'on aurait dit une barre de fer.

— Donc, selon toi, elle ne pouvait pas être creuse.

— Creuse ? Pas du tout. Pourquoi elle aurait dû être creuse ?

— C'est bon. Envoie-moi Fazio.

En entrant, Fazio comprit tout de suite que son supérieur carburait à plein régime.

— Fazio, à onze heures ce matin, au plus tard, je veux tout savoir sur l'œuvre charitable Amour et Fraternité. Je veux tout savoir aussi sur l'ingénieur Di Stefano et sur son chauffeur. Ne gaspille pas une minute. Envoie-moi Augello.

— Il n'est pas encore arrivé.

— Je l'aurais parié. Avertis-le dès qu'il arrive qu'il doit venir me voir.

Mimì se présenta vers dix heures, mort de sommeil, il bâillait à se décrocher la mâchoire.

— Qu'est-ce qui fut, Mimì ? La radasse avec qui t'as passé la nuit t'a trop demandé ? Tu veux te faire un sabayon de douze œufs ?

— Lâche-moi, Salvo. J'ai eu un mal de dents à devenir dingue ! Qu'est-ce que t'es allé faire à Sampedusa ?

— J'ai tout compris, Mimì. Tu le sais combien il avait en banque, ce pauvre malheureux de retraité, mort de faim, aveugle et avec une seule jambe qui s'appelait Enée Silvio Piccolomini ? Cent douze millions !

— Putain ! Et comment il se les était faits ?

— Transport de drogue. Il faisait le courrier pour le compte de l'ingénieur Di Stefano.

— Sans déconner ! Et où il la mettait, la drogue ?

— Dans la béquille et dans la canne de métal, vides à l'intérieur. J'ai fait le calcul approximatif, chaque voyage rapportait à l'ingénieur au moins deux kilos de cocaïne.

— Et qui les lui donnait, à Sampedusa ?

— Un certain Recca, qui voyait Piccolomini chaque semaine, mort lui aussi. Ils ont mis en scène un accident. Il a dû se passer quelque chose qui a fait que l'ingénieur a décidé de les éliminer tous les deux.

— Attends, que je comprenne, Salvo. Donc : Recca apportait la coke, il se faisait donner la canne et la béquille par Piccolomini, il les farcissait…

— Non, Mimì. Moi je crois simplement que Recca remettait à Piccolomini une canne et une béquille déjà farcies, comme tu dis, toi. Il y avait un échange. Et l'assassin de Piccolomini, quand il s'en est allé après avoir commis le meurtre et avoir remis à sa place la vieille bonbonne…

— Qu'est-ce que c'est que cette histoire de vieille bonbonne ?

— Je t'explique après, Mimì. Après, disais-je, il a échangé la canne et la béquille.

— J'y comprends plus rien.

— Il a mis chez Piccolomini une canne et une béquille identiques à celles qu'utilisait l'aveugle, mais en métal plein. De manière que nous, en les trouvant, nous ne puissions rien suspecter.

— Sainte Madone, tu me fais revenir le mal de dents ! Et le chien ? Pourquoi il a voulu sauver le chien ?

— Parce qu'un chien pareil, c'est précieux ! Tu comprends, il attaquait les autres chiens !

— Et qu'est-ce que ça veut dire ?

— Ça veut dire que Rirì, s'il voyait sur le quai de Sampedusa ou de Vigàta un chien antidrogue qui s'approchait de son maître, il attaquait. Piccolomini aussi, il devait s'y mettre, il faisait une scène, il tombait à terre, il criait. En somme, il y avait une bonne probabilité pour que les agents, apitoyés, laissent tomber. Ce chien pouvait encore servir.

— Mais comment tu vas faire pour prouver toute l'affaire ?

— J'attends un rapport de Fazio, puis je vais chez le Substitut et je me fais donner un mandat de perquisition. C'est sûr que quelque chose, je le trouve, ma main sur le feu.

A onze heures pile, Fazio se présenta au rapport. L'œuvre charitable Amour et Fraternité ne recevait pas de subventions gouvernementales, tout fonctionnait sur l'argent de l'ingénieur. Lequel était un personnage parmi les plus actifs dans deux domaines qui pouvaient, au profane, paraître opposés : la promotion immobilière et la bienfaisance.

— D'où lui sont venus ses sous ?

— Son père les lui laissa, c'était aussi un homme politique important avant de mourir d'infarctus y a une quinzaine d'années. Le fils a quintuplé le capital.

Les mauvaises langues elles disent — donc c'est des rumeurs et rien d'autre — qu'une bonne part de l'argent qui lui passe par les mains est pas vraiment à lui.

— Recyclage ?

— C'est des bruits, *dottore*. L'ingénieur est, aux yeux de la loi, propre comme le cul d'un nouveau-né qu'on vient de laver.

Montalbano le fixa avec admiration.

— Quelle belle comparaison ! Comment ça se fait que t'écris pas du tout de poésie ? Continue.

— L'œuvre charitable est sise dans une villa avec parc à Montelusa, 14, via Nazionale.

— C'est une espèce de clinique ?

— Jamais de la vie ! L'œuvre charitable apporte une assistance à domicile, vous comprenez ? Les bénéficiaires au jour d'aujourd'hui sont douze, répartis dans tous les bourgs de la province. Il s'agit de gens qui ont besoin de chaises roulantes, de béquilles, de cannes…

— En somme, pas de malades proprement dits, qui gardent le lit ?

— Ceux-là, ils rentrent pas dans les buts de l'organisation. Les personnes prises en charge par l'œuvre charitable sont toutes mises en mesure de se déplacer seules. Ah, elles doivent avoir une caractéristique : être seules, sans parents qui les gardent chez eux. Exactement comme Nenè Piccolomini.

— Des femmes, il y en a ?

— Pas du tout. Ni comme bénéficiaires, ni comme infirmières. Un jour par semaine, c'est le chauffeur factotum de l'ingénieur qui va les trouver, le « rédimé » comme l'appelle l'ingénieur mais qui de son nom s'appelle Aloisio Carmelo, né d'Alfonso et de Lopresti Rosalia à...

Il saisit au vol le coup d'œil du commissaire et s'arrêta à temps.

— Excusez, dit-il et il continua : Cet Aloisio Carmelo a quarante-quatre ans et depuis dix ans il travaille avec l'ingénieur.

— Pourquoi Di Stefano l'appelle son « rédimé » ?

— J'y arrivais. A vingt ans, il a tué quelqu'un, un buraliste, dans un braquage. Il a été condamné, remis en liberté au bout d'une dizaine d'années pour bonne conduite mais il était à la rue. L'ingénieur l'a pris à son service. Depuis lors, Aloisio n'a plus eu affaire à la justice. L'ingénieur Di Stefano va trouver les bénéficiaires une fois par mois.

— Sûrement pour faire les comptes. Di Stefano a mis sur pied une belle organisation pour le commerce de la drogue. Mais il a dû faire tuer deux courriers par son factotum Aloisio. C'est lui qui dresse les chiens ?

— Oh que oui, *dottore*. Il paraît qu'il est particulièrement doué.

Montalbano resta pensif un moment.

— Peut-être qu'il a épargné la mort à Rirì parce qu'il s'y était attaché, dit-il à part lui. Une dernière chose, Fazio. Dans cette villa de la via Nazionale, l'ingénieur y habite aussi ?

— Non. L'ingénieur dort dans une autre villa. Dans celle de l'œuvre charitable, il n'y a qu'Aloisio.

Après avoir escaladé le portail, Mimì Augello, accompagné de Fazio, Gallo, Galluzzo et deux autres hommes du commissariat tambourinèrent à la grande porte de la villa du 14 via Nazionale. Dans le chenil à côté de la villa, il y avait trois chiens, mais ils n'aboyèrent pas. Aux coups frappés par Augello, une voix masculine demanda de l'intérieur :

— C'est qui ?

— Police, dit le commissaire-adjoint.

Et là, Aloisio commit une autre erreur. Il répondit en tirant. Il fut capturé au bout de deux heures. Dans la villa, ils trouvèrent une vingtaine de kilos de cocaïne très pure.

Séquestration de personne

C'était un vrai paysan, mais on aurait dit un santon, avec sa gapette enfoncée sur la tête jusque dedans le commissariat, le costume de futaine déformé, et de ces godasses à clous qu'on ne voyait plus depuis la fin de la Seconde Guerre mondiale. Sexagénaire sec, légèrement tordu à cause de la besogne à la bêche, un des derniers exemplaires en voie de disparition. Il avait des yeux bleu clair qui plurent à Montalbano.

— Vous vouliez me parler ?

— Oh que si.

— Asseyez-vous, dit le commissaire en lui indiquant un siège devant le bureau.

— Oh que non. Toute façon, c'est une chose *ca dura picca*.

« Qui dure peu » : Tant mieux. Il promettait que la rencontre durerait peu : ce devait être un homme peu loquace, comme il se doit chez un vilain authentique.

— Consolato Damiano, je m'appelle.

Quel était le nom de famille ? Consolato ou Damiano ? Il eut un doute fugitif, puis pensa que, à s'en tenir aux règles de comportement devant un représentant de l'autorité, le vilain devait avoir décliné, comme d'usage, d'abord son nom puis son prénom.

— Enchanté. Je vous écoute, monsieur Consolato.

— Vosseigneurie veut me vouvoyer ou bien me tutoyer ? demanda le paysan.

— Je vous vouvoie. Je n'ai pas l'habitude…

— *Allura vidisse ca il mio cognomu è Damiano.*

« Alors voyez que mon nom de famille, c'est Damiano » : Montalbano fut un peu mal à l'aise de ne pas avoir deviné.

— Je vous écoute.

— A hier matin, je partis de la campagne et je vins au pays étant donné que c'était jour de marché.

Le marché s'installait chaque dimanche matin dans les hauts de Vigàta, près du cimetière qui touchait à la campagne, autrefois toute en oliviers, amandiers, vignes et à présent presque totalement inculte, agressée de taches toujours plus vastes de ciment, que le plan d'occupation des sols y consente ou pas.

Montalbano attendit avec patience la suite.

— *Lu sceccu m'avia ruttu lu bùmmulu.*

L'âne lui avait cassé le *bùmmolo*, récipient de terre cuite qui garde l'eau très fraîche et que les cultivateurs d'autrefois emmenaient avec eux quand ils allaient besogner : cela confirma l'impression de Montalbano que Consolato Damiano était vraiment un paysan à l'ancienne. Bien que l'histoire de l'âne et du *bùmmolo* ne lui semblât pas le genre de chose qui puisse intéresser le commissariat, il ne pipa mot, il avait arrêté de suivre le très lent flux du discours de Consolato.

— Comme ça, au marché, je m'en achetai un nouveau.

Et jusque-là, rien d'extraordinaire.

— A hier soir, j'y mis dedans l'eau pour l'essayer. Pour voir s'il était cuit à point, passque si le *bùmmulu* est cru, l'eau, il la tient pas fraîche.

Montalbano s'alluma une cigarette.

— Avant d'aller à me coucher, je le vidai. Et avè l'eau tomba au-dehors un bout de papier qu'était dedans le *bùmmulu*.

Montalbano se mua d'un coup en statue.

— *Iù tanticchia sacciu lèggiri. La terza limentare feci.*

« Moi je sais un peu lire. Je suis allé jusqu'au cours moyen. »

— C'était un billet ? hasarda enfin le commissaire.

— Oui et non.

Montalbano décida qu'il valait mieux continuer à écouter en silence.

— C'était un bout de papier arraché à un journal. Il était tout trempé d'eau. Je le mis à côté du feu et il s'assécha.

A ce moment Mimì Augello passa la tête à l'intérieur.

— Salvo, je te rappelle que le Questeur nous attend.

— Envoie-moi Fazio.

Le paysan attendait poliment. Entra Fazio.

— Ce monsieur s'appelle Damiano Consolato. Ecoute, toi, ce qu'il a à nous dire. Moi, malheureusement, je dois filer. Au revoir, monsieur.

Quand il revint au commissariat, l'histoire du paysan et de son *bùmmolo*, il se l'était complètement oubliée. Il alla manger à la trattoria San Calogero, se bâfra un demi-kilo de petits poulpes qui fondaient en bouche, bouillis et assaisonnés avec sel, poivre noir, huile, citron et persil. Rentré au bureau, il vit Fazio et Consolato Damiano lui revint à l'esprit.

— Qu'est-ce qu'il voulait, ce paysan ? Celui du *bùmmolo*.

Fazio eut un petit sourire.

— Sincèrement, ça m'a paru une connerie, c'est pour ça que je vous en ai pas parlé. Il m'a laissé le bout de papier. C'est la partie supérieure d'un journal de l'an dernier, la date est lisible : 3 août 1997.

— C'est quel journal ?

— Ça, je sais pas, le nom du journal apparaît pas.

— C'est tout ?

— Oh que non, monsieur. Il y a aussi quelques mots écrits à la main : « Au secours ! Il me sassine ! » Mais…

Montalbano s'échauffa.

— Et ça te paraît une connerie ? Fais-moi voir.

Fazio sortit, revint, tendit à Montalbano une bande de papier. En majuscules, avec des lettres presque enfantines, il y avait écrit exactement : « A secours ! Il me sassine ! »

— Ça doit être une galéjade que quéqu'un a voulu faire à Damiano, commenta Fazio, entêté.

Certainement, pour un graphologue, l'écriture parle : à Montalbano, qui n'était pas graphologue, cette écriture pleine de fautes et incertaine parlait aussi, elle lui disait qu'elle représentait la vérité, qu'elle était une authentique demande de secours. Sûrement pas une blague, comme le prétendait Fazio ! Mais il ne s'agissait que d'une sensation, rien de plus. Voilà pourquoi il se convainquit de s'occuper de l'affaire sans y mêler ses hommes : si son impression devait apparaître erronée, il s'épargnerait les petits sourires moqueurs d'Augello et compagnie.

Il se rappela que la zone où se déroulait le marché avait été assignée et divisée en autant de cases délimitées à terre par des bandes peintes à la chaux. En outre, chaque case avait un numéro : ceci pour éviter contestations et bagarres entre marchands. Il alla à la mairie et eut de la chance. L'employé, qui s'appelait De Magistris, lui expliqua que les carrés réservés aux vendeurs d'objets en terre cuite n'étaient que deux. Dans le premier, auquel avait été donné le numéro d'ordre huit, Tarantino Giuseppe exposait sa marchandise. Il se trouvait dans la partie basse du marché. En revanche, dans la partie haute, la plus proche du cimetière, se trouvait le carré trente-six, attribué à un autre vendeur de *bùmmuli* et autres *quartare*, Fiorello Antonio.

— Mais attention, commissaire, qu'il est pas dit que les choses se présentent comme c'est écrit sur ce papier, dit De Magistris.

— Pourquoi ?

— Parce que souvent les marchands se mettent d'accord entre eux et changent de place.

— Entre vendeurs de *bùmmuli* ?

— Pas seulement. Sur le papier, c'est écrit, je sais pas, qu'au numéro vingt, il y a un tel qui vend des fruits et légumes, on y va et on y trouve en fait un étal de chaussures. A nous, ça nous intéresse pas, il suffit qu'ils s'entendent bien gentiment entre eux.

De retour au bureau, il se fit donner par Fazio les explications nécessaires pour arriver chez Consolato Damiano, monta en voiture, partit. La campagne Ficuzza, où habitait le péquenaud, était un coin perdu entre Vigàta et Montereale. Pour y arriver, il dut laisser l'auto après une demi-heure de route et se taper une grimpette d'une autre demi-heure. Il faisait déjà nuit quand il arriva à la petite ferme, il se fraya un chemin au milieu des poules et, à portée de voix de la porte qui était ouverte :

— Hé oh, y a quelqu'un ? cria-t-il.

— Qui c'est ? demanda une voix de l'intérieur.

— Le commissaire Montalbano je suis.

Apparut Consolato Damiano, la gapette sur la tête, qui ne se montra en rien étonné.

— Entrez.

La famille Damiano était en train de se mettre à table. Il y avait une femme âgée que Consolato présenta comme Pina, *so' mogliere*, sa femme, le fils quadragénaire Filippo et *so' mogliere* Gerlanda, une trentenaire qui veillait sur deux minots, un garçon et une fille. La pièce était spacieuse, la partie dévolue à la cuisine avait même un four à bois.

— Vosseigneurie, ça vous dirait ? demanda

Mme Pina en faisant mine d'ajouter une autre chaise à la table. Ce soir, je fis les pâtes aux brocolis.

A Montalbano, ça lui disait. Après les pâtes, Mme Pina tira du four, où elle le gardait au chaud, un demi-chevreau avec des pommes de terre.

— Faut nous esscuser, monsieur le commissaire. C'est des restes d'hier, que *me' figliu Filippu*, mon fils Filippo il faisait ses quarante ans.

C'était exquis, tendre et doux comme il est dans la nature du chevreau mort ou vif. A la fin, vu que personne ne lui demandait le motif de sa visite, ce fut Montalbano qui parla.

— Monsieur Damiano, par hasard, vous vous rappelez sur quel étal vous avez acheté le *bùmmolo* ?

— Sûr que je me l'arappelle. Le plus proche du cimetière.

Le carré attribué à Tarantino. Mais s'il avait changé de place avec Fiorello ?

— Vous le savez, comment il s'appelle le marchand ?

— Oh que si. Il s'appelle Pepè. Le nom de famille, je le sais pas.

Giuseppe. Ça ne pouvait être que Giuseppe Tarantino. Une question facile qui aurait pu se résoudre avec un bref coup de fil. Mais si Consolato Damiano avait eu le téléphone, Montalbano aurait raté les pâtes aux brocolis et le chevreau au four.

Au bureau, il trouva Mimì Augello qui, à l'évidence, l'attendait.

— Qu'est-ce qu'il y a, Mimì ? Tu sais, dans cinq minutes, je rentre chez moi. Il est tard et je suis fatigué.

— Fazio m'a rapporté l'histoire du *bùmmolo*. J'ai compris que tu veux t'en occuper *a taci-maci*, sans en parler à personne.

— T'as mis dans le mille. Toi, qu'est-ce que t'en penses ?

— Bah. Ça peut aussi bien être un truc sérieux qu'une belle couillonnade. Il pourrait s'agir, par exemple, d'une séquestration de personne.

— Moi aussi, je suis de cette opinion. Mais il y a des éléments qui mettent l'hypothèse hors de discussion. Ça fait plus de cinq ans que par chez nous il n'y a plus eu de séquestration avec demande de rançon.

— Plus que ça, plus que ça.

— Et l'année dernière, on n'a pas entendu parler d'enlèvement.

— Ça ne signifie rien, Salvo. Il est possible que les ravisseurs et les parents du kidnappé aient réussi à garder le secret autour de l'enlèvement et des tractations.

— J'y crois pas. Aujourd'hui, les journalistes réussissent à te compter les poils du cul.

— Alors, pourquoi dis-tu que ça pourrait être une séquestration ?

— Pas un enlèvement pour obtenir une rançon. Tu te l'es oublié qu'il y a eu une pourriture qui a séquestré un minot pour faire peur au père qui avait l'intention de collaborer avec la justice ? Après, il l'a étranglé et mis dans l'acide.

— Je me rappelle, je me rappelle.

— Ça pourrait être une affaire de ce genre.

— Ça pourrait, Salvo. Mais ça se pourrait que Fazio ait raison.

— C'est pour ça que je veux pas que vous me colliez au cul. Si je me trompe, si c'est une bêtise, ça veut dire que je serai le seul à en rigoler.

Le lendemain matin, à sept heures, il s'aprésenta de nouveau à la mairie.

— J'ai su que le vendeur de *bùmmuli* qui m'intéresse s'appelle Giuseppe Tarantino. Vous pouvez me donner son adresse ?

— Certes. Un moment, que je consulte les fiches, dit De Magistris.

Au bout de même pas cinq minutes, il revint avec un carton à la main.

— Il habite à Calascibetta, 32, via De Gasperi. Vous voulez le numéro de téléphone ?

— Catarella, tu dois me rendre un service spécial et important.

— *Dottori*, quand vossegneurie m'ademande à moi pirsonnellement d'y rendre un service à vossegneurie pirsonnellement en pirsonne, elle le rend à moi quand est-ce qu'elle l'ademande.

Baroques politesses de Catarella.

— Voilà, tu dois appeler à ce numéro. C'est un certain Giuseppe ou Pepè Tarantino qui répondra. Toi, sans lui dire que tu es de la police, tu dois lui demander si cet après-midi il sera chez lui.

Il le vit ahuri, le papier sur lequel était écrit le numéro entre le pouce et l'index, le bras légèrement décollé du corps, comme si c'était un arnimal repoussant.

— Quelque chose que tu n'as pas compris ?

— Tout à fait tout à fait clair, ça l'est pas.

— Dis-moi.

— Comment que je dois me comporter si au tili-phone au lieu de Giuseppe m'arrépond Pepè ?

— C'est toujours la même personne, Catarè.

— Et si plutôt y m'arrépond ni Giuseppe ni Pepè mais une autre pirsonne ?

— Tu lui dis de te passer Giuseppe ou Pepè.

— Et si Giuseppe Pepè il est pas là ?

— Tu dis merci et tu raccroches.

Il allait sortir mais le commissaire fut pris d'un doute.

— Catarè, dis-moi ce que tu vas dire au téléphone.

— Tout de suite, *dottori*. « Allô ? » y me demande. « Ecoute », j'y dis moi, « que tu t'appelles Giuseppe ou Pepè, c'est la même chose ». « Qui est à l'appareil ? » y me demande. « A toi, t'en as à rien à foutre de qui je suis et qui c'est qui te parle en pirsonne. Moi, je suis pas de la police. Compris ? Donc : par ordre de monsieur le commissaire Montalbano, toi, aujourd'hui, tu dois pas sortir de chez toi. » J'ai dit comme y faut ?

A Montalbano, il lui montait dans la gorge un hurlement de rage à casser les vitres, tandis qu'il se trempait de sueur de l'effort de se retenir.

— J'ai pas dit comme y faut, *dottori* ?

La voix de Catarella tremblait, il avait les yeux d'un agneau en train de mater la lame qui va l'égorger. Il lui fit peine.

— Si, si Cataré, tu as dit comme il faut. Mais j'ai

pensé que c'est mieux si je l'appelle moi. Redonne-moi le papier avec le numéro.

Une voix de femme répondit à la deuxième sonnerie. Elle devait être jeune.

— Madame Tarantino ?

— Oui. Qui est à l'appareil ?

— Ici De Magistris, l'employé de la commune de Vigàta qui s'occupe de...

— Mon mari n'est pas là.

— Mais il est à Calascibetta ?

— Oui.

— Il revient à la maison pour manger ?

— Oui. Mais en attendant si vous voulez me dire ce que...

— Merci. Je rappellerai dans l'après-midi.

Entre une chose et l'autre, on était arrivé à onze heures passées quand il put prendre la voiture pour aller à Calascibetta. La via Alcide De Gasperi était assez loin, le numéro 32 correspondait à une espèce de vaste cour complètement remplie de centaines de *bummuli, cocò, bummulìdri, quartare, giarre*[1]. Il y avait aussi une camionnette à moitié déglinguée. Le logement de Tarantino, en tuf sans enduit, consistait en trois pièces alignées en rez-de-chaussée, au fond de la cour. La porte d'entrée était fermée, Montalbano tambourina du poing, il n'y avait pas de sonnette. Un homme qui avait passé la trentaine vint lui ouvrir.

1. Différents récipients de terre cuite siciliens. Pour leur présentation exhaustive, voir *L'Opéra de Vigàta* (Métailié), page 172, note 1.

— Bonjour, vous êtes Giuseppe Tarantino ?

— Oui. Et vous, qui êtes-vous ?

— Je suis De Magistris. Je vous ai téléphoné ce matin.

— Ma femme me le dit. Qu'est-ce que vous voulez ?

En route, il ne s'était pas inventé d'excuse. Tarantino profita de cet instant d'incertitude.

— La taxe, je l'ai payée, et ma licence est pas encore périmée.

— Ça, nous le savons, ça apparaît.

— Alors ?

Il n'était précisément ni hostile ni soupçonneux. A mi-chemin entre les deux. Peut-être qu'il n'appréciait pas l'arrivée d'un étranger pendant qu'il était à table. L'odeur de la sauce à la viande était forte.

— Fais rentrer le monsieur, dit une voix féminine à l'intérieur, celle-là même qui avait répondu au téléphone.

L'homme ne parut pas l'avoir entendue.

— Alors ? répéta-t-il.

— Voilà : vous, votre atelier, il est où ?

— Quel atelier ?

— Celui où vous travaillez l'argile, quoi. Le four, les…

— On vous a mal renseigné. Moi, les *bùmmuli* et les *quartare*, je les fabrique pas. Je vais les acheter en gros. On me fait un bon prix. Je les vends sur les marchés et j'y gagne quèque chose.

A ce moment, on entendit les cris aigus d'un nouveau-né.

— Le minot s'aréveilla, communiqua Tarantino à Montalbano, comme pour le presser.

— Je vous laisse tout de suite. Donnez-moi l'adresse de la fabrique.

— Société Marcuzzo et fils. Le bourg s'appelle Catello, campagne Vaccarella. A une quarantaine de kilomètres d'ici. Au revoir.

Il lui ferma la porte au nez. Jamais il ne saurait comment la femme de Tarantino faisait la sauce à la viande.

Il tourna deux heures aux alentours de Catello sans que personne ne puisse lui indiquer la route pour la campagne Vaccarella. Et personne n'avait jamais entendu parler de la société Marcuzzo qui fabriquait *bùmmuli* et *quartare*. Comment se faisait-il qu'ils ne le sachent pas ? A moins qu'ils ne veuillent pas l'aider parce qu'ils avaient reniflé le flic ? Il prit une décision qui lui pesait et se présenta à la caserne des carabiniers. Il raconta toute l'affaire à un maréchal qui, de son nom de famille, s'appelait Pennisi. A la fin du discours de Montalbano, Pennisi lui demanda :

— Qu'est-ce que vous êtes venu chercher chez Marcuzzo ?

— Avec précision, je ne saurais vous le dire, maréchal. Vous en savez certainement plus que moi.

— Des Marcuzzo, je ne puis dire que du bien. La fabrique a été créée, au début du siècle, par le père de l'actuel propriétaire, qui s'appelle Aurelio. Cet Aurelio a deux fils mariés et au minimum une dizaine de petits-fils. Ils vivent tous ensemble, dans une grande maison à côté de la fabrique. Vous vous voyez, vous, garder un prisonnier dans un endroit où il y a une dizaine de minots ? Des gens respectés de tous pour leur honnêteté et leur sérieux.

— C'est bon, n'en parlons plus, maréchal. Je vous pose une autre question. Quelqu'un, en difficulté, parce qu'il est séquestré ou pour quelque autre connerie, peut-il avoir glissé ce bout de papier dans un *bùmmulo* sans que les Marcuzzo n'en sachent rien ?

— Moi, je vous en pose une, de question, commissaire : pourquoi un prisonnier ou quelqu'un menacé de mort se trouverait-il dans les parages de la fabrique des Marcuzzo ? Un délinquant quelconque se serait bien gardé de s'approcher, sachant l'état d'esprit des Marcuzzo.

— Ils ont des ouvriers ? Des employés ?

— Personne. Ils font tout en famille. Même les femmes besognent.

Manifestement, une pensée soudaine lui vint.

— Quelle date porte ce journal ? demanda-t-il.

— Il est du 3 août de l'an dernier.

— A cette date, la fabrique était certainement fermée.

— Comment vous faites pour le savoir ?

— Je me trouve ici depuis cinq ans. Et depuis cinq ans, la fabrique ferme le 1er août et rouvre le 25. Je le sais parce que Aurelio m'appelle et m'avertit de son départ. Ils vont tous en Calabre, chez la femme du fils aîné.

— Pardonnez-moi, mais pourquoi est-ce qu'ils vous avertissent de leur départ ?

— Pour que si un de mes hommes se trouve dans les parages, il aille y jeter un coup d'œil. Par sécurité.

— Quand ils sont partis, le matériel déjà produit, où est-ce qu'ils le gardent ?

— Dans un entrepôt derrière la maison. Avec une porte métallique. Il n'y a jamais eu de vol.

Le commissaire garda un instant le silence. Puis il parla.

— Vous pouvez me rendre un service, maréchal ? Téléphonez à l'un des Marcuzzo et faites-vous dire quel jour de l'année dernière ils ont fait une livraison à un marchand ambulant avant la fermeture estivale. Il s'appelle Tarantino Giuseppe, il dit être de leurs clients.

Pennisi dut attendre une dizaine de minutes à l'appareil après avoir posé sa question. A l'évidence, il avait fallu farfouiller dans de vieux registres. Enfin, le maréchal remercia et raccrocha.

— La dernière livraison à Tarantino a été faite l'après-midi du 31 juillet. Après la fermeture, ils lui ont fait d'autres livraisons, une le…

— Merci, maréchal. Ça me suffit comme ça.

Donc le billet avait été glissé dans le *bùmmulo* quand celui-ci se trouvait en possession de Tarantino. Et gardé dans un entrepôt nullement surveillé, accessible à n'importe qui. Il perdit courage.

Sur le chemin du retour, dans la voiture, en y pensant et repensant, il se persuada qu'il n'aboutirait à rien. La constatation le mit de mauvaise humeur.

Il se la passa sur Gallo qui n'avait pas fait une chose

qu'il lui avait demandée. Le téléphone sonna. Catarella l'appelait du standard.

— *Dottori ?* Il y a monsieur Dimastrissi qui veut parler avec vous pirsonnellement en pirsonne.

— Où est-il ?

— Je sais pas, *dottori*. Je vais y demander, où il est.

— Non, Catarè. Je veux juste savoir s'il est au commissariat ou au téléphone.

— Au tiliphone, *dottori*.

— Passe-le-moi. Allô ?

— Commissaire Montalbano ? Je suis De Magistris, vous savez, l'employé qui...

— Je vous écoute.

— Voilà, pardonnez ma question, vous me voyez navré, mais... Est-ce que vous, par hasard, vous êtes allé trouver Tarantino, le marchand ambulant, en vous présentant sous mon nom ?

— Ben oui. Mais vous comprenez...

— Je vous en prie, commissaire, je ne veux pas en savoir davantage. Merci.

— Eh non, excusez-moi. Comment l'avez-vous su ?

— Une jeune femme m'a téléphoné à la mairie, en disant être la femme de ce Tarantino. Elle voulait connaître la vraie raison pour laquelle je serais allé chez eux à l'heure du déjeuner. Moi, je suis tombé des nues, elle a dû comprendre qu'elle s'était trompée et elle a raccroché. Je voulais vous en informer.

Pourquoi s'était-elle inquiétée de cette visite ? A moins que ce fût le mari qui l'ait poussée à passer ce coup de fil pour en savoir davantage ? En tout cas, cet appel remettait tout en question. La partie se rouvrait. Le papier avec le numéro de téléphone de Tarantino était sur le bureau. Il ne voulut pas perdre de temps. Ce fut elle qui répondit.

— Mme Tarantino ? De Magistris je suis.

— Non, vous n'êtes pas De Magistris. Sa voix était différente.

— C'est bon, madame. Le commissaire Montalbano je suis. Passez-moi votre mari.

— Il n'est pas là. Tout de suite après déjeuner, il est parti au marché de Capofelice. Il revient dans deux jours.

— Madame, j'ai besoin de vous parler. Je prends la voiture et j'arrive.

— Non, je vous en prie ! Ne vous montrez pas au pays en plein jour !

— A quelle heure voulez-vous que je vienne vous trouver ?

— Cette nuit. Après minuit. Quand il y a plus personne dans les rues. Et, s'il vous plaît, laissez la voiture loin de chez moi. Et quand vous venez chez moi, ne vous faites pas voir des gens du pays. Je vous en prie.

— Soyez tranquille, madame. Je serai invisible.

Avant que le combiné soit raccroché, il l'entendit sangloter.

La porte était entrouverte, la maison dans l'obscurité. Il entra, rapide comme un amant, referma derrière lui.

— Je peux allumer ?

— Oui.

Il chercha à tâtons l'interrupteur. La lumière révéla un pauvre salon : un petit divan, une table basse, deux fauteuils, deux chaises, un *tanger*[1]. Elle était assise sur le divan, visage enfoui dans les mains, coudes sur les genoux. Elle tremblait.

— N'ayez pas peur, dit le commissaire, immobile à côté de la porte. Si vous voulez, je m'en retourne d'où je viens.

— Non.

Montalbano fit deux pas, s'assit dans un fauteuil. Puis la jeunette se redressa et le regarda dans les yeux.

— Sara, je m'appelle.

Elle n'avait peut-être pas vingt ans. Elle était menue, gracile, les yeux pleins de frayeur : une minote qui s'attend à une rouste.

— Qu'est-ce que vous voulez à mon mari ?

Pair ou impair ? Pile ou face ? Quelle route choisir ? Partir de loin ou entrer tout de suite dans le vif du sujet ? Naturellement, il ne fit ni l'un ni l'autre et ce ne fut certainement pas par astuce mais comme ça, parce que les mots lui vinrent aux lèvres.

— Sara, pourquoi avez-vous tellement peur ? Qu'est-ce qui vous effraie ? Pourquoi avez-vous voulu que je prenne toutes ces précautions pour venir vous trouver ? Au pays, personne ne me connaît, ils ne savent pas qui je suis et ce que je fais.

— Mais vous êtes un homme. Pepè, mon mari, il est jaloux. Il peut devenir fou de *gilosia*, de jalousie. Et s'il

1. Etagère : gallicisme. Ici, il s'agit d'une vitrine. (*N.d.T.*)

apprend qu'ici dedans est rentré un homme, il me sassine.

Elle dit exactement ainsi : il me sassine. Et Montalbano pensa : « Alors, c'est toi aussi qui as écrit "à secours". » Il soupira, allongea les jambes, appuya le dos au dossier, s'installa dans le fauteuil. C'était réglé. Pas de séquestration de personne, pas d'hommes menacés de mort. Tant mieux.

— Pourquoi avez-vous écrit ce billet et l'avez-vous glissé dans le *bùmmulo* ?

— Il m'avait sassinée de coups et après m'avait attachée au lit avec la corde du puits. Deux jours et deux nuits il m'a gardée comme ça.

— Qu'est-ce que vous aviez fait ?

— Rin. Il passa un bonhomme qui vendait des choses, il frappa à la porte, moi je lui ouvris et j'étais en train de lui dire que je voulais rin acheter quand Pepè revint et me vit pendant que je parlais avec cet homme. On aurait dit qu'il était devenu fou.

— Et après ? Quand il vous détacha ?

— Il me donna encore des coups. Je pouvais plus marcher. Comme que lui il devait partir au marché, il me dit de charger les *bùmmuli* sur la camionnette. Alors, je pris une page de journal, je la déchirai, je fis cinq petits billets et les glissai dans cinq *bùmmuli* différents. Avant de partir, il m'attacha de nouveau avec la corde. Mais cette fois, je réussis à me libérer. J'y mis deux jours, il me manquait des forces. Puis je me mis debout, j'allai à la cuisine, je pris un *cuteddru*, un couteau et je me coupai les veines.

— Pourquoi vous ne vous êtes pas échappée ?

— *Pirchì gli vogliu beni.*

Parce que je l'aime. Comme ça, simplement.

— Lui, il revint, il me trouva que j'étais en train de mourir à perdre tout mon sang et il me conduisit au 'pital. Moi, je dis que je l'avais fait passqu'une simaine avant, et c'était vrai, était morte ma mère. Au bout de trois jours, ils me renvoyèrent ici. Pepè avait changé. La nuit même, je restai enceinte de *me' figliu*, de mon fils.

Elle avait rougi, elle gardait les yeux baissés.

— Et depuis lors, il ne vous a plus maltraitée ?

— Oh que non. De temps en temps, la *gilosia* le reprend et il casse tout ce qu'il trouve à portée de main, mais à moi, il me touche plus. Mais j'ai commencé à avoir une autre peur. J'en dormais pas la nuit.

— Laquelle ?

— Que quéqu'un trouve les billets, maintenant que tout est fini. Si Pepè venait à le savoir, que j'avais appelé à secours pour me libérer de lui, il était capable de…

— … de recommencer à vous frapper ?

— Oh que non, commissaire. De me quitter.

Montalbano encaissa.

— Quatre, j'ai réussi à en récupérer quatre, qu'ils étaient encore dans les *bùmmuli*. Le cinquième, non. Et quand vous êtes venu et que je compris, après le coup de fil au monsieur de la mairie, que vous aviez pris un faux nom, je pensai que la police avait trouvé le billet, qu'elle pouvait appeler Pepè en imaginant va savoir quoi…

— Je m'en vais, Sara, dit Montalbano en se levant.

De la pièce à côté arrivèrent les pleurs du minot qui s'était réveillé.

— Je peux le voir ? demanda Montalbano.

On cause en milliards

— *Dottori ? Dottori ?* Pirsonnellement en pirsonne, c'est vous ?

Putain mais quelle heure il était ? Il fixa le réveil sur la table de nuit, complètement ensuqué de sommeil. Cinq heures et demie du matin. Il s'inquiéta : si Catarella le réveillait à cette heure, sachant les conséquences auxquelles il s'exposait, ça voulait dire que c'était une chose très sérieuse.

— Qu'est-ce qui fut, Catarè ?

— Ils ont aretrouvé la voiture de Mme Pagnozzi et du sien à elle mari, le commandeur.

Le commandeur Aurelio Pagnozzi, un des hommes les plus riches de Vigàta, avait disparu, avec sa femme, le soir précédent.

— Rien que la voiture ? Et eux, où ils étaient ?

— Dedans la voiture, *dottori*.

— Et qu'est-ce qu'ils faisaient ?

— Et qu'essqui devaient faire, *dottori* ? Les morts, y faisaient, les *cataferi*, les cadavres.

— Pourquoi sont-ils morts ?

— *Dottori*, et comme y faisaient, à rester vivants ? La voiture, elle s'était tombée d'une balaise de cent mètres !

— Catarè, t'es en train de me dire qu'ils ont été victimes d'un accident ? Qui n'a pas été provoqué par un tiers ?

Il y eut une pause abasourdie de Catarella.

— Oh que non, *dottori*, ce Tiers il y est pas, passque Fazio, qui est allé *in loco*, il m'a pas parlé de ce M. Tiers.

— Catarè, qui t'a dit de m'appeler ?

— Pirsonne, *dottori*. Moi de moi-même j'eus cette idée. Peut-être qu'après, ça finissait qu'on vous aurait pas dit l'affaire, que vous après, vous vous anerviez.

— Catarè, mets-toi dans la tête que nous, on n'est pas la police de la route.

— Voilà, *dottori*, c'est justement de ça que je voulais vous demander : si un tue quéqu'un dessus une route, ça nous aregarde nous ou bien la police de la route ?

— Je vais t'expliquer ça tout à l'heure, Catarè.

Le commissaire Montalbano raccrocha, ferma les yeux, perdit cinq minutes dans une tentative pour rattraper le sommeil enfui, jura, se leva.

A sept heures, il était au bureau, d'une humeur *nìvura comu l'inca*, noire comme l'encre.

— Où il est Catarella, que je voudrais lui dire deux mots ?

— Il rentra chez lui à l'instant, répondit Galluzzo qui avait pris sa suite au standard.

Se présenta Fazio.

— Alors ? C'est quoi cette histoire de Pagnozzi et de sa femme ?

— Rien, *dottore*, ils sont morts tous les deux. A hier soir vint chez nous le fils de Pagnozzi, Giacomino, à nous dire que so' père et sa mère ne s'étaient pas pointés pour huit heures, comme il était convenu entre eux. Lui, il attendit une heure, puis les appela sur le portable. Ils répondirent pas. Il commença à s'inquiéter, à courir à droite et à gauche. Personne ne savait rien. A dix heures et demie, à une minute près, il est venu nous raconter l'histoire. Moi je lui répondis que, s'agissant de personnes adultes, nous pouvions les rechercher au bout de vingt-quatre heures et à la suite d'un signalement. Lui il me dit quelque chose et s'en alla, mauvais comme un chien.

— Qu'est-ce qu'il te dit ?

— Qu'on pouvait aller se faire enculer tous tant qu'on était.

— Mais tu n'étais pas seul à parler avec lui ?

— Oh que si. Mais lui il dit exactement comme ça : tous tant qu'on était, commissaire compris.

— C'est bon, continue.

— Vers les quatre heures de la nuit, il a téléphoné et Catarella m'a appelé. C'était lui qui les avait trouvés. Au fond d'un précipice. Mme Pagnozzi, qui conduisait, a dû perdre le contrôle du véhicule ou s'est assoupie, va savoir. La voiture a pas pris feu, mais eux ils se sont fracassés. Pendant que j'étais là, est venu aussi le *dottor* Augello.

— Et pourquoi ? Qui l'avait averti ?

— C'est Giacomino Pagnozzi qui lui a téléphoné. Il m'a semblé comprendre que le *dottor* Augello est ami de la famille.

Paix à leur âme. Ce matin-là, il était au rapport chez le Questeur, à Montelusa. Il arriva avec presque deux heures d'avance et passa le temps en cassant les pieds à Jacomuzzi de la Scientifique.

Au retour, il trouva Mimì Augello qui faisait des brègues de deux pans de long.

— Les pôvres ! Ça m'a impressionné, l'état dans lequel ils étaient ! Mme Stefania, on aurait dit qu'elle avait été écrabouillée par un camion, elle était à peine reconnaissable.

Quelque chose, dans le ton de la voix de son adjoint, fit jaillir une étincelle dans la tête du commissaire. Il s'avança avec une quasi-certitude, ça faisait trop d'années qu'il connaissait Mimì.

— Tu étais ami du mari ?

— Bè oui, de lui aussi.

— Qu'est-ce que ça veut dire, « aussi » ? De qui tu étais le plus ami ?

— Bè, de la pôvre Stefania.

— Dis-moi, par curiosité : depuis quand tu t'envoies des femmes d'un certain âge ? Ça fait un moment que Pagnozzi a passé le cap des soixante ans.

— Ah, eh bè… tu vois. Stefania était sa deuxième femme, Pagnozzi se l'était mariée après qu'il était resté veuf.

— Et comment il l'avait connue, cette Stefania ?

— Bè… avant c'était sa secrétaire.

— Ah. Quel âge elle avait ?

— Bè, moi je lui ai jamais demandé. Mais comme ça, à vue de nez, une petite trentaine.

— Mimì, mets-toi une main sur le cœur et réponds-moi sincèrement : tu as couché avec ?

— Bè… tu sais… une jeunesse si belle… J'ai essayé, mais sans espoir parce qu'elle, c'était clair qu'elle était amoureuse de Pagnozzi.

— Tu galèjes ou quoi ? A part les trente ans de différence, feu Pagnozzi, vilain comme il était, il aurait effrayé à mort un *serial killer* !

— Je parlais pas de Pagnozzi père, mais de Pagnozzi fils.

Montalbano en resta comme deux ronds de flan.

— Mais qu'est-ce que tu me racontes ?

— La vérité. Ça, la moitié de Vigàta le savait que Stefania et Giacomino, le fils du premier lit, lui aussi trentenaire, étaient amants. Pourquoi tu crois que Giacomino, ne les voyant pas retourner, a commencé à se faire du mouron ? Pas pour son père, dont il n'avait rien à foutre, mais pour sa belle-mère. Cette nuit, devant le cadavre, il s'est évanoui.

— Mais le mari, il savait l'histoire ?

— Les cocus sont les derniers à savoir.

— Giacomino vit chez le père ?

— Non, il a sa vie.

Ils changèrent de sujet.

Le lendemain matin, Mimì Augello, qui avait été absent tout l'après-midi de la veille, fut appelé par Montalbano.

— Rentre, Mimì, et ferme la porte. Mimì, tu sais bien que moi, à certaines choses, je suis pas regardant mais enfin, si tu décides de ne pas te faire voir au commissariat, au moins, avertis-moi.

— Salvo, mais de Fazio à Catarella, ils ont tous mon numéro de téléphone ! Un coup de fil et j'arrive.

— Mimì, t'as compris que dalle. Tu dois être à disposition et non pas venir quand on t'appelle, comme un plombier.

— Bon, d'accord, excuse-moi. Le fait est que j'étais dehors avec l'expert de l'Assurance.

— Quelle assurance, Mimì ?

— Ah oui… je sais pas où j'avais la tête… Celle des Pagnozzi.

— Mais de quoi je me mêle ? Y a quelque chose qui cloche, selon toi ?

— Oui, répondit Augello, d'un ton décidé.

— Alors, parle.

— Comme tu sais, la voiture, une BMW, n'a pas brûlé, bien que le réservoir, au moment de l'accident, ait été presque plein. Bien, dans la boîte à gants, il y avait le reçu d'une révision générale du véhicule, daté du jour même de l'accident. Nous sommes allés chez le mécanicien, Parrinello, tu le connais, celui qui a son garage à côté de la centrale électrique. Il a dit que la voiture, elle lui avait été amenée par Giacomino…

— Il n'a pas une voiture à lui ?

— Il l'a, mais quand il doit sortir de Vigàta, il se fait prêter sa voiture par son père. Il avait dû aller à Palerme et il se l'est prise. Au retour, il dit avoir entendu un bruit bizarre dans le moteur. Parrinello nous a pourtant dit que la voiture était pour l'essentiel en bon état, à part des petites choses, des conneries. Il l'a remise à Stefania vers six heures. Elle était avec son mari.

— On sait où ils devaient aller ?

— Certes. C'est Giacomino qui nous l'a dit. Ils avaient un rendez-vous dans une maison de campagne à eux, à quelques kilomètres de Vigàta, avec un contremaître. Qui a confirmé, mais lui s'en est allé au bout d'une heure environ. De ce moment jusqu'à ce qu'on les retrouve, on ne sait plus rien d'eux. Mais on peut supposer…

— Qu'est-ce qu'ils disent, à l'Assurance ?

— Ils ne s'expliquent pas l'accident. La BMW doit avoir continué tout droit au lieu de prendre un virage, elle a continué sur une centaine de mètres et est tombée dans le précipice. Il n'y a pas de marques de freinage. Comme jusqu'à avant-hier, il a plu, on voit clairement les traces des roues qui ont continué tout droit jusqu'à la falaise.

— Peut-être que Mme Pagnozzi a eu un malaise.

— Tu veux rigoler ? C'était une obsédée de gym. Elle a même fait un cours de survie à Nairobi, l'an dernier.

— Que dit le Dr Pasquano ?

— Il a fait les autopsies. Lui, étant donné son âge, il allait bien. Elle, a dit Pasquano, c'était une machine parfaite. Ils n'avaient ni mangé, ni bu. Ils avaient fait l'amour.

— Comment ?

— C'est Pasquano qui le dit. Peut-être que l'envie leur en est venue après le départ du contremaître. Ils avaient une maison installée à leur disposition. Ils ont éteint le portable. Puis, quand il faisait déjà nuit, peut-être qu'ils s'étaient endormis, ils ont pris la route du retour. Et il est arrivé ce qui est arrivé. Ça peut être une explication, la plus plausible.

— Eh oui, répondit le commissaire, pensif.

— En outre, Pasquano, continua Augello, m'a rapporté un détail qui pourrait expliquer le déroulement de l'accident. La pauvre Stefania avait les ongles des doigts cassés. Certainement dans la tentative d'ouvrir la portière. Peut-être qu'elle a eu un léger malaise, qu'elle s'est reprise, a vu ce qui était en train d'arriver et a essayé d'ouvrir la portière, mais il était trop tard.

— Bof, fit Montalbano.

— Pourquoi tu fais « bof » ?

— Parce qu'une jeunesse comme tu dis, athlétique, cours de survie et toute la lyre, elle a des réflexes rapides. Si elle se reprend d'un léger malaise et comprend que l'auto est en train de tomber dans un précipice, elle essaie pas d'ouvrir la portière, mais elle freine, tout simplement. Et les freins, à ce que tu m'as dit, ils sont bons.

— Bof, fit à son tour Mimì Augello.

A l'heure de manger, le commissaire, au lieu de prendre la route qui conduisait à Marinella (« demin, je vous fais atrouver les sardines *a beccafico* », lui avait laissé écrit la vieille Adelina, la bonne) et de s'empiffrer de sardines, prit celle qui montait à Montelusa, déviant à un certain point par la campagne San Giovanni, où était arrivé l'accident. Au deuxième virage, comme avait fait la BMW des Pagnozzi, il continua tout droit et freina au bord du précipice. Il y avait de nombreuses traces de pneus et des chenilles d'une grue mobile spéciale qui avait récupéré la carcasse de la BMW. Sur le bord de la falaise, Montalbano resta un long moment, à fumer et à penser. Puis il décida qu'il avait mérité les sardines *a beccafico*, monta en voiture, tourna, se dirigea vers Marinella. Le plat s'avéra de première qualité : à Montalbano, après manger, vint l'envie de ronronner comme les chats.

Au lieu de quoi, il attrapa le téléphone pour appeler son amie Ingrid Sjostrom, épouse Cardamone, Suédoise, qui dans son pays avait fait le mécanicien automobile.

— Haloooo ? Halooo ? Qui êtle à l'appaleil ?

Chez les Cardamone, on avait la spécialité des bonnes exotiques, celle-là devait être aborigène d'Australie.

— Montalbano je suis. Mme Ingrid est là ?

— Ui.

Il entendit les pas d'Ingrid qui approchaient de l'appareil.

— Salvo ! Génial ! Ça fait un siècle que…

— On peut se voir ce soir ?

— Bien sûr. J'avais un truc, mais je m'en fous. A quelle heure ?

— A neuf heures, comme d'habitude, au bar de Marinella.

En version automnale, pantalon et veste très élégantes, Ingrid était à tomber par terre. Ils prirent un apéritif tandis que Montalbano entendait, comme s'ils les avaient prononcés à haute voix, les souhaits d'impuissance soudaine que les mâles présents mentalement lui lançaient.

— Ecoute, Ingrid, tu as du temps ?

— Tout le temps que tu veux.

— Bien, faisons comme ça. Finissons l'apéritif et allons manger dans une trattoria vers Montereale, qu'on m'a dit qu'ils ont une cuisine plutôt bonne. Puis passons chez moi, il faut attendre qu'il fasse nuit...

Ingrid sourit malicieusement.

— Salvo, pas besoin qu'il fasse vraiment nuit. Suffit de bien fermer les volets et c'est comme s'il faisait nuit, tu le sais pas ?

Ingrid le provoquait toujours et lui, toujours, devait faire semblant de rien. Quand il était minot et allait aux *cosedidì*, aux « choses de Dieu », c'est-à-dire au catéchisme, le curé lui avait expliqué que les péchés, pour être péchés, il n'était pas besoin qu'ils aient été faits, il suffisait de les penser. S'il en était ainsi, le commissaire, en ce qui concernait les actes et les œuvres, comme on dit, se trouvait au zéro absolu : il pouvait se présenter au seigneur pur comme un angelot. Mais quant aux pinsées, là, ça changeait radicalement : il serait jeté au plus profond de l'enfer. Il ne dépendait pas d'Ingrid que la chose ne finisse pas comme il est juste que les choses finissent entre un homme et une femme : ça dépendait de lui, qui ne réussissait pas à trahir Livia. Et la Suédoise, avec une féminine malice, ne le lâchait pas.

A la trattoria, il n'y avait personne, Montalbano put donc exposer à Ingrid ce qu'il avait en tête sans jouer au conspirateur. Chez le commissaire, Ingrid se changea de vêtements, le pantalon que Montalbano lui donna lui arrivait au milieu des mollets. Ils reprirent la voiture, se dirigèrent vers la campagne San Giovanni et ici Ingrid fit ce que le commissaire lui avait dit de faire : elle y réussit du premier coup. Ils rentrèrent à Marinella, Ingrid se déshabilla, se prit une douche, refusa qu'il la raccompagne au bar où ils s'étaient retrouvés et où elle avait laissé sa voiture. Elle sortit de la maison en chantonnant. Sainte mère, qué nana ! Elle ne lui avait pas posé l'ombre d'une question sur les raisons pour lesquelles il l'avait soumise à cette épreuve risquée, rin, elle était faite ainsi : si un ami, un véritable ami, lui demandait un service, elle le rendait et voilà. Si à la place de la Suédoise, il y avait eu Livia, il en aurait eu le gosier desséché à force de répondre et d'expliquer.

Il s'endormit d'un coup, presque sans avoir le temps de fermer les yeux.

Bien que la matinée fût un peu changeante et le soleil de temps à autre obscurci par des nuages, l'humeur de Montalbano parut bonne à ses hommes, au commissariat.

— Envoyez-moi le *dottor* Augello et ne me passez pas d'appels.

Mimì arriva en courant.

— Assois-toi, Mimì, et écoute-moi. Si, par hasard, Pagnozzi mourait tout seul comme un grand, l'héritage, à qui c'est qu'il revenait ?

— A la femme. Et quelques miettes au fils, ils s'entendaient pas bien.

— C'est un gros héritage ?

— On cause en milliards.

— Et la femme étant morte aussi, à qui il va ?

— A Giacomino, le fils. S'il n'existe pas de testament contraire.

— Et s'il existe ?

— Jusqu'à présent, on n'en a pas entendu parler.

— Et je ne crois pas qu'on en entende jamais parler.

— Mais pourquoi tu me poses ces questions ?

— Parce que je me suis fait une idée, en un certain sens vérifiée par les faits. Moi je te dis ce que je pense, pour le reste, tu t'en occupes.

— Bien sûr, parle.

— Stefania, bon, disons Mme Stefania, va avec son mari retirer la voiture révisée par Parrinello. Puis ils vont à leur maison de campagne parler avec le contremaître. Quand il s'en va, madame a quelques envies, ils vont dans la chambre à coucher. Pagnozzi doit être heureux, je ne crois pas que les rapports entre eux soient fréquents, étant donné que, comme tu me l'as dit, elle est amoureuse du beau-fils. Et tu sais pourquoi elle l'a fait, Mimì ?

— Dis-le-moi.

— Parce qu'elle avait besoin de l'obscurité. Ils se rhabillent et repartent vers Vigàta. La route est déserte. Avant le deuxième virage, elle met son mari hors de combat, un coup à la tête avec quelque chose, si elle le tue pas, elle l'assomme. Elle poursuit lentement jusqu'au précipice, pas besoin de foncer, c'est nous qui nous sommes imaginé une voiture allant à toute allure. Quand enfin la BMW est suspendue dans le vide, elle tente d'ouvrir la portière et de se jeter au-dehors.

— Mais elle serait morte elle aussi !

— Non, Mimì, c'est là que vous vous trompez tous. C'est vrai qu'il y a le précipice, mais il vient après une espèce de surplomb de cinq-six mètres de longueur et de deux mètres de profondeur. Elle avait calculé de s'arrêter là dans la chute pendant que la voiture et son mari poursuivaient leur route dans le vide. Mais la portière resta fermée, bien qu'elle se soit cassé les ongles pour l'ouvrir.

— Mais qu'est-ce que tu me racontes ?

— C'est ce détail apparu à l'autopsie qui m'a rendu soupçonneux. Pourquoi n'a-t-elle pas freiné ? Pourquoi a-t-elle seulement cherché à se jeter dehors ?

— Mais tu es sûr de ce que tu dis ?

— J'ai fait faire un essai à Ingrid, hier soir.

— Mais tu es fou ! Tu as mis en danger la vie de cette fille ! Vous êtes deux inconscients, elle et toi !

— Allons donc ! Hier, après déjeuner, je suis allé acheter quatre piquets de fer, vingt mètres de corde et avant Ingrid, avant l'expérience, nous avons clos les limites extérieures de la terrasse. Tu sais quoi ? Ingrid est restée à terre bien en deçà de l'enclos. Mme Stefania, avec toute sa gym et son école de survie, elle aurait sûrement mieux fait. Et si après, elle se présentait à nous avec des hématomes et des excoriations, autant de gagné : les blessures auraient validé son récit. A savoir qu'elle avait eu un malaise, s'était aperçue trop tard de ce qui se passait, avait ouvert la portière et voilà. Et elle se serait mise à pleurer sur la mort malheureuse de son pauvre *marituzzo*, son pauvre petit mari. Pour ensuite aller jouir de l'héritage avec l'homme de son cœur, le très cher Giacomino.

Mimì Augello garda le silence un moment, la coucourde tournait à plein régime, puis il se décida à parler.

— Donc, selon toi, il s'est agi d'un meurtre prémédité, non d'un malaise momentané ou de quelque ennui mécanique.

— Exactement.

— Mais si la voiture était en parfaite condition, pourquoi alors la portière ne s'est-elle pas ouverte ?

Montalbano ne répondit pas, il continuait à fixer son adjoint.

— Maintenant, il va y arriver, pinsa-t-il, passque lui aussi, il a une vraie tête de flic.

Mimì Augello commença à raisonner à haute voix.

— A saboter la portière, ça peut pas avoir été Parrinello, le mécanicien.

— Dis-moi pourquoi.

— Parce qu'arrivés à la maison, ils sont descendus de la voiture, non ? Si la portière ne fonctionnait pas bien, tu parles que Stefania se serait abstenue de mettre sa vie en danger, elle aurait tout renvoyé à une meilleure occasion. Et ça peut pas être le contremaître.

— Donc, toi, Mimì, t'es en train de me dire qu'il y a eu un plan ajouté au plan. Quelqu'un, qui était au courant de la façon dont Stefania allait liquider le mari, est intervenu pour saboter la portière. Fais un tout petit effort, Mimì.

— Seigneur ! s'exclama soudain Augello.

— Exactement, Mimì. Le bien-aimé Giacomino n'est pas resté chez lui à attendre l'arrivée de so' père et de sa marâtre-maîtresse. Quand la femme, suivant le scénario établi, va au lit baiser avec le mari, Giacomino, planqué dans les environs, sort de sa cachette et s'arrange pour que la portière, une fois fermée, ne puisse plus se rouvrir. Tu as dit qu'on cause en milliards. Pourquoi les partager avec une femme qui à n'importe quel moment sera en mesure de le faire chanter ? Stefania, quand elle monte en voiture pour aller tuer son mari, ne sait pas qu'en fermant la portière, elle a aussi refermé sa tombe. Et maintenant, Mimì, démerde-moi ça.

Au terme de trois jours d'interrogatoire, Giacomino Pagnozzi avoua le meurtre.

Comme faisait Alice

Le pire qui pouvait arriver (et qui, inexorablement arrivait à échéance plus ou moins fixe) à Salvo Montalbano, en sa qualité de dirigeant du commissariat de Vigàta, c'était de devoir signer des papiers. Les papiers haïs consistaient en rapports, informations, relations, communications, actes bureaucratiques d'abord simplement demandés et puis de manière toujours plus menaçante sollicités par les « bureaux compétents ». A Montalbano venait une curieuse paralysie de la main droite qui l'empêchait non seulement de rédiger ces papiers (à cela pourvoyait Mimì Augello) mais carrément d'y mettre sa signature.

— Au moins des initiales ! suppliait Fazio.

Rin, la main refusait de fonctionner.

Alors les papiers s'accumulaient sur la table de Fazio, croissaient en hauteur jour après jour et puis il arrivait que les montagnettes de feuilles devenaient tellement hautes qu'au moindre courant d'air, elles s'inclinaient et glissaient à terre. Les dossiers, en s'ouvrant, faisaient un moment un très bel effet de chute de neige. A ce point, Fazio, avec une patience d'ange, ramassait les feuilles, les mettait en ordre, en formait une pile qu'il se chargeait sur les bras, ouvrait du pied à la volée la porte du bureau de son supérieur et déposait le fardeau sur la table sans dire mot.

Montalbano alors hurlait qu'il voulait que personne ne le dérange et attaquait la corvée en jurant.

Ce matin-là, Mimì Augello, en allant vers le bureau de Montalbano, ne rencontra personne qui l'avertît (« *dottore*, c'est pas le moment, vous voyez que le commissaire il est en train de signer ») et donc il entra dans la pièce en espérant que Salvo pourrait le consoler d'une certaine déception. A peine entré, il eut l'impression que le bureau était vide et fit mine de se retirer. Mais il fut bloqué par la voix enragée du commissaire qui était complètement caché derrière des papiers.

— Qui c'est ?

— Mimì, je suis. Mais je ne voudrais pas te déranger, je reviens plus tard.

— Mimì, toi, un dérangement, tu l'es toujours. Maintenant ou plus tard, ça ne fait pas de différence. Prends un siège et assieds-toi.

Il s'assit.

— Beh ? fit au bout d'une dizaine de minutes le commissaire.

— Ecoute, dit Augello, à moi, ça me va pas de te parler sans te voir. Laissons tomber.

Et il voulut se lever. Montalbano dut entendre le

bruit de la chaise remuée et aussitôt sa voix devint encore plus enragée.

— Je t'ordonnai de t'asseoir.

Il ne voulait pas le laisser échapper, Mimì : il lui serait utile pour se passer les nerfs pendant qu'il signait et que sa main s'endolorissait toujours plus.

— Alors, dis-moi ce qui se passe.

Trop tard, désormais, pour faire machine arrière. Mimì s'éclaircit la voix.

— On n'a pas réussi à choper Tarantino.

— Cette fois non plus ?

— Cette fois non plus.

Ce fut comme si la fenêtre s'était d'un coup ouverte et qu'un puissant coup de vent eût fait voler les papiers. Mais la fenêtre était fermée et ce qui jetait les feuilles en l'air, c'était le commissaire, maintenant enfin visible aux yeux effrayés de Mimì.

— Et merde ! Et merde de merde !

Montalbano paraissait fou de rage, il se leva, commença à arpenter la pièce, se mit une cigarette en bouche. Mimì lui tendit des allumettes cirées, Montalbano s'alluma la cigarette, jeta à terre l'allumette encore allumée et quelques feuilles prirent immédiatement feu, comme si elles n'avaient attendu que ça de toute leur vie. C'était des papiers pelures, très légers. Mimì et Montalbano se lancèrent dans une espèce de danse du scalp pour tenter d'éteindre le feu avec leurs pieds puis, vu que la partie était perdue, Mimì attrapa une bouteille d'eau minérale qui se trouvait sur la table de son supérieur et la vida sur les flammes. Le début d'incendie étouffé, ils se rendirent compte que ce n'était pas la peine de rester dans le bureau devenu impraticable.

— Allons nous prendre un café, proposa le commissaire, auquel la rage était momentanément passée. Mais avant, avertis Fazio des dégâts.

La pause-café dura une demi-heure. Quand ils revinrent, tout était rangé, il ne restait qu'une vague odeur de brûlé. Les papiers avaient disparu.

— Fazio !

— A vos ordres, *dottore*.

— Où sont passés les papiers ?

— Je suis en train de les mettre en ordre dans mon bureau. Et puis ils sont trempés. Je les fais sécher. Pour aujourd'hui, on ne parle plus de signer, résignez-vous.

Visiblement rasséréné, le commissaire adressa un sourire à Mimì.

— Alors, mon ami, comment t'as fait pour te faire baiser encore une fois ?

A s'assombrir, ce fut cette fois Augello.

— Cet homme est un démon.

Giovanni Tarantino, depuis deux ou trois ans recherché pour escroquerie, chèques sans provision et fausses lettres de change, était un quadragénaire à l'air distingué, aux manières ouvertes et cordiales qui lui attiraient confiance et sympathie. Au point que la veuve Percolla, escroquée par lui de plus de deux cents millions, ne s'exprima dans sa déposition contre Tarantino qu'avec une exclamation désolée :

— Mais il était si distingué !

La capture de Tarantino, qui s'était mis en cavale,

était devenue avec le temps une espèce de point d'honneur pour Mimì Augello. A huit reprises au moins, en deux ans, il avait fait irruption chez lui, sûr de le surprendre et chaque fois de l'escroc, pas même l'*ùmmira*, l'ombre.

— Mais pourquoi tu t'es fourré dans la tête que Tarantino va trouver sa femme ?

Mimì répondit par une autre question.

— Mais tu l'as déjà vue, Mme Tarantino ? Giulia, elle s'appelle.

— Je la connais pas, à Giulia Tarantino. Comme elle est ?

— Belle, déclara d'un ton décidé Mimì qui, en matière de femmes, était connaisseur. Et pas seulement belle. Elle appartient à la catégorie que, par chez nous, on appelait autrefois *fimmine di letto* : femmes de lit. Elle a une manière de te mater, une manière de te donner la main, une manière de croiser les jambes, que le sang te bout. Elle te fait comprendre que dessus ou dessous un drap, elle pourrait prendre feu comme le papier de tout à l'heure.

— C'est pour ça que t'y vas souvent, à faire la perquisition ?

— Tu te trompes, Salvo. Et tu sais que je dis la vérité. J'en suis venu à la conclusion que cette femme, elle prend son pied à voir que j'arrive pas à choper son mari.

— Beh, c'est logique, non ?

— En partie oui. Mais à sa manière de me mater quand je vais m'en aller, j'ai compris qu'elle prend son pied aussi parce qu'en tant qu'homme, en tant que Mimì Augello et non pas en tant que flic, j'ai été battu.

— Tu es en train de faire de tout ça une affaire personnelle ?

— Malheureusement oui.

— Aïe !

— Qu'est-ce que ça veut dire, « aïe » ?

— Ça veut dire que c'est le meilleur moyen de faire des conneries, dans notre métier. Quel âge a cette Giulia ?

— Elle doit avoir passé de peu la trentaine.

— Mais tu ne m'as pas encore dit pourquoi tu es si sûr qu'il va de temps en temps trouver sa femme.

— Je pensais te l'avoir fait comprendre. Celle-là, c'est pas le genre de femme qui peut rester longtemps sans un homme. Et attention, Salvo, qu'elle fait pas du tout la coquette. Ses voisins disent qu'elle sort très rarement, qu'elle ne reçoit ni parents ni copines. Elle se fait livrer tout ce dont elle a besoin. Ah, je dois préciser : chaque dimanche matin, elle va à la messe de dix heures.

— Demain, c'est dimanche, non ? Faisons comme ça. Voyons-nous au café Castiglione vers dix heures moins le quart et toi, quand elle passe, tu me la montres. Tu as réveillé ma curiosité.

Elle était plus que belle. Montalbano la fixa attentivement pendant qu'elle marchait vers l'église, bien vêtue, avec sobriété, rien d'extravagant, elle avançait tête haute en répondant d'un signe du menton à quelques rares saluts. Pas de gestes affectés, tout en elle était spontané. Elle dut reconnaître Mimì Augello qui s'était figé à côté de Montalbano. Elle dévia sa trajectoire, du centre de la rue vers le trottoir où se tenaient les deux hommes et, arrivée tout près, répondit au salut embarrassé de Mimì avec l'habituel signe du menton. Mais cette fois un très léger sourire se dessina sur ses lèvres. Sans l'ombre d'un doute, un sourire ironique, moqueur. Elle passa outre.

— Tu as vu ? demanda Mimì, blême de rage.

— J'ai vu, dit le commissaire. J'en ai assez vu pour te dire de te retirer. A partir de maintenant, tu ne t'occupes plus de ce dossier.

— Et pourquoi ?

— Parce que celle-là, désormais, elle te tient, Mimì. Elle te fait monter le sang à la tête et toi tu ne réussis plus à voir les choses comme elles sont. Maintenant rentrons au bureau et tu me fais le compte rendu de tes visites chez les Tarantino. Et tu me donnes aussi l'adresse.

Au numéro 35 de la via Giovanni Verga, une rue du côté de la campagne, correspondait une maisonnette à un étage, restaurée de frais. Derrière le bâtiment, il y avait le passage Capuana, si étroit que les voitures ne pouvaient y entrer. La plaque sur l'interphone annonçait : « G. Tarantino ». Montalbano sonna. Trois minutes passèrent et personne ne répondit. Le commissaire sonna de nouveau avec insistance et cette fois une voix de femme répondit.

— Qui est-ce ?

— Le commissaire Montalbano je suis.

Une brève pause, puis :

— Commissaire, c'est dimanche, il est dix heures du soir et à cette heure, on n'importune pas les gens. Vous avez un mandat ?

— De quoi ?

— De perquisition.

— Mais je n'ai aucune envie de perquisitionner ! Je veux seulement bavarder un peu avec vous.

— Vous êtes le monsieur qui ce matin était avec le *dottor* Augello ?

Observatrice, Mme Giulia Tarantino.

— Oui, madame.

— Commissaire, excusez-moi, mais je prenais une douche. Vous pouvez attendre cinq minutes ? Je me dépêche.

— Je vous en prie, prenez votre temps, madame.

Moins de cinq minutes plus tard, la serrure de la porte se déclencha. Le commissaire entra et se trouva à l'intérieur d'un grand vestibule, deux portes à gauche, une à droite et au milieu un grand escalier qui conduisait à l'étage supérieur.

— Entrez, je vous en prie.

Le commissaire s'exécuta en la dévisageant : elle était sérieuse, réservée et nullement inquiète.

— Il y en a pour longtemps ? demanda-t-elle.

— Cela dépend de vous, dit Montalbano d'une voix dure.

— Mieux vaut s'asseoir au salon, décida Mme Tarantino.

Elle lui tourna le dos et commença à monter l'escalier, suivie du commissaire. Ils débouchèrent dans une salle très vaste au mobilier moderne, mais d'un certain goût. La femme indiqua le divan au commissaire, elle s'assit sur un fauteuil à côté duquel se trouvait une table basse portant un imposant téléphone des années 20, manifestement une copie exécutée à Hong Kong ou dans un endroit de ce genre. Giulia Tarantino souleva le combiné de sa fourche dorée, le posa sur la table.

— Comme ça, personne ne nous dérange.

— Merci pour votre courtoisie, dit Montalbano.

Il resta une minute sans parler sous l'œil interrogateur, mais toujours aussi beau, de la femme, puis il se résolut à attaquer :

— Il y a un grand silence, ici.

Giulia parut un instant un peu éberluée par l'observation.

— Effectivement, c'est une rue où il ne passe pas de voitures.

Le silence de Montalbano dura une autre minute entière.

— Cette maison est à vous ?

— Oui, mon mari l'acheta voilà trois ans.

— Vous avez d'autres propriétés ?

— Non.

— Depuis quand est-ce que vous ne voyez plus votre mari ?

— Depuis plus de deux ans, depuis qu'il est en fuite.

— Vous n'êtes pas inquiète pour sa santé ?

— Pourquoi devrais-je l'être ?

— Bah, à rester si longtemps sans nouvelles…

— Commissaire, moi j'ai dit que je ne le vois pas

depuis deux ans, pas que je n'ai pas de nouvelles. Il me téléphone de temps en temps. Et vous devriez le savoir, parce que mon téléphone est sur écoute. Je l'ai compris, n'est-ce pas ?

La pause, cette fois, dura deux minutes.

— Que c'est bizarre ! lança, tout à trac, le commissaire.

— Qu'est-ce qui est bizarre ? demanda la femme immédiatement repliée sur la défensive.

— La disposition de votre maison.

— Et qu'est-ce qu'elle a d'étrange ?

— Par exemple, que le salon soit installé ici, en haut.

— Où est-ce qu'il devrait être, selon vous ?

— Au rez-de-chaussée. Où en fait, il y a sûrement votre chambre à coucher. C'est ça ?

— Oui, monsieur, c'est comme ça. Mais expliquez-moi une chose : c'est interdit ?

— Je n'ai pas dit que c'était interdit, j'ai seulement fait un commentaire.

Autre silence.

— Bè, dit Montalbano en se levant, je ne vous dérange pas plus.

Mme Giulia aussi se leva, évidemment ahurie par le comportement du flic. Avant de se diriger vers l'escalier, Montalbano la vit remettre en place le combiné. Comme ils arrivaient au fond, alors que la femme s'apprêtait à lui ouvrir la porte d'entrée, le commissaire dit doucement :

— J'ai besoin d'aller aux toilettes.

Mme Giulia se tourna pour le regarder, en souriant cette fois.

— Commissaire, ça vous presse tant que ça ou vous voulez jouer à chaud chaud froid froid ? De toute façon, venez.

Elle ouvrit la porte de droite, le faisant entrer dans une chambre à coucher spacieuse, elle aussi avec un mobilier d'un certain goût. Sur l'une des tables de nuit, il y avait un livre et un téléphone normal : ce devait être le côté où elle dormait. Elle montra au commissaire une porte qui s'ouvrait dans la cloison de gauche, à côté d'un grand miroir.

— La salle de bains est là, excusez le désordre.

Montalbano y entra, ferma la porte derrière lui. La salle de bains était encore chaude de vapeur, Mme Tarantino avait vraiment pris une douche. Sur la plaque de verre au-dessus du lavabo, à côté des flacons de parfum et des boîtes de crème, il fut frappé de voir aussi un rasoir et une bombe de mousse à raser. Il fit pipi, appuya sur le bouton de la chasse d'eau, se lava les mains, ouvrit la porte.

— Madame, vous pouvez venir un instant ?

Mme Giulia entra dans la salle de bains, Montalbano lui indiqua sans parler le rasoir et la mousse à raser.

— Eh bè ? demanda Giulia.

— Ça vous paraît des affaires de femme ?

Giulia Tarantino eut un bref rire de gorge, on eût dit une palombe.

— Commissaire, ça se voit que vous n'avez jamais vécu avec une femme. Ça sert à l'épilation.

Il s'était fait tard et donc il s'en retourna directement à Marinella. Arrivé chez lui, il s'assit dans la véranda qui donnait directement sur la plage, lut d'abord le journal et ensuite quelques pages d'un livre qui lui plaisait beaucoup, les *Récits de Pétersbourg* de Gogol. Avant d'aller se coucher, il téléphona à Livia. Ils en étaient à se dire au revoir quand une question lui vint à l'esprit :

— Toi, pour t'épiler, tu utilises un rasoir et de la mousse à raser ?

— Quelle question, Salvo ! Tu m'as vu m'épiler cent fois !

— Non, je voulais juste savoir…

— Et moi, je te le dis pas !

— Pourquoi ?

— Parce qu'il n'est pas possible que tu vives depuis des années dans l'intimité d'une femme et que tu ne saches pas comment elle s'épile !

Il raccrocha, fou de rage, appela Mimì Augello.

— Mimì, comment une femme s'épile ?

— Il t'est venu des fantaisies érotiques ?

— Allez, fais pas chier.

— Ben, elles utilisent de la crème, de la cire, des bandes…

— Rasoir et mousse à raser ?

— Rasoir, oui, mousse peut-être. Mais moi, je ne l'ai jamais vu utiliser. Normalement, je ne fréquente pas les femmes à barbe.

A bien y réfléchir, Livia non plus n'en utilisait pas. Mais bon, était-ce si important ?

Le lendemain matin, à peine arrivé au bureau, il appela Fazio.

— Tu vois comment elle est, la maison de Giovanni Tarantino ?

— Bien sûr, j'y suis allé avec le *dottor* Augello.

— Elle est au numéro 35 de la via Giovanni Verga et n'a pas de porte arrière. Exact ? L'arrière de la maison donne sur le passage Capuana qui est très étroit. Tu le sais comment elle s'appelle, la rue d'après, la parallèle à la via Verga et au passage Capuana ?

— Oh que si. C'est un autre passage étroit. Il s'appelle De Roberto.

Il aurait pu deviner.

— Ecoute, toi, dès que tu es libre, tu te fais tout le passage De Roberto. Et tu m'amènes une liste détaillée de toutes les portes.

— Je n'ai pas compris.

— Tu me dis qui est au numéro 1, au numéro 2 et ainsi de suite. Mais essaie de pas te faire repérer, ne refais pas plusieurs fois le passage. Pour ce genre de choses, tu es très fort.

— Pourquoi, pour les autres non ?

Fazio sorti, il appela Augello.

— Tu sais quoi, Mimì ? A hier soir, je suis allé trouver ton amie Giulia Tarantino.

— Elle a réussi à se foutre de ta gueule, à toi aussi ?

— Non, dit Montalbano, à moi, non.

— Tu as trouvé une explication sur comment il fait le mari, à rentrer dans la maison ? Il n'y a pas d'autre entrée que la porte du devant. Pendant des nuits et des nuits, ceux du groupe d'intervention y ont perdu le sommeil. Ils ne l'ont jamais vu. Et pourtant, moi, je te parie mes roustons que lui, de temps en temps, il va à la trouver.

— Moi aussi je pense comme toi. Mais maintenant, tu dois me dire tout ce que tu sais du mari. Pas les arnaques, les chèques en bois, j'en ai rien à foutre. Je veux savoir ses manies, ses tics, ses habitudes, comment il se comportait quand il était au pays.

— La première chose, c'est qu'il est très jaloux. Moi, je suis pirsuadé que quand je vais perquisitionner chez lui, il doit souffrir comme une bête, à s'imaginer que sa femme approfite de l'occasion pour lui mettre les cornes. Ensuite, il y a que, étant malgré l'apparence un homme violent et étant supporteur de l'Inter, le dimanche soir ou quand son équipe jouait, il finissait toujours par chercher des poux à quelqu'un. La troisième chose, c'est que…

Mimì continua ainsi un moment à décrire vie, mort et miracles de Giovanni Tarantino qu'à présent, il connaissait mieux que lui-même.

Puis Montalbano voulut savoir dans le détail comment avait été perquisitionnée la maison de Tarantino.

— Comme d'habitude, dit Mimì. Moi et ceux du groupe d'intervention, étant donné qu'on devait trouver un homme, on a regardé partout où un homme peut se planquer : soupente, dessous d'escalier, les recoins comme ça. Nous avons même cherché s'il y avait pas un genre de trappe dans le parquet. En frappant contre le mur, on n'entend pas résonner le vide.

— Vous avez essayé de regarder dans le miroir ?

— Mais la glace est fixée au mur par des vis !

— Je n'ai pas demandé si vous avez regardé derrière le miroir, mais dedans. On fait comme ça : on ouvre la porte d'entrée et on la regarde reflétée dans le miroir.

— Mais t'es devenu dingue ?

— Ou alors, on fait comme Alice : on s'imagine que le verre est une espèce de gaze.

— Sérieusement, Salvo, tu te sens bien ? Qui est cette Alice ?

— Tu n'as jamais lu Caroll ?

— Et qui est-ce ?

— Laisse tomber, Mimì. Ecoute : toi, demain matin, avec une excuse que tu t'inventes, tu vas trouver Mme Tarantino. Tu dois te faire recevoir au salon et tu dois me dire si elle fait ou non un certain geste.

— Lequel ?

Montalbano le lui dit.

Ayant reçu le rapport de Fazio le mercredi, le commissaire lui laissa jusqu'à la fin de la journée du lendemain pour avoir d'autres détails sur les bâtiments du passage De Roberto. Le jeudi soir, avant d'aller trouver Mme Tarantino, Montalbano se rendit à la pharmacie Bevilacqua dont c'était le tour de garde. Il y avait un virus grippal qui traînait et la pharmacie était pleine de monde, hommes et femmes.

Une des deux employées remarqua le commissaire et lui demanda à voix haute :

— Que désirez-vous, *dottore* ?

— Après, après, dit Montalbano.

En entendant la voix du commissaire, le pharmacien Bevilacqua leva les yeux, le fixa, le vit embarrassé. Quand il en eut terminé avec son client, il s'approcha d'une étagère, prit une boîte et, avec un petit air conspirateur, la lui glissa dans la main.

— Qu'est-ce que vous m'avez donné ? demanda Montalbano, étonné.

— Des préservatifs, dit l'autre à voix basse. C'est ce que vous vouliez, non ?

— Non, dit Montalbano en lui rendant la boîte. Je voudrais la pilule.

Le pharmacien regarda autour de lui, sa voix descendit à un souffle :

— Viagra ?

— Non, dit Montalbano qui commençait à avoir les nerfs. Celle qu'utilisent les femmes. La plus utilisée.

Dans la rue, il ouvrit le paquet que lui avait donné le pharmacien, jeta les pilules dans une poubelle et ne garda que le feuillet du mode d'emploi.

Mis à part le fait que Mme Tarantino ne venait pas de sortir à l'instant de la douche, tout se déroula précisément comme le dimanche précédent. Le commissaire prit place sur le divan, la dame sur la chaise, le combiné fut décroché de sa fourche.

— Qu'y a-t-il, cette fois ? demanda, avec une pointe de résignation, la femme.

— Avant tout, je voulais vous aviser que j'ai retiré

le dossier de votre mari à mon adjoint, le *dottor* Augello, qui est venu l'autre matin vous trouver pour la dernière fois et que vous connaissez très bien.

Il avait souligné le « très » et Mme Tarantino s'étonna.

— Je ne comprends pas...

— Vous voyez, quand les rapports entre l'enquêteur et l'objet de l'enquête deviennent, comme dans votre cas, un peu trop étroits, il vaut mieux... En somme, à partir d'aujourd'hui, c'est moi qui m'occuperai en personne de votre mari.

— Pour moi...

— ... l'un ou l'autre, c'est pareil ? Eh non, chère amie, vous vous trompez complètement. Moi je suis mieux, beaucoup mieux.

Il avait réussi à donner à sa dernière phrase un sous-entendu lourdement obscène. Il ne sut s'il devait se féliciter ou se cracher au visage.

Giulia Tarantino avait un peu pâli.

— Commissaire, je...

— Laisse-moi parler, Giulia. Dimanche dernier, quand nous sommes allés d'abord dans la chambre à coucher là, en dessous et ensuite dans la salle de bains...

Mme Tarantino blêmit encore plus, leva une main comme pour arrêter les propos du commissaire mais Montalbano continua.

— ... j'ai trouvé par terre cette feuille. Securigen, c'est écrit dessus, pilules contraceptives. Maintenant, si toi tu ne vois pas ton mari depuis deux ans, à quoi elles te servent ? Je puis faire des suppositions. Mon adjoint…

— Je vous en prie ! cria Giulia Tarantino.

Et elle fit le geste qu'espérait le commissaire : elle prit le combiné et raccrocha.

— Vous savez quoi ? dit Montalbano, retournant au vouvoiement. Je l'ai compris tout de suite que c'était un faux téléphone. Celui que vous avez sur la table de nuit, il est vrai, en revanche. Celui-ci sert à faire entendre à votre mari tout ce qui se passe dans cette pièce. J'ai une ouïe très fine : quand vous soulevez le combiné, on devrait entendre la tonalité. Mais votre téléphone est muet.

La femme ne dit rien, elle semblait sur le point de s'évanouir d'un instant à l'autre, mais elle résistait désespérément, tout entière tendue, comme si elle craignait un événement imprévu.

— J'ai aussi découvert, reprit le commissaire, que votre mari est propriétaire d'un petit garage passage De Roberto, à moins de dix mètres d'ici à vol d'oiseau. Il a creusé un tunnel qui très certainement débouche derrière le miroir. Là où ceux qui perquisitionnent ne regardent jamais : ils pensent qu'il n'y a jamais rien, de l'autre côté du miroir.

Comprenant qu'elle avait perdu, Giulia Tarantino reprit son air distant. Elle fixa dans les yeux le commissaire :

— Dites-moi, par curiosité, vous n'avez jamais honte de ce que vous faites ou de ce que vous ne faites pas ?

— Oui, de temps en temps, admit Montalbano.

Et à cet instant, au rez-de-chaussée, s'éleva un fracas de verre brisé et une voix furieuse qui hurlait :

— Où t'es, sale pute ?

Puis Giovanni Tarantino commença à monter les marches en courant.

— Voilà le crétin qui arrive, dit sa femme, résignée.

La révision

La première fois que Montalbano vit l'homme qui se promenait sur la plage, ce fut le matin tôt, mais la journée n'était pas proprement du genre balade sur la plage, plutôt le mieux était de se remettre au lit, se plonger dans le noir avec la couverture jusque sur la tête, fermer les yeux et bonjour chez vous. Il soufflait en fait une tramontane glacée et rageuse, le sable se glissait dans les yeux et dans la bouche, les rouleaux partaient haut sur la ligne d'horizon, ils se planquaient en s'aplatissant derrière ceux qui les précédaient, reparaissaient à pic au-dessus du bord, se lançaient, affamés, sur la plage pour se la manger. Pas à pas, la mer avait réussi à presque toucher la véranda de bois de la maison du commissaire. L'homme était tout vêtu de noir, avec une main qui se tenait le chapeau enfoncé sur la tête pour ne pas se le faire emporter par le vent, tandis que le lourd manteau lui collait au corps, s'empêtrait dans ses jambes. Il n'allait nulle part, cela se comprenait à son pas qui, malgré tous ces estrambords, se maintenait constant, régulier. Ayant dépassé d'une cinquantaine de mètres la maison du commissaire, l'homme se retourna et repartit en arrière, en se dirigeant vers Vigàta.

Il le revit d'autres fois, le matin tôt, sans manteau aussi parce que la saison avait changé, toujours vêtu de noir, toujours seul. Une fois que le temps s'était levé au point de permettre au commissaire un bon bain dans l'eau froide pas encore réchauffée par le soleil, en inversant ses brasses pour retourner sur la berge, il avait vu l'homme arrêté à la limite des eaux, qui le regardait. En continuant à nager dans cette direction, inévitablement Montalbano était destiné à sortir de l'eau en surgissant devant lui. Et la chose l'embarrassa. Il fit alors en sorte qu'insensiblement ses brassées le portent à sortir de l'eau à une dizaine de mètres de l'homme qui le regardait fixement. Quand celui-ci comprit que la rencontre face à face n'aurait pas lieu, il tourna le dos et recommença son habituelle promenade. Pendant quelques mois, l'histoire continua ainsi. Un matin l'homme ne passa pas et Montalbano en fut préoccupé. Puis il lui vint une idée. Il sortit de la véranda sur la plage et vit, distinctement, les traces de l'homme imprimées sur le sable mouillé. Visiblement, il avait fait sa promenade un peu plus tôt, alors que le commissaire était encore couché ou sous la douche.

Une nuit, il y eut du vent mais vers l'aube, il tomba, comme fatigué d'avoir fait la nuit. S'aprésentait une journée sereine, tiède, solaire quoique non encore estivale. Le vent nocturne avait nettoyé la plage, avait aplani les petits trous, le sable était bien plat, luisant.

Les traces de l'homme se détachaient, comme dessinées, mais leur parcours étonna le commissaire. Après avoir marché au bord de l'eau, l'homme s'était dirigé vers sa maison, s'était arrêté exactement sous la véranda, puis avait retourné ses pas vers le bord. Qu'avait-il en tête de faire ? Longtemps, le commissaire resta à fixer cette espèce de « V » dessiné par les empreintes, comme si de cette observation attentive, il eût été possible de remonter jusqu'à la tête de l'homme, aux pinsées qu'il y avait en dedans et qui l'avaient poussé à exécuter ce détour imprévu.

Quand il arriva au bureau, il appela Fazio.

— Tu le connais, un homme habillé en noir qui chaque matin va se faire une promenade sur la plage devant chez moi ?

— Pourquoi, il vous dérangea ?

— Fazio, il ne m'a pas du tout dérangé. Et s'il me dérangeait, tu crois pas que je serais capable de régler ça tout seul ? Je t'ai seulement demandé si tu le connais.

— Oh que non, commissaire. Je savais même pas qu'il y avait un homme habillé en noir qui vient se faire des promenades sur la plage. Vous voulez que je m'informe ?

— Laisse tomber.

Mais cette histoire continuait à surgir de temps en temps dans sa tête. Le soir, quand il revint chez lui, il était arrivé à la conclusion que ce « V » dissimulait en réalité un point d'interrogation, une question que l'homme habillé de noir s'était résolu à lui poser mais, à la dernière minute, le courage lui avait manqué. Ce fut pour cela qu'il régla le réveil sur cinq heures du matin : il voulait éviter le risque de manquer l'homme si celui-ci, par un hasard quelconque, avançait l'heure de sa promenade. Le réveil sonna, il se leva en hâte, se prépara le café et s'assit sur la véranda. Il attendit jusqu'à neuf heures, eut le temps de se lire un polar de Lucarelli et de se boire trois tasses de café. De l'homme pas l'ombre.

— Fazio !

— A vos ordres, *dottore*.

— Tu te souviens que hier, je te parlai d'un homme tout habillé de noir qui chaque matin...

— Bien sûr que je m'en souviens.

— Ce matin, il ne passa pas.

Fazio le regarda, ébahi.

— C'est grave ?

— Grave non. Mais je veux savoir qui c'est.

— Je vais essayer, dit Fazio en soupirant.

Certaines fois, le commissaire était vraiment bizarre. Pourquoi il s'était fourré dans la coucourde de s'occuper d'un qui se faisait sa promenade sur la *plaja*, tranquille comme Baptiste ? En quoi ça dérangeait M. le commissaire ?

Dans l'après-midi, Fazio frappa, demanda s'il pouvait, rentra dans le bureau de Montalbano, s'assit, tira de sa poche deux ou trois feuilles couvertes d'une écriture serrée, s'éclaircit la voix d'un léger toussicotement.

— C'est une conférence ? demanda Montalbano.

— Oh que non, *dottore*. Je vous amène les nouvelles

que vous vouliez sur cette personne qui, le matin, se met à se promener devant votre maison.

— Avant que tu commences, je veux t'avertir. Si tu te laisses prendre par ton complexe d'employé de l'état civil et que tu me donnes de ces détails dont je n'ai rien à branler, moi je me lève de cette chaise et je vais me prendre un café.

— Faisons comme ça, dit Fazio en repliant les feuilles et en les remettant dans sa poche. Je viens moi aussi à prendre le café.

Ils sortirent tous deux, irrités. Ils allèrent au bar et chacun paya son café. Ils revinrent au bureau toujours sans parler et reprirent leur position d'avant, sauf que cette fois, Fazio ne tira pas les feuilles. Montalbano comprit que c'était à lui d'attaquer, si ça se trouvait, Fazio gardait un silence offinsé jusqu'au soir.

— Comment s'appelle cette personne ?

— Attard Leonardo.

Donc, comme les Cassar, les Hamel, les Camilleri, les Buhagiar, de lointaine origine maltaise.

— Qu'est-ce qu'il fait ?

— Il faisait le juge. Maintenant il est à la retraite. C'était un juge important, un président de Cour d'Assises.

— Et qu'est-ce qu'il fait ici ?

— Bah. De naissance, il est vigatais. Il est resté au pays jusqu'à ses huit ans. Puis son père, qui était commandant de la Capitainerie du port, a été transféré. Lui, au nord, il y a grandi, il a étudié, en somme il y a fait sa carrière. Quand il est venu ici, voilà huit mois, personne ne le connaissait.

— Il avait une maison à Vigàta ? Je sais pas moi, une vieille propriété de famille ?

— Oh que non. Il se l'est achetée. C'est une maison spacieuse, de cinq grandes pièces, mais lui il y vit seul. A lui, il y a une bonne qui s'en occupe.

— Il ne s'est pas marié ?

— Si. Et il a eu un fils. Mais il est resté veuf il y a trois ans.

— Il s'est fait des amis au pays ?

— Jamais de la vie ! Personne ne le connaît. Il ne sort que tôt le matin, il se fait sa promenade et puis on ne le voit plus. Tout ce qui lui sert, des journaux au manger, ça lui est acheté par la bonne qui de son prénom s'appelle Prudenza et de son nom... Vous permettez que je regarde les feuilles ?

— Non.

— Très bien. J'ai parlé avec cette bonne. Je vous dis tout de suite que ce monsieur le juge est parti.

— Tu sais où il est allé ?

— Bien sûr. A Bolzano. Là, il a son fils. Marié et père de deux garçons. L'été, le juge le passe avec son fils.

— Et quand est-ce qu'il revient ?

— Début septembre.

— Tu sais autre chose ?

— Oh que si. Après trois jours qu'il se trouvait dans cette maison à Vigàta...

— Où est-elle ?

— La maison ? Juste à la limite entre Vigàta et Marinella. Pratiquement à un demi-kilomètre d'où vous habitez.

— Très bien, continue.

— Je disais qu'au bout de trois jours est arrivé un poids lourd.

— Avec les meubles.

— Qué meubles ! Vous savez en quoi consiste son mobilier ? Lit, table de nuit, *armùar* dans la chambre à coucher. Refrigérateur dans la cuisine où il mange. Il n'a pas la télévision. Et c'est tout.

— Et alors, le poids lourd, à quoi il lui servait ?

— A lui apporter les papiers.

— Quels papiers ?

— D'après ce que m'a dit la bonne, ce sont les copies des papiers de tous les procès que le juge a faits.

— Sainte Madone ! Mais tu le sais que pour chaque procès, ils écrivent au moins dix mille pages ?

— Justement. La bonne m'a dit qu'il n'y a pas de place, dans cette maison, qui ne soit pas bourrée de dossiers, chemises et liasses jusqu'au plafond. Elle dit que sa charge principale, à part la cuisine, est de dépoussiérer les papiers qui se remplissent continuellement de poudrasse.

— Qu'est-ce qu'il en fait de ces papiers ?

— Il se les étudie. Je me suis oublié de vous dire que dans les meubles il y a aussi une grande table et un fauteuil.

— Il se les étudie ?

— Oh que si, *dottore*. Jour et nuit.

— Et pourquoi il se les étudie ?

— A moi, vous venez à le demander ? Demandez-le à lui, quand il revient en septembre !

Le juge Leonardo Attard reparut un matin de début septembre, un matin d'une journée qui s'annonçait languide, plus que languide même, exténuée.

Le commissaire le vit se promener, toujours vêtu de noir comme un *carcarazzo*, un corbeau. Et du corbeau, il avait d'une certaine manière l'élégance, la dignité. Pendant un moment, il eut envie de courir à sa rencontre et de lui souhaiter une espèce de bienvenue. Puis il se retint, mais fut content de le revoir marcher sur le sable mouillé, plein d'assurance, d'harmonie.

Puis, un matin de fin septembre, comme le commissaire se trouvait sur la véranda à lire le journal, arriva un coup de vent soudain qui eut deux effets : l'emmêlement des pages du quotidien et l'envol simultané du chapeau du juge vers la véranda. Tandis que M. Leonardo Attard courait pour se le reprendre, Montalbano sortit, l'agrippa et le tendit au juge. La nature s'était occupée de leur faire faire connaissance. Parce qu'il était inévitable, naturel, qu'un jour ou l'autre, cette rencontre dût advenir.

— Merci. Attard, dit le juge en se présentant.

— Montalbano je suis, dit le commissaire.

Ils ne se sourirent pas, ne se serrèrent pas la main. Ils restèrent un moment à se regarder en silence. Puis, réciproquement, ils se firent une petite inclinaison comique du buste, comme les Japonais. Le commissaire retourna à la véranda, le juge recommença à se promener.

Une fois, on avait demandé à Montalbano quelle était, selon lui, la qualité principale du flic, son don essentiel. Celui de l'intuition ? La constance dans la recherche ? La capacité de mettre en rapport des faits apparemment étrangers les uns aux autres ? Le fait de savoir que, si deux et deux font toujours quatre dans l'ordre normal des choses, en revanche dans l'anormalité du crime, deux plus deux peuvent aussi faire cinq ? « L'œil clinique », avait répondu Montalbano.

Et tout le monde en avait bien ri. Mais le commissaire n'avait pas eu l'intention de faire de l'esprit. Sauf qu'il n'avait pas expliqué sa réponse, il avait préféré laisser glisser étant donné que parmi les présents, il y avait aussi deux médecins. Et le commissaire, par « œil clinique », avait voulu entendre précisément la capacité des médecins d'autrefois à se rendre compte, justement d'un coup d'œil, si un patient était malade ou pas. Sans avoir besoin, comme font aujourd'hui tant de médecins, de soumettre tel ou tel à cent examens différents avant d'établir qu'il se porte comme un charme.

Eh bien, dans le bref échange de regards qu'il avait eu avec le juge, Montalbano s'était tout de suite convaincu que cet homme avait une maladie. Pas une maladie du corps, naturellement, il s'agissait de quelque chose qui fermentait à l'intérieur, qui lui rendait la pupille trop ferme et fixe, comme perdue derrière une pinsée récurrente. A bien y réfléchir, il ne s'agissait que d'une impression, bien sûr. Mais l'autre impression, et celle-là beaucoup plus précise, fut que le juge avait été en quelque manière content de l'avoir rencontré. Il savait certainement déjà, depuis le jour même, quelques mois auparavant, où il s'était arrêté devant la

maison, en hésitant entre frapper ou reprendre la promenade, quel métier faisait Montalbano.

Une semaine après les présentations, un matin que
le commissaire se trouvait sur la véranda à prendre le
café, Leonardo Attard, arrivé à portée de la maison,
leva les yeux qu'il gardait baissés sur le sable, fixa
Montalbano, souleva le chapeau pour le saluer.

Montalbano se dressa d'un bond et, les mains en
porte-voix, lui cria :

— Vous prendrez bien un café ?

Le juge, toujours de son pas calme et mesuré, dévia
de sa route habituelle et se dirigea vers la véranda.
Montalbano entra chez lui, sortit de nouveau avec une
tasse propre. Ils se serrèrent la main, le commissaire
versa le café. Ils s'assirent sur le banc l'un à côté de
l'autre. Montalbano ne rouvrit pas la bouche.

— C'est très beau ici, dit tout à coup le juge.

Ce furent les seules paroles claires qu'il prononça.
Ayant fini de boire, il se dressa, souleva le chapeau,
murmura quelques mots que le commissaire inter-
préta comme bonne journée et merci, sortit sur la *plaja*
et reprit sa promenade.

Montalbano comprit avoir marqué un point en sa
faveur.

L'invitation à boire un café, toujours avec le même
rituel silencieux, eut lieu encore deux fois. A la troisième, le juge regarda le commissaire et parla.

— J'aimerais vous poser une question, commissaire.

Il jouait cartes sur table. Jamais Attard n'avait

demandé directement à Montalbano comment il se gagnait son pain.

— A votre disposition, monsieur le juge.

Lui aussi mettait cartes sur table.

— Je ne voudrais pas que vous vous mépreniez, toutefois.

— Ce serait difficile.

— Vous, dans votre carrière, est-ce que vous avez toujours été certain, mathématiquement certain, que les personnes que vous avez arrêtées comme coupables l'étaient réellement ?

Le commissaire s'attendait à tout, sauf à cette question. Il ouvrit la bouche et la ferma immédiatement. Ce n'était pas une question à laquelle on pouvait répondre sans y réfléchir un moment. Et surtout sous les pupilles fermes et fixes du juge. Qui telles, d'un coup, étaient devenues. Attard comprit le malaise de Montalbano.

— Je ne veux pas de réponse maintenant, au vol. Réfléchissez-y. Bonne journée et merci.

Il se dressa, souleva le chapeau, sortit sur la *plaja*, reprit sa promenade.

— Merci mon cul, pinsa Montalbano raide figé.

Le juge lui avait balancé un sacré coup dans les dents.

Dans l'après-midi du même jour, le juge appela le commissaire au téléphone.

— Veuillez m'excuser de vous déranger au bureau. Mais ma question de ce matin a été pour le moins inopportune. Je vous en demande pardon. Ce soir, si vous n'avez rien d'autre à faire, quand vous aurez fini de travailler, vous pouvez passer chez moi ? De toute façon, c'est sur votre route. Je vous explique où j'habite.

La première chose qui frappa le commissaire à l'instant où il mit le pied dans la maison du juge, ce fut l'odeur. Pas désagréable, mais pénétrante : une odeur semblable à celle de la paille longtemps exposée au soleil. Puis il comprit que c'était l'odeur du papier, du vieux papier jauni. Des centaines et des centaines de gros dossiers étaient empilés depuis le sol jusqu'au plafond, sur de robustes étagères de bois qui se trouvaient dans les pièces, le couloir, le vestibule. Ce n'était pas une maison, mais des archives à l'intérieur desquelles avait été ménagé l'espace minimum et indispensable pour qu'un homme pût y vivre.

Montalbano fut reçu dans une pièce au centre de laquelle étaient placés une grande table encombrée de papiers, un fauteuil, une chaise.

— Je dois vous répondre oui, attaqua Montalbano.

— A quoi ?

— A votre question de ce matin : les personnes que j'ai arrêtées ou fait arrêter, je suis, avec mes limites, mathématiquement certain de leur culpabilité. Même si, quelquefois, la justice ne les a pas considérées comme coupables et les a acquittées.

— Ça vous est arrivé ?

— Quelquefois, oui.

— Cela vous a tracassé ?

— En rien.

— Pourquoi ?

— Parce que j'ai trop d'expérience. Maintenant, je sais très bien qu'il existe la vérité des procès qui avance sur des rails parallèles à ceux de la vérité réelle. Mais les deux voies ne portent pas toujours à la même gare. Certaines fois oui, certaines fois non.

Une moitié du visage du juge sourit. La moitié du bas. Celle du haut, non. Les yeux devinrent même plus fixes et plus froids.

— Ce discours est hors sujet, dit Attard. Mon problème est différent.

D'un geste ample, écartant peu à peu les bras jusqu'à sembler en croix, il montra les papiers qui l'entouraient.

— Mon problème, c'est la révision.

— La révision de quoi ?

— Des procès que j'ai faits dans toute ma vie.

Montalbano ressentit la présence d'un peu de sueur sur sa peau.

— J'ai fait photocopier toutes les pièces des procès et je les ai fait transporter ici à Vigàta parce qu'ici, j'ai trouvé les conditions idéales pour mon travail. Ça m'a coûté une fortune, vous pouvez me croire.

— Mais qui vous a demandé cette révision ?

— Ma conscience.

Et là, Montalbano réagit.

— Eh non. Si vous êtes certain d'avoir toujours agi suivant votre conscience…

Le juge leva la main pour l'interrompre.

— Voilà le vrai problème. Le nœud de la question.

— Vous pensez avoir quelquefois jugé sur la base d'arrangements, de pressions externes, de choses de ce genre ?

— Jamais.

— Et alors ?

— Ecoutez, il y a des lignes de Montaigne qui exposent macroscopiquement la question : « De la même feuille sur laquelle il a rédigé la sentence de condamnation d'un adultère », écrit Montaigne, « le même juge arrache un bout pour écrire un billet d'amour à la femme d'un collègue ». C'est un exemple macroscopique, je répète, mais il contient une bonne part de vérité. Je m'explique mieux. Dans quelles conditions étais-je, moi, en tant qu'homme, j'entends, quand j'ai prononcé une lourde condamnation ?

— Je n'ai pas compris, monsieur le juge.

— Commissaire, ce n'est pas difficile à comprendre. Ai-je toujours réussi à distinguer ma vie privée de l'application de la loi ? Ai-je toujours réussi à faire en sorte que mes accès de mauvaise humeur personnels, mes idiosyncrasies, les problèmes domestiques, les douleurs, les rares bonheurs ne tachent pas la page blanche sur laquelle j'allais rédiger une sentence ? L'ai-je réussi ou pas ?

La sueur collait la chemise de Montalbano sur la peau.

— Pardonnez-moi, monsieur le juge. Vous n'êtes pas en train d'opérer une révision des procès que vous avez conduits, mais de votre propre vie.

Il comprit tout de suite avoir commis une erreur : ces paroles, il n'aurait pas dû les dire. Mais il s'était senti un instant comme un médecin qui a découvert la grave maladie du patient : dois-je le lui dire ou pas ? Montalbano avait instinctivement choisi la première ligne de conduite.

Le juge se redressa d'un bond.

— Je vous remercie d'être venu. Bonne nuit.

Le lendemain matin, le juge ne passa pas. Et il ne se fit pas voir non plus dans les jours, les semaines qui suivirent. Mais le commissaire n'oublia pas le juge. Plus d'un mois après cette rencontre vespérale, il convoqua Fazio.

— Tu te souviens de ce juge à la retraite, Attard ?

— Bien sûr.

— Je veux de ses nouvelles. Tu as fait la connaissance de sa bonne, comment elle s'appelait, tu te souviens ?

— Prudenza, elle s'appelait. Comment je fais à oublier un nom pareil[1] ?

Dans l'après-midi, Fazio se présenta au rapport.

— Le juge va bien, sauf qu'il ne sort plus de chez lui. Comme l'étage en dessous de chez lui s'est libéré, Prudenza m'a dit qu'il se l'est acheté. Maintenant, il est devenu propriétaire de toute la villa.

— Il y a amené ses papiers ?

— Jamais de la vie ! Prudenza m'a dit qu'il veut le garder vide, qu'il n'a pas l'intention de le louer. Il dit que dans cette villa, il veut rester seul, il ne veut pas d'embêtements. Même, Prudenza m'a dit une autre

---

1. Prudenza : Prudence. (N.d.T.)

chose qui lui a paru étrange. Le juge n'a pas dit exactement qu'il ne voulait pas d'embêtements, mais des remords. Qu'est-ce que ça veut dire ?

Montalbano mit la nuit entière à comprendre que le juge ne s'était pas trompé en disant « remords » à la place d' « embêtements ». Et quand il se rendit compte de ce que cela signifiait, il eut des sueurs froides. A peine arrivé au bureau, il appela Fazio.

— Je veux tout de suite le numéro de téléphone du fils du juge Attard, celui qui habite Bolzano !

Une demi-heure après, il était en mesure de parler avec le Dr Giulio Attard, pédiatre.

— Le commissaire Montalbano, je suis. Ecoutez, docteur, je suis désolé de vous apprendre que l'état mental de votre père...

— S'est aggravé ? Je le craignais.

— Vous devriez venir immédiatement à Vigàta. Venez me trouver. Nous étudierons le moyen de...

— Ecoutez, commissaire, je vous remercie de votre courtoisie mais là, immédiatement, je ne peux pas.

— Votre père est en train de se préparer pour un suicide, vous le savez ?

— Je ne dramatiserais pas à ce point-là.

Montalbano raccrocha.

Le soir même, en passant devant la villa du juge, il s'arrêta, descendit, sonna à l'interphone.

— Qui est-ce ?

— Montalbano je suis, monsieur le juge. Je voulais vous dire bonjour.

— J'aurais plaisir à vous faire entrer. Mais il y a trop de désordre. Repassez demain, plutôt.

Le commissaire s'éloignait quand il s'entendit rappeler.

— Montalbano ! *Dottore* ! Vous êtes encore là ?

Il revint en courant.

— Oui, je vous écoute.

— Je crois avoir trouvé.

Rien d'autre. Le commissaire sonna, sonna longtemps mais on ne lui répondit plus.

Il fut réveillé par le son insistant des sirènes des autopompes qui fonçaient vers Vigàta. Il regarda sa montre : quatre heures du matin. Il eut un pressentiment. Tel qu'il était, en caleçon, il sortit du côté de la véranda, se dirigea vers le bord de mer de manière à avoir une vision plus ample. L'eau était glacée au point de lui faire mal aux pieds. Mais le commissaire, ce désagrément, il ne le sentit même pas : il était là, à observer, de loin, la villa de l'ex-juge Leonardo Attard qui flambait comme une torche. Pas étonnant, avec tout le papier qu'il y avait dedans ! Les pompiers allaient perdre beaucoup de temps avant de découvrir le corps carbonisé du juge. De cela, il était sûr.

Un paquet très gros, fermé par une longue ficelle dont il avait été entouré plusieurs fois, et une grande enveloppe furent deux jours plus tard déposés sur le bureau de Montalbano par Fazio.

— Apportés ce matin par Prudenza. Le juge, la veille

du jour où sa maison prit feu, les lui avait donnés pour qu'elle vous les remette.

Le commissaire ouvrit la grande enveloppe. A l'intérieur, il y avait une feuille couverte d'écriture et une autre enveloppe, plus petite.

« J'y ai mis du temps, mais finalement, j'ai trouvé ce que j'avais depuis toujours supposé et redouté. Je vous envoie toutes les pièces d'un procès qui s'est déroulé il y a une quinzaine d'années, à la suite duquel la Cour présidée par moi condamna à trente ans de prison un homme qui jusqu'au dernier instant se proclama innocent. Moi, à son innocence, je n'ai pas cru. Maintenant, après une révision attentive, je me suis rendu compte que, à cette innocence, *je n'ai pas voulu croire*. Pourquoi ? Si vous, lisant les papiers, devez arriver à la même conclusion, à savoir que de ma part il y eut, de manière plus ou moins consciente, de la mauvaise foi, ouvrez, mais alors seulement, l'enveloppe incluse. A l'intérieur, vous trouverez l'histoire d'un moment assez tourmenté de ma vie privée. Peut-être ce moment explique-t-il ma conduite d'il y a quinze ans. Explique, mais ne justifie pas. J'ajoute que le condamné est mort en prison après douze ans de détention. Merci. »

Il y avait la lune. Avec une pelle qu'il s'était fait prêter par Fazio, il creusa un trou dans le sable à dix pas de la véranda. A l'intérieur, il mit le paquet et les deux lettres. Dans le coffre de sa voiture, il prit un petit bidon d'essence, retourna sur la plage, en versa un quart sur les papiers, y mit le feu. Quand la flamme s'éteignit, avec un bout de bois il remua les feuilles, versa un autre quart d'essence, y remit le feu, jusqu'à ce qu'il fût certain que tout était réduit en cendre. Puis il commença à recouvrir le trou. Quand il eut fini, l'aube pointait déjà.

Une bonne ménagère

— Commissaire ! Heureux les yeux qui vous virent ! s'exclama Clementina Vasile-Cozzo en levant les bras pour serrer contre elle Montalbano et recevoir l'affectueux baiser rituel sur les joues.

— Ça, où je le pose ? demanda le commissaire en montrant le paquet de dix *cannoli* très frais.

— Donnez-le-moi. Et venez donc faire la connaissance de l'amie et ex-élève dont je vous ai parlé au téléphone.

En se déplaçant vivement sur la chaise roulante où elle était clouée depuis des années, elle se dirigea vers le salon.

— Le commissaire Montalbano. Et voici Simona Minescu.

— Je vous remercie de votre courtoisie dit la femme en lui serrant la main.

Montalbano ne s'y attendait pas. Va savoir pourquoi, il se l'était imaginée différemment. La taille haute, brune, mince, Simona Minescu avait de grands yeux noirs intelligents. Mais il y avait en elle, et cela se voyait à sa façon de se mouvoir et de parler, un petit air de bonne ménagère qui contrastait avec la puissance de son physique. A table, les deux femmes ne dirent à peu près rin, Mme Clementina avait dû instruire son amie sur le fait que, quand il mangeait, Montalbano évitait de parler et qu'il aimait ne pas entendre parler. La bonne de Mme Clementina avait préparé, comme à son habitude, un excellent déjeuner, et cela bien qu'elle n'aimât guère le commissaire.

— Le café, on se le prend au salon, dit la vieille dame.

Il n'avait pas encore été prononcé un mot sur la raison pour laquelle Mme Clementina avait voulu nouer connaissance et Montalbano commençait à éprouver de la curiosité.

— Raconte-lui toute ton histoire, dit Mme Clementina après que la bonne eut ramené les tasses à la cuisine.

— Mais monsieur Montalbano a le temps ? demanda son amie, en fixant Montalbano dans les yeux.

Lequel ne trouva pas déplaisant ce regard.

— J'ai tout le temps qu'il faut.

— Je ne sais pas par où commencer, dit Simona Minescu, hésitante.

— Alors, c'est moi qui commence, abrégea Mme Clementina. Vous avez entendu parler du meurtre d'Antonio Minescu qui habitait à Fela ?

— Non, dit Montalbano. Votre mari ?

— Mon mari, grâce à Dieu, est en parfaite santé. Non, il s'agit de mon père.

— On l'a tué à Fela ? Mme Clementina m'a dit que vous viviez à Fela.

— C'est vrai, mais mon père a été tué à Rome.

— Alors, ce n'est pas vrai qu'il habitait à Fela ?

— Si, mais il était allé à Rome.

— Pardonnez ma curiosité. Vous êtes sicilienne ?

— Oui. Pourquoi ?

— Bah, je ne sais pas. Avec ce nom…

— Papa était roumain. Puis il a eu la nationalité italienne. Il s'est marié ici, à Vigàta, et après il a déménagé à Fela. Où je suis née.

— Ce ne serait pas mieux si toi, Simona, tu racontais l'histoire à ta manière ? intervint sagement Mme Clementina.

— Je vais essayer. Donc, commissaire, vous devez savoir que mon père est un catholique pratiquant. Un peu bigot, selon ma façon de voir, le pauvre. Un jour sur deux il allait au cimetière à trouver maman, qui est morte il y a dix ans. Mais chaque jour, il allait à l'église, au point que le curé lui confiait la comptabilité.

— Qu'est-ce qu'il faisait, votre père ?

— Il était comptable. Il avait passé son diplôme en 1948, quatre ans après son arrivée en Sicile. En 50, il eut une offre de travail d'un commerçant de bois de Fela. Il a accepté et y est resté jusqu'à la retraite.

— Il vivait seul ?

— Oui et non. Quand maman est morte, mon mari lui a trouvé un appartement à côté du nôtre. Il mangeait avec nous. Il était très attaché à nos deux fils, Antonio, qui a quinze ans et porte son nom, et Mario, qui en a dix. Il en était fou, il les gâtait. Nous nous sommes même disputés parce qu'il a eu l'idée géniale d'offrir une motocyclette à Antonio. Il avait économisé sou à sou sur l'argent de sa retraite.

— Mais pourquoi est-il allé à Rome ?

— Voilà, vous voyez, mon père avait un rêve : voir le pape. Il s'était juré à lui-même qu'il ne raterait pas l'occasion du Jubilé. Mais l'an dernier, il a eu un petit infarctus. Pas grand-chose, a dit le médecin, il suffisait de faire attention. Sinon que lui s'est mis en tête qu'il ne verrait pas l'an 2000. Et il a deviné, le pôvre papa, sauf que ça ne s'est pas passé comme il le prévoyait, lui.

— Quel âge avait-il ?

— Soixante-treize ans. Il était né en 1925. Don Cusumano, le curé, étant donné que mon père s'était enfoncé dans la mélancolie, il lui a proposé un voyage à Rome avec un groupe de curés de la province de Montelusa qui devaient être reçus par le pape. Il a accepté et il est parti heureux.

— En train ?

— Non. En autobus. Il m'a appelé dès qu'il est arrivé. Il allait très bien. Il me dit le nom de l'hôtel où il était logé avec les autres et me donna le numéro de téléphone. Il me fit même savoir que l'après-midi, il allait se promener à Rome, toujours avec le groupe, et que le lendemain, à onze heures, ils seraient reçus par le pape. Il m'a promis qu'il me téléphonerait après l'audience. Mais cet appel n'a jamais eu lieu.

Et cette fois, elle n'y tint plus. De grosses larmes lui coulèrent sur le visage.

— Excusez-moi.

Mme Clementina s'approcha de la porte, appela la bonne, fit apporter un verre d'eau. Montalbano ne savait où poser son regard.

— Naturellement, vers une heure, sans nouvelles de lui, je téléphonai à l'hôtel. On m'a passé le responsable du groupe, Monseigneur Diliberto. Il était très inquiet et n'y alla pas par quatre chemins. Il me raconta que mon père, le soir précédent, était sorti de l'auberge sans rin dire à personne et qu'il n'était plus rentré. Il me dit qu'il avait averti la police. Je ne savais que faire, j'étais désespérée. Vers quatre heures de l'après-midi, j'ai été appelée par Monseigneur Diliberto. Il ne savait pas, me dit-il, si ce qu'il devait me rapporter était bon ou mauvais signe : le fait est que mon père n'avait été admis dans aucun hôpital public ou institut de charité.

— Il souffrait d'amnésie, même légère ?

— Jamais de la vie ! Une mémoire d'éléphant ! A cinq heures, mon mari rentra de Palerme. C'est le genre qui se décide vite. A huit heures et demie du soir, il était en route pour Rome. Mon mari avait dû à peine atterrir, que j'ai été appelée de nouveau par Monseigneur Diliberto. Il me dit, avec encore moins de précautions que la première fois, que mon père avait été trouvé mort. Il ne voulut rien expliquer d'autre. Je réussis à parler enfin avec mon mari, je lui racontai ce qui nous tombait dessus. Le lendemain matin, j'achetai tous les journaux qui arrivaient à Fela. Comme ça, je sus que le corps de mon père avait été découvert par un passant, à moitié enseveli sous des boîtes de carton près de la gare Termini de Rome. A cinq heures du matin, rendez-vous compte !

— Il n'avait plus de papiers ?

— Les papiers, il les avait tous. Et le portefeuille aussi. Il ne manquait pas un centime. Même pas la montre en or, ils lui avaient pris.

— Et alors, comment ça se fait qu'ils ont averti si tard Monseigneur Diliberto ?

— Ça, me l'expliqua mon mari à son retour. Le passant courut chez les carabiniers, lesquels téléphonèrent d'abord à Fela, chez mon père, sans naturellement recevoir de réponse, et puis ils s'adressèrent à leurs collègues du poste local. Deux d'entre eux vinrent chez mon père, sonnèrent sans réponse. Après avoir frappé aussi chez moi, mais peut-être le malheur a voulu que ce soit quand j'étais sortie faire les courses. C'est comme ça que la matinée est passée. L'après-midi, les deux carabiniers de Fela allèrent à la mairie, mais ils trouvèrent les bureaux fermés. Le soir ils eurent l'idée géniale d'aller voir le curé. Et celui-ci leur dit comment il se faisait que mon père se trouvait à Rome et leur donna le numéro de téléphone de l'hôtel. Comme ça, ils se mirent en contact avec Monseigneur Diliberto. Après, mon mari me raconta autre chose.

— Comment on l'a tué ?

— Un coup de pistolet. Un seul. En plein visage.

— Et que vous dit d'autre votre mari ?

— Que les carabiniers lui ont fait un tas de questions plutôt bizarres.

— C'est-à-dire ?

— Si mon père avait certaines tendances. Parce que

là où ils l'ont trouvé, il paraît qu'il y a des hommes qui…

— J'ai compris, laissez tomber.

— Ils lui ont même demandé s'il se droguait. Vous vous rendez compte, un vieux de soixante-treize ans ! Après, ils ont conclu qu'il s'agissait d'une tentative d'agression qui avait mal tourné. Mon père aurait résisté, les autres ont perdu la tête, ils ont tiré et, pris de panique, ils se sont échappés sans rien emporter.

— C'est une hypothèse raisonnable. Votre mari a réussi à savoir quelque chose sur les résultats, pardonnez-moi, madame, de l'autopsie ? Je ne sais pas, des traces d'alcool…

— Il n'y en avait pas. Mon père ne buvait jamais.

Toutes les belles qualités, il avait, ce saint homme !

— Mais pourquoi est-ce qu'il était sorti, au lieu d'aller se coucher comme tout le monde ? demanda Montalbano comme à lui-même.

— C'est pour ça que je suis ici, dit Simona Minescu.

— Oh mon Dieu, madame, mais moi je ne suis absolument pas en mesure de… Pardonnez-moi, mais avec si peu d'éléments, que dis-je peu…

— Moi quelque chose, je l'ai su, dit Mme Simona d'un ton très neutre.

— Ah oui ? Vous en avez parlé aux carabiniers ?

— Non. Pourquoi aurais-je dû ? Eux, ils considèrent le dossier comme clos.

— Ben, mon collègue de Fela pourrait…

— C'est moi qui ai mentionné votre nom, intervint Clementina Vasile-Cozzo.

— Vous croyez qu'il m'écouterait ? insista Simona.

— Bon, d'accord, se rendit Montalbano. Qu'avez-vous appris ?

— Quand Monseigneur Diliberto est revenu avec le groupe de curés, je suis allée parler avec chacun d'entre eux l'un après l'autre. Don Pignataro et Don Cottone m'ont dit que pendant qu'ils marchaient sur la via della Conciliazione, mon père les a priés de l'attendre parce qu'il lui était venu un besoin urgent. Ils le virent entrer dans un bar. Au bout d'un bon moment qu'ils attendaient, ils commencèrent à s'inquiéter. Ils entrèrent eux aussi dans le bar, qui était plein d'étrangers, et virent mon père assis à une table, tranquille, qui se lisait un journal. Ils lui reprochèrent son manque d'éducation, sortirent, mais mon père, à ce qu'ils me dirent, semblait ailleurs, absent. Et il resta comme ça jusqu'au moment du dîner, au point qu'ils en discutèrent entre eux, convaincus qu'ils étaient que papa ne s'était pas senti bien. Ils décidèrent d'attendre le lendemain matin. Davantage que ça, ils ne pouvaient pas me dire.

— Cette histoire pourrait conforter l'hypothèse d'une amnésie momentanée.

Simona Minescu ne parut pas l'avoir entendu.

— Il y a une quarantaine de jours, on m'a fait avoir toutes les affaires de papa. Dans la poche de poitrine de la veste, il y avait, enroulé, ce bout de papier.

Elle le tendit au commissaire après l'avoir tiré d'un imposant sac à main.

— Vous voyez ? C'est un billet de l'Atac, non utilisé. L'Atac, ça serait les autobus de Rome, expliqua-t-elle sur le ton d'une maîtresse d'école.

— Je sais, dit Montalbano, un peu vexé.

— Mon père y a inscrit dessus un numéro de téléphone. C'est lui qui l'a écrit, il n'y a aucun doute, les chiffres sont comme il les écrivait lui. 3612472 avec l'indicatif de Rome. Puis, vous voyez, il y a un autre chiffre, le 7, un peu détaché. Comme si mon père n'avait pas bien compris le numéro. En fait, il l'avait bien saisi.

— En quel sens, excusez-moi ?

— Dans le sens que j'ai fait le 3612472 avec l'indicatif de Rome et qu'on m'a répondu tout de suite. C'est un hôtel. Et vous voulez que je vous dise quelque chose ?

— A ce point, pourquoi pas ? dit Montalbano sur un ton aigre-doux.

Mme Simona ne comprit pas l'ironie ou ne voulut pas la comprendre.

— L'hôtel est très proche de l'endroit où a été retrouvé mon père.

Le commissaire dressa l'oreille. Ça devenait intéressant.

— C'est arrivé quand ?

— Dans la nuit du 12 au 13 octobre.

— Bien. A la Questure, ils ont les listes de tous ceux qui...

Simona Minescu leva une main fuselée, le commissaire s'interrompit.

— Mon mari, vous ne le savez pas parce que personne ne vous l'aura dit, a une grosse agence de voyages. Et il a beaucoup d'amis.

— Je ne le mets pas en doute, madame. Mais il n'est

pas dit que qui va à l'hôtel ait dû obligatoirement utiliser les services d'une agence de voyages.

— Certainement. Mais moi, j'avais en tête quelque chose de précis.

— Voulez-vous mieux vous expliquer ?

— Tout de suite, commissaire. Le 7 que papa a écrit, ne signifie pas une deuxième ligne à l'hôtel. Je me suis renseignée, ils n'en ont pas. Alors, ce numéro de téléphone n'a pas été donné à mon père par quelqu'un : il l'aura entendu et noté, mais avec une incertitude sur le dernier chiffre. Et où pouvait-il avoir entendu ce numéro ? Seulement au bar, quand il a laissé le groupe. Là, il doit avoir entendu, ou vu, quelque chose qui l'a bouleversé, comme me l'ont raconté les deux curés…

— Vous avez contrôlé les coups de fil passés par votre père quand il était à l'hôtel ?

— Oui. Des chambres de l'hôtel Imperia, où il logeait, on ne peut appeler l'extérieur qu'en passant par le standard. Il n'a été enregistré que l'appel qu'il m'a passé. Mais à quelqu'un d'autre, avant d'aller dîner, il a certainement téléphoné.

— Comment pouvez-vous en être sûre ?

— C'est le père Giacalone qui me l'a dit, un membre du groupe. Dans le hall de l'hôtel, il y a deux téléphones à jetons. Le père Giacalone jure ses grands dieux qu'il l'a vu à l'un de ces appareils…

— Donc, vous, vous supposez que votre père a téléphoné à l'hôtel… comment s'appelle-t-il déjà ?

— Sant'Isidoro.

— Pour demander à parler à quelqu'un et prendre rendez-vous avec ce quelqu'un.

— Exactement. J'ai commencé à y raisonner dessus, sur ce quelqu'un. Mon père était très sociable, expansif, il racontait à tout le monde ce qu'il avait fait et dit. Pourquoi a-t-il tu aux curés du groupe ce qu'il avait vu ou entendu au bar ? Parce que c'était quelque chose qui l'avait bouleversé.

— Que savez-vous de votre père ? demanda soudain le commissaire, et il ajouta : Je pense à quelque chose qui lui serait arrivé pendant qu'il se trouvait encore en Roumanie. Vous n'en savez rien ?

Simona Minescu le regarda d'un air admiratif.

— Vous êtes aussi fort que ce qu'on m'a dit, commissaire.

— Vous avez demandé à votre mari de se renseigner pour savoir si le 12 octobre à l'hôtel Sant'Isidoro logeait un groupe de Roumains ?

— Exactement, commissaire, et la réponse a été affirmative.

— Revenons à ma question précédente.

— Comme j'y ai fait allusion tout à l'heure, mon père a fui la Roumanie en 1944, il avait dix-neuf ans, et après avoir traversé la Yougoslavie, l'Adriatique, les Pouilles, la Calabre et le détroit de Messine, il s'arrêta à Vigàta. Il ne me dit jamais ni pourquoi ni comment. Lui, qui était toujours si ouvert, il se renfermait dès qu'on parlait de sa vie en Roumanie. A moi, il dit que sa famille avait été exterminée.

— Par qui ?

— Par les hommes du général Antonescu, le Premier

Ministre pro-nazi. Mon père échappa à l'arrestation. Il était né et vivait a Deva, chef-lieu de la région Hunedoara, une petite ville d'à peine seize mille habitants. Tout le monde se connaissait, il était difficile de se cacher. Mais papa y réussit. Puis, en 1944, Antonescu fut déposé et papa s'enfuit. Même de son voyage, qui avait dû être terrible, il ne parla jamais. Je crois qu'il voulait tout oublier et que le traumatisme subi lui avait fait perdre en partie la mémoire. Donc la conclusion logique était que dans ce bar de Rome, il avait vu quelqu'un qui l'avait reporté violemment en arrière dans le temps, au point de le faire se cacher derrière un journal.

— C'est une explication logique, mais absolument improbable. Comme possibilité, je veux dire. Tomber justement ce jour-là et à cette heure, à Rome, dans un bar quelconque, sur un compatriote qui...

— Vous vous sentez de l'exclure complètement ?

Montalbano y pinsa quelques instants.

— Complètement, non.

— Alors, je peux continuer sans être prise pour une folle. En partant de cette supposition, j'ai essayé d'en savoir plus. Et j'ai fait une chose que j'avais quelquefois était tentée de faire, mais sans oser.

— A savoir ?

— Regarder dans les papiers de mon père. Dans une chemise vieille et crasseuse qu'il gardait dans un tiroir du semainier, sous le linge. Il y avait une photographie pâlie, un couple avec deux enfants, dont l'un était certainement mon père. Les autres devaient être ses parents et Carol, son frère d'un an son aîné, lui aussi assassiné. Il y avait une mauvaise copie de sa demande de naturalisation. Le diplôme de comptable. L'acte de mariage et le constat de décès de ma mère. Mon acte de naissance. Et un feuillet jauni, écrit en roumain. Il disait : « Pour la mémoire future. Les assassins de ma famille sont Anton Petrescu, Virgil Cordeanu, Petre Lupescu et Cezar Pascaly, ce dernier de mon âge. » Suivaient la phrase : « Sur mon honneur, ceci est la vérité », et la signature. Si mon père avait écrit que Pascaly avait son âge, cela voulait dire que tous les autres étaient plus vieux. Donc, l'unique de la liste encore en vie devait être Cezar Pascaly. Je suppliai mon mari de remuer ciel et terre pour connaître les noms des membres du groupe roumain. Il y réussit.

— Et naturellement, il y avait celui de Cezar Pascaly.

— Non, commissaire, il n'y était pas.

— Il peut avoir changé de nom, mais votre père l'aura reconnu quand même.

— Moi aussi, j'ai pinsé la même chose. Et je me suis dit que, toute autre recherche étant impossible, autant valait accepter l'explication donnée par les carabiniers. Le lendemain matin, en me réveillant, j'ai jeté un coup d'œil sur la liste des noms que j'avais laissée sur la table de la cuisine. Elle était par ordre alphabétique. Alors seulement, je me suis rendu compte que j'avais regardé exclusivement les noms commençant par P. Je recommençai à partir de la lettre A. Et soudain je me trouvai devant un des quatre noms écrits par mon père : Virgil Cordeanu, soixante-dix-huit ans, né à Deva en 1920. Il voyageait accompagné de son fils

quinquagénaire Ion. Alors, j'ai reconstruit comme ça
toute cette terrible histoire. Dans ce maudit bar de
Rome, mon père reconnaît Cordeanu, un des bour-
reaux de sa famille. D'une façon ou d'une autre, il saisit au vol le numéro de téléphone de l'hôtel où logent
ses ex-compatriotes. Il le note. Sur le moment, il est
trop bouleversé pour faire quoi que ce soit. De son
hôtel, avant dîner, il téléphone à celui où se trouve
Cordeanu, il se le fait passer. Ils se parlent, se donnent
un rendez-vous.

— Qu'est-ce que vous pensez que votre père voulait obtenir, en le rencontrant ?

— Rien de matériel, croyez-moi. Je suis convaincue
qu'il voulait le rencontrer pour lui demander s'il s'était
repenti ou quelque chose de ce genre. S'il avait confessé
son péché. Mais je crois qu'au rendez-vous, ce n'est pas
Virgil Cordeanu qui y est allé, mais son fils Ion.

— Vous pensez que Ion était au courant du passé
de son père ?

— Peut-être. Ou bien il a été mis au courant par
Virgil lui-même après le coup de fil. En tout cas, il n'a
pas hésité à éliminer un dangereux témoin.

— Dangereux, madame ? Pour un vieillard de
soixante-dix-huit ans ?

— Beh, commissaire, vous oubliez le colonel
Priebke[1].

— Mais le cas me paraît différent.

— Mais j'ai douté, moi aussi. Et j'ai commencé à

---

1. Officier nazi, responsable d'un massacre, récemment extradé et
jugé en Italie. (N.d.T.)

prendre des renseignements. J'ai ainsi découvert que mon père ne représentait pas tant un danger pour Virgil Cordeanu que pour son fils Ion. Mis en prison par le gouvernement pro-communiste, puis libéré, champion de la démocratie, devenu un ponte de la politique et de l'économie roumaine en dix ans à peine. Son père Virgil est toujours resté dans l'ombre, il a réussi à se faire oublier de tout le monde. Un scandale aurait certainement interrompu la brillante carrière politique de Ion. Ça ne vous paraît pas un bon motif pour tuer mon père ?

Montalbano ne répondit pas tout de suite. Il était resté, en fait, à contempler la belle dame assise devant lui. Il pensait à son mari : si par hasard il avait décidé de lui planter des cornes comme ça, en passant, celle-là, en un tournemain, elle aurait appris nom, prénom, père, mère, état civil, domicile de la rivale et pour faire bon poids, peut-être aussi ce qu'elle déclarait comme revenu. Simona Minescu rougit légèrement sous le regard insistant du commissaire. Clementina Vasile-Cozzo comprit que c'était le moment d'intervenir.

— Qu'est-ce que vous en dites, commissaire ?

— L'histoire se tient. Mais vous, madame Simona, que voulez-vous précisément que je fasse ?

— Justice, répondit simplement Simona Minescu. Et pour ce que fit alors le père et pour ce qu'a fait maintenant le fils.

— Ça va être long et difficile. Mais si vous m'aidez, nous y arriverons sûrement, éminente collègue, dit Montalbano en se levant et en s'inclinant profondément.

« Salvo bien-aimé… » « Ma Livia… »

Bocadasse, le 2 juillet

Salvo, mon amour,

Au téléphone, je n'ai pas réussi à parler parce que j'étais trop bouleversée. Ici, à Bocadasse, une fois où tu étais venu me trouver, tu as entrevu mon amie Francesca. D'elle, à Vigàta, je t'ai souvent parlé. J'aurais tant désiré que tu l'aies connue vraiment et chaque fois que tu venais de Vigàta, je l'invitais chez moi, mais elle se dérobait, elle inventait des prétextes, réussissait (hormis en cette unique occasion) à éviter de te rencontrer. J'ai même pensé qu'elle était jalouse de toi. Je me trompais grossièrement. J'ai compris au bout d'un moment que si Francesca ne voulait pas venir à Bocadasse pendant que tu y étais, c'était par délicatesse, par discrétion, elle craignait de nous déranger.

Comme je te l'ai peut-être déjà dit, Francesca, je

l'avais rencontrée voilà des années au bureau, elle travaillait au service juridique et nous étions devenues rapidement amies, bien qu'elle fût plus jeune que moi. Puis l'amitié s'était transformée en affection. C'était un être extrêmement loyal et généreux, dans ses heures libres elle participait à des organisations humanitaires. Elle ne m'a jamais parlé d'un homme qui l'aurait particulièrement intéressée. Elle ne buvait pas, ne fumait pas, n'avait pas de vices. En somme, une jeune fille très normale, tranquille, contente de son travail et de la vie en famille. Fille unique, elle habitait avec ses parents. Comme elle faisait depuis toujours, elle devait passer les vacances avec eux. Ils devaient prendre le ferry à vingt heures.

Hier matin, Francesca s'est levée à sept heures trente, a pris son petit déjeuner, préparé sa valise pour le départ. Elle est sortie de chez elle vers dix heures et demie, a dit à sa mère qu'elle allait acheter un maillot de bain et d'autres petits trucs. Elle reviendrait pour l'heure du déjeuner. Elle a emmené avec elle un gros sac. Les parents l'ont attendue longtemps pour se mettre à table. Puis ils ont commencé à se préoccuper. Ils ont passé divers coups de fil : ils m'ont même appelée, mais Francesca et moi nous étions dit au revoir l'après-midi du 30. Moi aussi je me suis inquiétée, non seulement parce que Francesca était précise et ponctuelle, mais aussi parce qu'elle n'aurait jamais rien fait qui pût alarmer ses parents. Au bout de quelques heures, j'ai appelé chez les Leopardi. En larmes, la maman de Francesca m'a dit qu'ils n'avaient toujours pas de nouvelles. Alors, j'ai pris la voiture et je suis allée la trouver. A peine entrée dans l'immeuble, j'ai été interpellée par la gardienne qui était bouleversée. Avec elle, il y avait un quadragénaire distingué qui s'est présenté comme un commissaire de la brigade des homicides. Crois-moi, je me suis sentie défaillir. En un instant j'ai compris, avant qu'il parle, que quelque chose d'irréparable était arrivé à Francesca. Il m'a dit, en me serrant le bras dans une sorte de geste affectueux, que Francesca était morte. Il avait commencé à dire qu'il s'agissait d'un accident quand je l'ai interrompu : « Si ça avait été un accident, vous ne seriez pas là. Ça a été une erreur sur la personne, une fatalité ? » Il me semblait, et il me semble encore inconcevable que quelqu'un, intentionnellement, ait voulu l'assassiner. Lui m'a regardée avec attention et a écarté les bras. « Elle a souffert ? » Je croyais qu'il aurait évité mon regard, mais il m'a fixée avec détermination : « Malheureusement, je crains que oui. » Je n'ai pas eu le courage de poser d'autres questions. Mais lui a continué à me scruter et puis, presque timidement, il a demandé : « Vous m'aidez ? » Dans l'ascenseur, il m'a posé encore une question : « Vous, que faites-vous ? » Il voulait dire, dans la vie, évidemment. Et moi, j'ai répondu incongrûment, au lieu de dire que j'étais employée, mes lèvres ont laissé échapper ces mots : « Je suis la fiancée d'un de vos collègues siciliens. » Alors, il a dit qu'il s'appelait Giorgio Ligorio. Je t'épargne le désespoir de la maman et du papa de Francesca. Et le mien. J'ai attendu chez les Leopardi qu'arrivent les oncles de Francesca et d'autres amis qui m'ont relayée. Je suis rentrée m'étendre que le soir tombait déjà. A huit heures du soir, le téléphone a commencé à sonner, c'étaient des amis, des collègues de travail, des connaissances, tous incrédules. Une vraie souffrance, devoir continûment parler de Francesca. J'allais débrancher l'appareil quand il a de nouveau sonné. C'était le commissaire dont j'avais fait la connaissance dans l'après-midi (il avait voulu mon numéro). Il désirait me parler de Francesca, il s'était rendu compte, tandis qu'il était avec moi chez les pauvres parents Leopardi, de la profonde amitié qui nous liait. Bien que je sois dans un état que je te laisse imaginer, j'ai consenti à le recevoir. La police a reconstitué les mouvements de ma malheureuse amie. D'abord, elle s'est rendue dans une pharmacie à côté de chez elle pour acheter un collyre et quelques autres médicaments puis, en autobus (elle avait une voiture mais préférait ne pas conduire), elle a rejoint le centre. Là, elle est entrée dans une boutique où elle a acheté un maillot de bain. Elle en voulait un autre d'une autre couleur mais ils n'en avaient pas. Alors, à pied, elle est allée dans une autre boutique où elle a acheté le maillot qu'elle désirait. Tout cela, ils ont pu le reconstituer grâce aux tickets de caisse qu'ils ont trouvés dans le sac avec les médicaments et les maillots. Dans le sac, tout y était : papiers, portefeuille (avec environ quatre cent mille lires), rouge à lèvres. En somme, l'assassin ne s'est emparé de rien, la police exclut que ça puisse être un voleur ou un drogué à la recherche d'argent pour sa dose. Il n'y a même pas eu de tentative de violence sexuelle, ses sous-vêtements, quoique trempés de sang, étaient en ordre. En tout cas, l'autopsie éclaircira ces détails. Il a voulu connaître les habitudes, les centres d'intérêt, les amitiés de Francesca. A un certain moment, je me suis rendu compte que je ne savais encore rien de l'homicide et que lui ne m'en avait pas parlé. « Où cela s'est-il passé ? » Il m'a dit que le corps avait été retrouvé dans les toilettes d'un cours du soir privé, l'école Mann, que Francesca avait fréquenté jusqu'à il y a une dizaine de jours pour y apprendre l'allemand. Mais l'établissement avait terminé ses cours le 25 du mois passé et il était fermé pour les vacances d'été. Ligorio m'a expliqué que Francesca est entrée dans l'école (elle occupe trois étages d'une petite villa avec un petit parc) parce qu'elle a trouvé aussi bien le portail que la porte ouverts du fait qu'il y avait des ouvriers en train d'effectuer des travaux de rénovation. Pas un membre du personnel administratif n'était là, tout le monde était déjà en vacances. Francesca doit être arrivée à l'école Mann peu après midi : à ce moment-là, les quatre ouvriers se trouvaient sur l'arrière de la villa, où il y a une remise, à prendre leur repas de midi. Ils n'ont donc pas pu voir Francesca entrer et monter jusqu'aux toilettes du troisième étage, où se trouvent les bureaux et non les salles de classe. A ce point, le commissaire m'a demandé si Francesca avait pu donner rendez-vous à quelqu'un à l'intérieur de l'école, peut-être à quelque camarade de cours, de l'un ou l'autre sexe. Moi je lui ai répondu que cela ne me paraissait pas probable, ne serait-ce que parce que j'avais su par mon amie que l'institut était fermé. Mais il m'est venu une idée et j'ai demandé à quelle distance se trouvait la dernière boutique où était allée Francesca. Il m'a répondu qu'elle n'était pas à plus d'une centaine de mètres. Alors, surmontant un peu de honte, j'ai révélé à Ligorio une singulière phobie de Francesca : il lui était impossible d'utiliser les toilettes d'un lieu qu'elle n'avait pas fréquenté depuis au moins quelques jours. En somme, elle était incapable d'utiliser les toilettes des bars, des restaurants, des trains. Tout cela, m'avait-elle révélé un jour, la mettait très mal à l'aise mais elle était faite ainsi, elle n'y pouvait rien. J'ai avancé l'hypothèse que Francesca, passant devant le portail de l'institut, l'avait vu ouvert. Elle est entrée, est montée au troisième où il y a les toilettes les moins fréquentées (et vu la clôture estivale, absolument solitaires) et là, elle a rencontré son assassin. Ligorio s'est montré impressionné par mon hypothèse. Peu après, il s'en est allé. Et moi, j'ai commencé à t'écrire cette lettre que j'interromps ici. Les journaux devraient déjà être dans les kiosques. J'ai très froid, bien que la journée, depuis le petit matin, se soit montrée sereine et, je crois, chaude. A très bientôt.

Cher Salvo, il est neuf heures du matin, je recommence à t'écrire maintenant que je me sens un petit peu mieux. J'ai été très mal. Je viens d'acheter les journaux, je n'ai pas pu m'empêcher de les lire sur-le-champ, devant le kiosque. Je n'ai pas réussi à terminer le premier article. Le kiosquier m'a vu chanceler, il s'est précipité au-dehors, il m'a donné une chaise. Les détails sont horribles. Francesca a été sauvagement frappée d'au moins une quarantaine de coups de couteau, elle s'est défendue comme le démontrent certaines blessures particulières aux mains, elle doit avoir crié, mais tout a été inutile. Je ne me sens pas de t'en écrire davantage. Je t'envoie, par une société de messagerie[1], lettre et coupures. Demain tu recevras tout. Téléphone-moi.

Avec tout mon amour,
Livia

Vigàta, le 5 juillet

Ma Livia,

Hier soir, au téléphone, de ce que tu m'as dit, j'ai compris que les premières indiscrétions sur l'autopsie ont d'une certaine manière rendu moins lugubres les couleurs de l'ensemble, quoiqu'en laissant intacte l'horreur. Elle n'a pas été violée et presque certainement l'assassin n'en avait pas même l'intention. Le fait aussi que la vessie soit complètement vide (excuse-moi pour la nécessité de ce détail) appuie ton hypothèse : Francesca, trouvant, de manière inespérée, le portail de l'institut ouvert, est montée au troisième étage de la villa où elle savait se trouver des toilettes pour le moins acceptables. Et là, elle a fait une rencontre mortelle imprévue. J'ai suivi attentivement à la télévision

---

1. Il suffit d'avoir été une fois confronté aux Postes italiennes et à leurs délais variables pour comprendre pourquoi cette correspondance se fait par l'intermédiaire d'une messagerie privée. *(N.d.T.)*

et sur la presse toutes les informations sur l'affaire. Tu ne me le demandes pas expressément mais j'ai compris ton souhait : tu voudrais que je m'occupe de ce crime. Peut-être surévalues-tu mes capacités. Savoir par qui et pourquoi Francesca a été assassinée signifierait, pour toi, ramener quelque chose qui t'apparaît insensé et absurde, et donc d'autant plus insupportable, dans les limites rassurantes du « comprendre ». Et c'est seulement pour t'aider dans cette direction que je fais quelques considérations générales. Pardonne la froideur, pardonne les mots que j'utiliserai : une enquête ne peut en aucune manière se préoccuper des blessures à la sensibilité ou des bonnes manières. Hier soir, tu m'as dit que mon collègue Ligorio, qui a voulu te revoir, t'a demandé si tu m'avais écrit ou parlé de l'assassinat de Francesca et, à ta réponse affirmative, il a voulu savoir ce que j'en pensais. Tu dis que dans le ton de ses propos, tu as perçu comme une demande de collaboration. Ou du moins que ma collaboration ne lui déplairait pas. Tu es sûre de ne pas prêter à Ligorio un souhait qui n'appartient qu'à toi ? Je me suis renseigné : mon collègue est jeune, intelligent, capable, justement estimé. En tout cas, me voici à ta disposition pour le peu que je puis faire.

Vers midi et demi, ou à peu près, quand les quatre ouvriers qui travaillent dans la villa se sont transportés dans la remise pour la pause-déjeuner, à douze heures, Francesca entre sans être vue par la grande porte, monte les escaliers (il me semble avoir compris qu'il n'y a pas d'ascenseur) sans rencontrer personne, elle pénètre dans les toilettes pour femmes qui sont vides, s'enferme dans la petite pièce. Le local est composé de deux espaces : un vestibule vaste avec le lavabo et un appareil à émission d'air chaud pour le séchage des mains (j'ai vu les images à la télé) et un box avec le siège, muni d'une petite porte qui peut se fermer de l'intérieur. Francesca reste dans ce dernier lieu le minimum nécessaire (deux-trois minutes maximum) et, ensuite, fait deux choses *simultanément* : elle actionne la chasse d'eau et ouvre la porte. Si elle l'avait actionnée avant d'ouvrir la porte, ces quelques secondes lui auraient probablement sauvé la vie. Parce que, et de cela je suis presque certain, de même que Francesca ignore que quelqu'un est entre-temps arrivé dans le vestibule, l'assassin lui aussi ignore que là-dedans, il y a quelqu'un. S'il avait entendu le bruit de l'eau qui coulait, peut-être se serait-il enfui ou se serait-il même abstenu d'entrer dans le vestibule. Au contraire, il reste un instant paralysé en voyant une personne surgir du néant.

Quelques journalistes ont avancé l'hypothèse d'un maniaque sexuel qui, ayant rencontré par hasard Francesca dans la rue, l'aurait suivie et, devant la résistance désespérée de la jeune fille, l'aurait tuée. A part le fait qu'il n'est apparu aucune tentative de violence (culotte et soutien-gorge ne portent pas de signes de déchirement, seulement des coupures dues au couteau), cette hypothèse ne tient pas devant le caractère absolument accidentel du choix de Francesca : que l'institut ces jours-là ne soit pas en pleine activité, elle, elle le savait, mais cela ne pouvait être su du maniaque. Lequel, à peine entré dans la villa, aurait immédiate ment agressé la victime sans lui donner le temps d'arriver au troisième étage, sans attendre patiemment qu'elle ait satisfait son besoin pour ensuite l'attaquer. Allons donc ! Il y avait des salles de classe et des locaux vides à chaque étage ! Un maniaque sait qu'il a peu de temps à sa disposition, il peut toujours arriver quelqu'un qui le contraigne à abandonner sa proie. Non, l'hypothèse du maniaque ne tient pas. L'assassin, à mon avis, est quelqu'un que ton amie connaissait, surpris à faire quelque chose qu'il ne devait pas faire. Et ce qu'elle l'a vu faire (ou qu'il allait faire) aurait constitué pour lui, si ça s'était su, un dommage irréparable. Tu vois, Francesca a été frappée de plus de quarante coups de couteau, elle a des blessures aux mains provoquées par la tentative de parer la lame, beaucoup de coups s'avèrent portés après la mort. Francesca doit avoir désespérément crié, mais l'assassin a continué à frapper, implacable, comme avec haine. C'est la typologie du crime passionnel, mais dans notre cas, l'assassin s'acharne sur la jeune fille, il la massacre, porté par une autre pulsion passionnelle : à savoir la haine envers ce qui le contraint à devenir un assassin.

Autre chose : l'arme utilisée, d'après ce qu'ils disent, devrait être un couteau long d'une trentaine de centimètres et large plus ou moins de deux. Etant donné les dimensions, cela me fait plus songer à un stylet effilé sur les deux côtés qu'à un véritable couteau. En outre, comme le crime n'a pas été commis dans un bâtiment destiné à l'habitation, dans la cuisine duquel on aurait pu trouver un objet de ce genre, j'en conclus que l'assassin avait l'arme avec lui. Mais si

Francesca n'a pas été tuée par un maniaque (qui pourrait s'emmener avec lui une arme de ce genre pour réduire au silence la victime après en avoir abusé), alors qu'y a-t-il qui puisse tant ressembler à un stylet à l'intérieur d'un institut scolaire ? Moi je le sais, ce que ça pourrait être, mais je voudrais que Ligorio arrive tout seul à la même conclusion.

Autre considération : l'assassin a dû certainement tacher abondamment de sang les vêtements qu'il portait. Les images que j'ai vues montrent du sang partout, sur les murs et à terre. Dans ces conditions, et à cette heure, le tueur n'aurait pu sortir dans la rue sans se faire remarquer. Il se sera certainement trouvé dans la nécessité de se changer. Et il l'a fait, en emportant avec lui les vêtements tachés. Mais si l'on admet cette possibilité, où s'est-il changé ? Certes pas dans le vestibule. Dans un bureau vide ? Comment se fait-il alors qu'il n'y ait pas dans le couloir des traces de pas qui auraient dû être sûrement ensanglantées ? Ou peut-être y en a-t-il et la police a-t-elle préféré ne pas communiquer cette donnée importante ?

Ma chère Livia, mes raisonnements pour l'instant s'arrêtent là. Si tu le crois opportun, rapporte tout à Ligorio.

Je voudrais tant, en ce moment, que nous soyons l'un à côté de l'autre. Mais toi tu ne te sens pas encore de laisser les parents de Francesca et moi je suis enchaîné à Vigàta par une enquête qui me donne du fil à retordre et de laquelle, pour le moment, je ne vois pas le bout.

Qu'y faire ? Prenons notre mal en patience, comme en tant d'autres occasions.

Avec tout mon amour,
Salvo

Selon ton exemple, je t'expédie cette lettre par une messagerie.

Boccadasse, 8 juillet

Salvo bien-aimé,

J'ai revu hier soir Giorgio Ligorio. Je lui ai rapporté, mot pour mot, ce que tu dis, ce que tu m'as écrit. Il m'a semblé qu'il s'y attendait. Quelques-unes de tes observations, il se les est fait répéter, très intéressé. Il confirme ce que tu as supposé, l'arme est effilée sur les deux côtés, c'est un véritable stylet. Lui aussi est d'avis que l'assassin a été contraint de se changer. Mais comment a-t-il fait ? Où l'a-t-il fait ? Si l'assassinat a été tout à fait fruit du hasard, comment se fait-il que le tueur se promenait avec chemise, veste et pantalon de rechange ? Et où a-t-il pris l'arme du crime ? Il la portait sur lui, certainement. Si les choses étaient vraiment ainsi, dit Ligorio, alors nous nous trouverions devant un homicide prémédité. Mais beaucoup de faits militent contre cette thèse. J'ai eu l'impression qu'il ramait. Quant à ta question sur d'éventuelles traces de pas ensanglantées, Ligorio m'a révélé que l'assassin, après son crime, a soigneusement nettoyé le carrelage du couloir en utilisant une serpillière et un seau qui étaient bien en vue près de la porte des toilettes. Tôt dans la matinée, ils avaient été utilisés par le gardien : il y a beaucoup de poussière dans la maison à cause des travaux en cours. Mais on a retrouvé, malgré le nettoyage, juste à l'endroit où le sol fait angle avec le mur, la trace brouillée d'un pied nu. Mais qui va *vers* les toilettes. Un des ouvriers a reconnu avoir travaillé un jour sans la chaussure droite, son pied avait gonflé à cause d'un bout de fer qui lui était tombé dessus. Ses camarades ont confirmé l'épisode. Mais les quatre ouvriers affirment n'avoir jamais eu l'occasion d'aller dans les toilettes pour femmes. Eux, ils utilisent celles des hommes qui sont justement du côté du couloir où ils travaillent.

Pour te rendre la situation plus claire : le couloir du troisième étage, celui sur lequel donnent les bureaux, la bibliothèque et les deux WC, a exactement la forme d'un « L » majuscule. Dans les toilettes pour femmes, on accède par la porte de la plus longue branche du « L », dans celles pour hommes, par la branche la plus courte. C'est là que les ouvriers font des travaux (ils abattent deux cloisons pour obtenir un grand salon). Considère que l'escalier d'accès à l'étage est situé au milieu de la branche la plus longue. Donc, même si les ouvriers avaient été au travail, ils auraient pu tout aussi bien ne pas voir arriver Francesca, mais dans ce cas, ils auraient certainement entendu ses cris, ne fût-ce que parce qu'ils utilisent des outils pas particulièrement bruyants.

Ligorio m'a expliqué aussi, avec tous les détails, comment le crime a été découvert. Absolument par hasard. Si ce hasard n'avait pas eu lieu, Dieu sait combien de temps la pauvre Francesca serait restée dans cet endroit horrible, peut-être jusqu'à la réouverture des bureaux fin août (les cours, eux, reprennent en octobre). L'assassin, avant de laisser le lieu du crime, s'est lavé convulsivement les mains, en répandant beaucoup d'eau sur le sol, près du lavabo, en fait le sang et l'eau se sont mélangés. Mais il a oublié de refermer le robinet. Le gardien, resté en service avec mission d'ouvrir l'institut à sept heures trente du matin et de le refermer à dix-huit heures, après la sortie des ouvriers, est arrivé en avance, à quinze heures trente. Il voulait remettre les clés au contremaître en l'avertissant qu'il ne pourrait s'occuper de la fermeture du soir ni de la réouverture du lendemain car sa femme avait été hospitalisée. Arrivé en haut de l'escalier du troisième étage, le gardien a entendu distinctement l'eau du lavabo des femmes qui coulait. Comme le matin, il avait rempli un seau pour le nettoyage, il a pensé l'avoir lui-même oublié ouvert. Il est entré, a vu le corps de Francesca, s'est mis à hurler, incapable de faire un pas. Alors, les ouvriers ont accouru. Un d'eux a donné un coup d'épaule à la porte de la direction, qui était fermée à clé, et a téléphoné à la police.

Je t'ai rapporté tout ce que m'a dit ton collègue qui me semble une personne très, très intelligente. Il a mon âge.

Toi, continue de réfléchir sur ce crime qui m'a profondément brisée.

La maman de Francesca va très mal, elle a besoin de soins continuels : le soir une infirmière vient me relayer. Le père m'apparaît hébété : il continue à faire ce qu'il a à faire comme si de rien n'était mais il bouge d'une manière étrange, très très lente.

Je suis désolée que nos vacances, programmées depuis longtemps, se soient terminées ainsi. Du reste, toi aussi, tu es dans l'impossibilité de te déplacer. Tant pis.

Je t'appelle ce soir.

Je t'embrasse avec tout mon amour.

Livia

Vraiment, tu ne peux pas venir ? Pas même un jour ? Tu me manques.

Vigàta, le 10 juillet

Ma Livia,

Je crois avoir maintenant un tableau clair de ce qui s'est passé.

Le fait est que je me suis laissé égarer trop longtemps par un faux problème : comment a fait l'assassin pour se promener avec ses vêtements spectaculairement tachés de sang sans être remarqué par personne ? Tout le monde, par cette chaleur d'enfer, porte des vêtements clairs et légers ; en outre, il est impensable que l'assassin ait eu un imperméable pour couvrir ses habits tachés.

Ce qui m'a mis sur la bonne voie, ça a été la trace du pied nu à demi effacée, celle qui allait *vers* les toilettes. Si Ligorio a interrogé à ce sujet les ouvriers, cela veut dire qu'il s'agit sans aucun doute d'un pied d'homme.

En outre, il y a le facteur temps. L'assassin tue Francesca en quelques minutes, il se lave (pas seulement les mains, comme je te le dirai ensuite), puis il lave soigneusement le couloir. En outre, il ne s'inquiète pas tellement des cris désespérés de la victime. Pourquoi a-t-il éprouvé la nécessité de laver seulement le couloir et non le vestibule ? Non pas tant, à mon avis, pour effacer les traces de son passage que pour interdire aux enquêteurs de suivre le trajet de ses propres traces. Si cette hypothèse est vraie, les traces ne peuvent que conduire des toilettes à l'un des bureaux qui donnent sur le couloir.

Donc le meurtre est l'œuvre d'un des employés de l'institut qui connaît très bien la durée de la pause-déjeuner des ouvriers. Il sait qu'il a une heure pour agir sans être dérangé.

Mais pourquoi a-t-il tué ?

Hasard. Il y a un employé qui profite de la pause-déjeuner pour recevoir, en cachette de tous, un homme avec qui il a une relation. Je dis un homme et non une femme pour une raison évidente : la trace dans le couloir est celle d'un homme. Ce maudit jour, l'employé de l'institut reçoit son ami. Sûrement, il l'a déjà fait auparavant et cela, jusqu'alors, a bien marché.

Il fait très chaud, ils s'enferment dans le bureau, se déshabillent. A un certain moment, entre les deux hommes survient quelque chose (une dispute ? un jeu érotique ?) à la suite de quoi, l'ami ouvre la porte du bureau et court nu dans le couloir vers les toilettes pour femmes. L'employé, lui aussi complètement nu, le suit en brandissant un coupe-papier (le stylet). Quand tous deux se trouvent dans le vestibule, apparaît à l'improviste Francesca. Ton amie connaît certainement l'employé et reste paralysée par la surprise. Cela ne dure qu'un instant : terrorisé à l'idée d'être découvert (visiblement, il tenait rigoureusement cachée son homosexualité, par attachement à une conception bourgeoise de la « dignité »), l'employé perd littéralement la raison et frappe d'instinct Francesca. Son ami s'enfuit, regagne le bureau, file. L'employé continue à se déchaîner sur la victime, Francesca crie mais l'homme sait que personne ne peut l'entendre. Quand il a libéré sa haine, il se lave soigneusement le corps entier (voilà pourquoi tant d'eau tombée hors du lavabo), remonte le couloir, retourne au bureau, passe ses vêtements.

Voilà où nous nous sommes trompés : en supposant que l'assassin avait utilisé un vêtement de rechange.

Une fois habillé, il efface les traces dans le couloir, sort tranquillement de l'institut et ni vu ni connu.

Se peut-il que Giorgio Ligorio ne soit pas arrivé aux mêmes conclusions ? Ou souhaite-t-il seulement avoir ma confirmation ?

Excuse-moi, mon amour, si j'ai été trop rapide ou

trop expéditif dans cette lettre. Mais cette maudite enquête me vole tout mon temps.

Je voudrais tant être avec toi dans ta maison de Boccadasse et te serrer dans mes bras. Comment vont les parents de Francesca ?

Il est une heure du matin, je t'écris assis sur la véranda, la lune brille et il y a une mer d'huile. Peut-être bien que je vais aller me baigner.

Je t'embrasse avec tout mon amour.

Salvo

Boccadasse, le 13 juillet

Salvo bien-aimé,

Comme certainement tu l'auras su par la télévision et par la presse, tu as mis dans le mille. Entre-temps, Giorgio était arrivé aux mêmes conclusions. L'assassin est Giovanni De Paulis, directeur administratif de l'institut. Insoupçonnable, méticuleux, très sévère. Maintenant, je me souviens que Francesca m'avait dit qu'il était surnommé « l'austère Giovanni ». Son partenaire en ce jour tragique est un jeune type connu dans ces milieux. Il est en fuite, mais Giorgio m'a dit que c'est une question d'heures avant qu'ils le prennent.

Je suis très triste, mon Salvo, très triste parce que mon amie est morte de la main d'un imbécile, dans une histoire sordide. Entre autres, Francesca était connue pour son extrême discrétion, jamais elle n'aurait dit un mot sur les tendances sexuelles du directeur administratif. La maman de Francesca va un petit peu mieux.

Mais maintenant, c'est moi qui me ressens de la tension de ces terribles journées.

Heureusement que Giorgio a été très proche de moi et a tenté de toutes les manières de me rendre ces heures moins lourdes.

Tu ne peux vraiment pas venir ?

Je t'embrasse avec tout mon amour.

Livia

Giorgio ? Comment ça, elle l'appelle Giorgio ? Il y a deux jours encore, c'était le commissaire Ligorio et maintenant elle est à tu et à toi avec lui ? Ah ben merde ! Et qu'est-ce que ça veut dire, qu'il la console ?

J'AI INUTILEMENT ESSAYÉ DE TE JOINDRE AU TÉLÉPHONE. JE T'AVISE AVOIR BRILLAMMENT RÉSOLU L'AFFAIRE QUI ME RETENAIT. SERAI DEMAIN AÉROPORT DE GÊNES 14 HEURES. BAISERS

SALVO

La traduction manzonienne

— *Dottori*, les espousailles, elles sont toutes fou-
tues ! annonça au téléphone la voix agitée de Catarella.

Montalbano, ensuqué, regarda le réveil, il était sept
heures du matin. Il avait passé une nuit peuplée de
cauchemars terribles (dans une espèce de *Star Trek*
maison, entre autres, il avait été nommé chef de la
police interplanétaire), à cause des sardines *a beccafico*
dont il s'était indécemment bâfré le soir précédent et
donc on ne pouvait dire qu'il fût au meilleur de sa
forme. Il n'avait rien compris de ce que lui avait dit
l'autre qui, à présent, était préoccupé par le silence de
son supérieur :

— *Dottori*, qu'est-ce que vous faites ? Vous vous en
allâtes ?

— Non, Catarè, encore ici, je suis. Essaie d'être un
petit peu plus clair.

— Plus clair que ça ? Si vous voulez, je vous répète
mot pour mot ce que j'ai dit : les espousailles…

— Laisse tomber, Catarè. Téléphone au *dottor*

Augello ou à Fazio et raconte-lui ça. On se voit tout à l'heure.

Il raccrocha, mais le sommeil était irrémédiablement perdu. Il se leva du lit, regarda dehors par la fenêtre. Une journée claire comme Dieu le veut. Il se mit le maillot, sortit par la véranda, parcourut lentement la plage, rentra dans l'eau. Il faillit bien avoir une attaque, elle était glacée. Mais elle rendit sa tête lucide.

Le mystérieux coup de fil de Catarella lui revint à l'esprit vers midi et éveilla sa curiosité. Il appela Mimì Augello.

— Mimì, t'es au courant d'histoires de mariages qui ont merdé ?

— Pourquoi, pas toi ? Il se passe pas un jour qu'y ait pas un couple de notre connaissance qui se sépare. Tu te souviens de…

— Mimì, je parlais pas de ça. Tu sais pourquoi Catarella m'a téléphoné ? J'y ai rien compris.

— Avec moi, Catarella a pas parlé. Je t'envoie Fazio.

— Fazio, par hasard, ce matin, Catarella t'a cherché ?

— Oh que oui, *dottore*. Une connerie.

— J'en doutais pas. Raconte.

— Ce matin tôt, M. Crisafulli, qui est employé à l'état civil, en rentrant chez lui après être allé faire les courses, a vu que le tableau d'affichage près de la grande entrée de la mairie était plus là.

— Eh bè ? Un employé l'aura tiré à l'intérieur.

— Oh que non, *dottore*, c'est le tableau de publication des bans de mariage. Il doit rester toujours exposé, jour et nuit, pour la période fixée par la loi.

— Explique-moi mieux.

— *Dottore*, quand deux personnes veulent se marier, elles vont à la mairie et l'officier d'état civil dresse une espèce d'acte, qui s'appelle un ban, et l'expose sur le tableau d'affichage. Comme ça tout le monde est au courant du mariage et s'il y a quelque chose qui s'y oppose, on peut le dire en temps utile. Si les bans ne restent pas exposés la durée nécessaire, le mariage ne peut pas se faire à la date prévue. Il faut réécrire l'acte depuis le début, mais il faut la permission du juge.

— J'ai compris. Peut-être. Mais pourquoi as-tu dit que c'est une connerie ?

— Passque c'est rien d'autre, dans le fond. Au maximum, y aura quelques retards, il faut fixer une autre date, refaire les invitations… Beaucoup de tracas, mais un dommage léger. Ça a été une bêtise, *dottore*, d'un quelconque petit voyou qui s'était fumé trop de joints.

Pour aller à la trattoria San Calogero, il devait forcément passer devant la mairie, édifice qui avait une espèce de portique à huit colonnes. Il regarda vers la porte d'entrée et vit à côté de celle-ci un tableau d'affichage avec quelques feuilles punaisées. Il s'approcha pour en lire quelques-unes et à ce moment sortit M. Crisafulli qui rentrait chez lui pour la pause-déjeuner. Ils se connaissaient.

— Tout est réglé ? demanda Montalbano en indiquant le tableau d'affichage.

— Oui, commissaire. J'ai filé dare dare à Montelusa et le juge a donné tout de suite l'autorisation d'afficher la copie. Par chance, les bans n'étaient que neuf, c'est plus une période de mariages, y fait trop de canicule.

— Juste par curiosité : ces neuf couples auraient dû se marier le même jour ?

— Mais non ! Chaque acte a sa date et donc une échéance différente.

— Une dernière question et je vous laisse aller manger. Si le juge n'avait pas donné tout de suite l'autorisation de la duplication, qu'est-ce qui se serait passé ?

— Il se serait passé qu'on aurait dû re-convoquer les fiancés et refaire les bans depuis le début. Un retard d'au moins une simaine.

Le lendemain, le commissaire refit la même route pour aller manger à la trattoria ; Adelina, la bonne, avait la grippe et donc elle ne pouvait lui laisser des plats préparés au frigo ou au four. En passant, il jeta un coup d'œil sous le portique de la mairie, le tableau d'affichage était là, personne ne l'avait touché durant la nuit. Il se convainquit que Fazio avait eu raison : une bêtise de petits voyous empégués de vin et d'herbe.

Deux heures plus tard, il dut revoir ce jugement quand se présenta à son bureau Galluzzo qui voulait lui parler en tête-à-tête.

— Il s'agit d'une histoire de mon neveu.

La femme de Galluzzo était entichée de ce neveu de seize ans, Giovanni, qui ne savait rien faire d'autre que foncer à moto avec ses petits copains, se faire des joints et ensuite passer des heures à contempler le pavé. Galluzzo, à l'inverse de sa femme, ne le supportait pas.

— Il a fait des conneries ? demanda Montalbano.

— Oh que non, *dottore*. Il me dit un drôle de truc. Aujourd'hui, le petit môssieur a daigné venir manger chez sa tante qui trouve toujours le moyen de lui glisser dans la poche un billet de cinquante mille. J'étais en train de raconter à ma femme l'histoire du tableau d'affichage, en disant qu'à mon avis, ça avaient été les petits copains de Giovanni qui avaient fait la bonne blague, quand lui m'a dit que c'était pas ça. « Et c'est quoi, alors ? » je lui ai demandé. Alors, il m'a raconté que l'autre nuit, il a été le dernier à quitter la place devant la mairie. Il devait être dans les deux heures. Il était déjà arrivé avec sa moto en bas de chez lui quand il s'est rappelé qu'il avait laissé les cigarettes sur le banc. Il est revenu en arrière. Il a vu un type qui avait à peine fini de détacher le tableau et qui était en train de le glisser dedans une voiture.

— Un type ?

— Oh que oui, monsieur, un type. Un quinquagénaire, un homme costaud. Il se mit en voiture et partit.

— Il a vu la plaque ?

— Il ne s'en souvient pas.

— Pourquoi il n'est pas venu me raconter l'histoire ?

— Laissons tomber, dit Galluzzo.

Il soupira, marqua une pause et ajouta : « Un jour ou l'autre, il va y venir au commissariat. Avec les bracelets aux poignets. »

Et donc : si un quinquagénaire va voler un tableau d'affichage, ça veut dire qu'il a des raisons à lui pour le faire, il ne s'agit pas d'une lubie sur le moment.

Au bout de deux heures de besogne patiente, Montalbano réussit à faire une espèce de tableau récapitulatif des bans que lui avait amenés Galluzzo.

Gaetano Palminteri, cinquante ans, devait prendre pour femme en secondes noces, parce que veuf, Teresa Gamberotto, dix-neuf ans (« et là, c'est les cornes assurées ») ; Gerlando Cascio, trente ans, allait se marier avec Ulrike Roth, Allemande, vingt-huit ans (« émigré, celui-là, au lieu de ramener des sous à la maison, il a préféré ramener une étrangère ») ; Alfonso Serraìno, trente-deux ans, avec Filippa Di Stefano, quarante, veuve (« celle-là, elle a la trouille de se coucher seule ») ; Matteo Interdonato, soixante-sept ans, avec Marianna Costa, soixante-cinq (« tu veux voir que c'est vrai que le cœur ne vieillit jamais ? ») ; Stefano Capodicasa, trente ans, avec Virginia Umile, vingt-huit ans (« si t'avais pas une femme vierge, *virginia* et humble, *umile*, comment tu ferais à être le chef de maison, *capo di casa* ? ») ; Còsimo Pilliteri, quarante-cinq ans, veuf, avec Agatina Tuttolomondo, quarante-cinq (« il est resté veuf et il s'est mis dans un nouveau ménage, peut-être pour les enfants ») ; Salvatore Lumìa, trente ans, avec Djalma Driss, Tunisienne, vingt-huit ans (« faites beaucoup d'enfants qu'on en finisse avec ce tracassin du racisme ») ; Alberto Cacòpardo, vingt-neuf ans, avec Giovanna La Rosa, vingt-cinq (« rien à objecter ») ; Davide Cimarosa, trente ans, avec Donatella Golìa, trente ans (« comment ça ? David au lieu de tuer Goliath, il l'épouse ? »).

La liste était finie et le commissaire eut honte

d'avoir commenté les mariages en pensant à des conneries. De toute la liste, deux des unions lui avaient accroché l'œil : celle du quinquagénaire Palminteri qui se mariait une jeunette qui avait trente et un ans de moins que lui et celle de la veuve Di Stefano qui se prenait un jeune de huit ans de moins.

— Salvo, mais tu as une mentalité de vieux ! bondit Mimì Augello quand Montalbano lui rapporta le résultat de ses recherches. Qu'est-ce qui te dit qu'un mariage entre un homme et une femme avec une certaine différence d'âge doit forcément mal finir ou cacher Dieu sait quoi ? Et puis, pourquoi tu te l'es prise tant au sérieux, cette affaire du tableau d'affichage ?

— Parce qu'un adulte ne le fait pas disparaître sans une raison précise.

— Bon, d'accord, mais si M. Crisafulli t'a expliqué que dans le fond, ça n'a pas eu de conséquence pratique !

— Considère l'histoire d'un autre point de vue, Mimì. Celui qui a fait disparaître le tableau d'affichage, selon moi, a voulu faire savoir quelque chose.

— Aux neuf couples ?

— Non, à un seul. Ou peut-être seulement à l'homme ou à la femme. Mais s'il avait cassé le verre et s'était emporté la seule feuille qui l'intéressait, découvrir le pourquoi aurait été plus facile, comme s'il y avait mis sa signature. Et comme ça, il a dû emmener avec lui le tableau d'affichage entier.

— Et qu'est-ce qu'il voulait faire savoir ?

— C'est la traduction en sicilien d'une phrase que tu trouves dans *Les Fiancés* de Manzoni. Tu l'as jamais lu ?

— Je l'ai étudié à l'école et ça m'a suffi, dit Mimì en lui jetant un regard ahuri. Et qu'est-ce que ça serait, cette phrase ?

— Ce mariage ne doit pas se faire.

Mais lequel des neuf ? Là était le tracassin. Pour au moins donner une logique à l'enquête, il décida de suivre l'ordre chronologique des dates, c'est-à-dire de commencer par ceux qui couraient le danger le plus immédiat, à condition qu'il y ait danger, bien entendu. Il convoqua Fazio, Gallo et Galluzzo.

— Vous avez quatre jours devant vous. Puis vous devez me rapporter tout sur ces six premières personnes qui se marient.

Il leur remit les bans.

— Chacun de vous se prend en charge un couple. A vous de vous les répartir.

— Mais qu'est-ce que vous voulez savoir, précisément ? demanda Fazio au nom des autres.

— Qui c'est. S'ils ont des antécédents de n'importe quel genre. Pourquoi ils se marient. Qu'est-ce qui se dit au pays sur chacun d'eux et sur leur mariage. Je veux tout savoir, même les cancans, même s'ils ont eu la scarlatine.

Quand il le sut, Mimì Augello ricana.

« Le fait est, pinsa-t-il, qu'il veut savoir pourquoi on se marie. Comme ça, peut-être, il va trouver la force de le faire avec Livia. »

Mais il se garda bien de le dire à Montalbano.

Quatre jours plus tard, le premier à venir lui raconter le résultat de ses enquêtes fut Galluzzo.

— *Dottore*, qu'est-ce que vous voulez que je vous dise ? A moi, ça me paraît une histoire très normale. Ce Còsimo Pillitteri, tout le monde dit que c'est une personne très brave. Il vend du poisson sur le marché, il y a deux ans, il est aresté veuf passque la femme lui est morte d'une tumeur. Il a deux fils, un de dix ans et un de huit et lui, il peut pas s'en occuper... Donc, il s'est marié avec Agatina Tuttolomondo, une ménagère qui était amie de sa femme. J'y vois rien d'estrange...

Ça, le commissaire l'avait déjà pinsé quand il faisait la liste des couples. Et il se félicita de son intuition. Mais un démenti à ses suppositions acerbes lui fut apporté par le rapport de Fazio.

— Cette Filippa Di Stefano, veuve et quadragénaire, c'est vrai qu'elle s'est marié Alfonso Serraìno qui a huit ans de moins qu'elle. Mais, commissaire, l'histoire n'est pas comme on se met tout de suite à pinser...

— Toi, qu'est-ce que tu avais pinsé ?

— La veuve riche qui s'achète un jeune.

— Et en fait ?

— Commissaire, Alfonso Serraìno, à cause d'un accident d'auto qui lui est arrivé voilà une dizaine d'années, est adevenu paralytique, il est cloué sur une chaise roulante. C'est sa mère qui l'aidait, mais il arriva que sa mère...

— Ça me suffit, dit Montalbano en demandant mentalement pardon à la veuve Di Stefano.

Un autre démenti à ses suppositions lui vint de Gallo.

— Gerlando Cascio besogne depuis huit ans à Düsseldorf, il est garçon dans un restaurant où il a connu Ulrike Roth qu'aujourd'hui il se marie. Puis, une fois fait le mariage, ils s'en retournent en Allemagne et avec eux partent aussi Calogero et Umberto, frères de Gerlando. Ils vont tous à besogner dans la chaîne de restaurants que possède Ulrike Roth.

Il alla se coucher presque pirsuadé qu'il fallait laisser tomber l'histoire des bans de mariage. Certaines fois, quand il se fourrait un truc dans la tronche, elle devenait plus dure que celle d'un Calabrais. Ça devait être comme disait Fazio : une galéjade. Et si ça n'avait pas été un jeune, mais un homme adulte, tant pis. Peut-être avait-il fait un genre de pari crétin. Il dormit bien et à sept heures et demie du matin, quand le téléphone sonna, il était déjà prêt à sortir de chez lui.

— Allô ? Allô ! *Dottori ?* Allô ! Sur les espousailles, ils tirèrent !

Mme Assunta Pezzino, qui avait sa chambre à coucher juste devant la mairie, déclara :

« Folle, je deviens ! Folle ! Ces petits voyous ils sont là à blaguer et à rire jusqu'à des deux heures du matin ! Et ils me laissent pas dormir ! Et puis ils arrivent et ils repartent avec les motocyclettes, les vélomoteurs qui font un bruit d'enfer ! A hier soir, comme Dieu veut, les deux heures de la nuit étaient passées, le silence est tombé et moi, finalement, je pouvais m'assoupir. Au bout de même pas une demi-heure, je suis réveillée par un bruit de freins. Puis j'entendis que la voiture repartait en faisant grincer les pneus. Alors, ça vous semble normal ? Qu'on peut pas fermer l'œil de toute la sainte nuit ? Rien de rien on peut faire pour envoyer en prison ces petits voyous ? »

Le projectile avait cassé le verre du panneau d'affichage, l'avait transpercé et était allé se ficher profondément dedans le mur.

— Nous avons eu de la chance, dit M. Crisafulli. Le coup n'a même pas touché un acte. Il en a brûlé le bord d'un, à un endroit qui ne compte pas.

— Vous croyez à une galéjade ?

— Non, dit M. Crisafulli.

Une chose était sûre : en tirant, l'inconnu avait mieux éclairci le sens de sa traduction manzonienne.

— Matteo Interdonato est tombé amoureux de Marianna Costa qu'elle n'avait même pas dix-neuf ans. Marianna aussi, avec ses dix-sept ans et sa famille aisée, prit feu pour Matteo qui était grand, brun et avait des yeux de diable. Mais il était fils de miséreux, sa mère gagnait le pain quotidien en lavant des escaliers et so' père faisait le balayeur municipal. « Jamais », dirent les parents de Marianna. Et pour rendre leur opposition plus claire, le frère de Marianna, un garçon d'une vingtaine d'années d'une stature qu'on aurait dit une *armùar* et qui s'appelait Antonio, coinça un soir Matteo et lui brisa, littéralement, les os. Puis ils prirent la fille et l'expédièrent à

Palerme dans un collège. Le dimanche, les petites sortaient en rang pour une promenade. Une fois par mois, Matteo, ayant rassemblé les sous pour le voyage, prenait le train, allait à Palerme, se postait et quand Marianna passait avec ses camarades de classe, ils se regardaient. On ne sait comment, l'histoire vint aux oreilles d'Antonio. Et comme ça, un dimanche, pendant que Marianna et Matteo se regardaient, surgit Antonio qui tenta de briser à nouveau nouvellement les os de Matteo, n'y réussissant qu'en partie parce que cette fois, Matteo réagit en lui crevant un œil. On tut l'histoire et Marianna fut envoyée à Rome, chez une tante. Pendant des années et des années, elle a refusé les meilleurs partis et Matteo non plus n'a pas voulu se marier. Au bout d'une dizaine d'années, le père et la mère de Marianna sont morts, mais elle n'a pas voulu revenir à Vigàta, elle haïssait so' frère Antonio. Elle n'est rentrée que l'an dernier pour se marier finalement son Matteo.

A ce point, le commissaire interrompit le récit de Fazio.

— Sans perdre de temps, amène-moi tout de suite Antonio Costa, le frère de Marianna. Renseigne-toi pour savoir où il habite.

— Où il habite, je le sais. Au cimetière, depuis dix-huit mois. C'est pour ça que tous les deux, ils peuvent se marier.

— Commissaire, qu'est-ce que je peux vous dire ? C'est vraiment un couple, qu'à les voir, on a envie de rigoler !

— Tu les as vus ? Comment tu as fait ?

— Simple, *dottore*, répondit Galluzzo. Lui il vend des fleurs, elle des fruits et légumes. Ils ont leurs étals l'un à côté de l'autre au vieux marché. Ils se connaissent depuis qu'ils étaient minots. Personne a rien contre eux. Au contraire.

— Pourquoi tu dis que c'est un couple qui donne envie de rigoler ?

— Elle, c'est un colosse, avec de ces bras qu'on dirait des jambons et du genre qui rigole pas. Lui, il est tout petit, tout poli, bien propre, gentil. Et pinser qu'elle s'appelle Virginia Umile et lui Capodicasa ! Humble vierge et chef de maison ! Celle-là, elle va le mener à la baguette !

— Très bien. Et Gallo, où il est ? Ça fait depuis hier que je le vois pas.

— Merde ! Je me l'oubliai ! fit Fazio en se donnant une claque sur le front. Depuis à hier, il s'est chopé la grippe. Ce tracassin qui traîne en ce moment.

Impatient, Montalbano l'appela au téléphone.

— Cobbissaire, dit Gallo d'une voix d'outre-tombe. Je b'escuse bais j'y arrivais blus. Bais j'ai su que Salvatore Lubìa est boucher qu'il a un bagazin bontée Pirandello. Il habite 18, via Libertà avec son frère Francesco, lui aussi boucher, bais lui il a bagazin près du port. Ça fait six mois que la Tudisienne vit avec eux.

— Avant, où elle habitait ?

— A Balerme, c'est ce qu'on b'a dit.

Il alla en personne à la boucherie de via Pirandello et la trouva fermée. Il revint en arrière, retraversa Vigàta et, dans une ruelle qui débouchait sur le quai du port, trouva l'autre boucherie, celle du frère. Il attendit que le seul client sorte, puis entra.

— Bonjour. Le commissaire Montalbano je suis.

— Je vous connais. Qu'est-ce que vous voulez ?

Honnêtement, on ne pouvait pas dire que Francesco Lumìa fût sympathique à première vue et pas davantage à la seconde. Grand, couvert de taches de rousseur, cheveux roux, manières brusques.

— Je voulais parler avec votre frère, mais j'ai trouvé la boucherie fermée.

— Il souffre, de temps en temps, de grandes crises de mal de tête. Aujourd'hui, c'est le cas. Il est à la maison. Mais vous n'avez pas besoin d'aller le voir, vous pouvez me parler à moi.

— Bè, en vérité, celui qui se marie, c'est votre frère.

Il avait été pris de l'impulsion de jouer cartes sur table. L'autre lui jeta un regard de travers, en tripotant un coutelas de soixante centimètres qui rendait le commissaire légèrement nerveux.

— Vous avez quilque chose contre le mariage de mon frère Salvatore ?

— Moi ? Tous mes vœux et qu'il fasse des garçons[1].

— Et alors, qu'est-ce que vous en avez à foutre ?

---

1. *Auguri e figli mascoli* : salutation traditionnelle. Ce n'est pas de la faute de Montalbano si la société sicilienne traditionnelle est patriarcale. (*N.d.T.*)

— Moi, rien. Mais quelqu'un d'autre peut-être, en a à foutre.

— Vous voulez parler de ces conneries avec le tableau d'affichage ?

— Exactement.

— Et qui vous a dit que l'avertissement est pour *me'frati*, mon frère ?

Voilà : M. Francesco Lumìa avait exactement compris le sens de la traduction manzonienne.

— Non, pas seulement pour votre frère. Et moi en fait je me renseigne sur l'ensemble des neuf mariages qui sont annoncés sur le tableau.

— Commissaire, premièrement, moi, je continue à pinser que tout ça, c'est rien que de la connerie en barre et secondement, personne ne peut se le prendre mal, le mariage de Salvatore.

Et là Montalbano marqua un point en faveur de l'enquête : Francesco Lumìa ne savait pas jouer la comédie ; son comportement, sous ces paroles en apparence pleines d'assurance, trahissait une inquiétude certaine.

— Je vous remercie mais je préfère aller parler avec votre frère.

— Faites comme vous voulez.

Avant même qu'il ait ouvert la bouche, dès qu'il eut sonné à l'interphone, une voix lui lança :

— Le commissaire Montalbano ?

Francesco avait averti le frère.

— Oui.

— Venez. Au quatrième.

Un appartement cossu avec des meubles de si mauvais goût que, pour les choisir, il fallait avoir étudié la question. On le fit asseoir dans un salon dont l'extrême propreté soulignait la laideur du mobilier.

Salvatore Lumìa était à l'opposé de son frère pour le physique. Brun, maigrichon, mais parfaitement semblable pour les manières.

— J'ai mal à la tête, je peine à parler.

— Je vais pas vous embêter longtemps. Vous savez pourquoi je suis venu à vous trouver ?

— Djalma ! appela l'homme au lieu de répondre.

Se matérialisa une espèce d'ange brun. La taille haute, flexible, des yeux incroyablement grands. Montalbano, sous le choc, bondit sur ses pieds.

— Voici Djalma, ma fiancée. C'est le commissaire Montalbano. Il est venu se renseigner sur notre mariage.

— J'ai les papiers en règle, dit Djalma.

Peut-être les sirènes avaient-elles cette voix ?

Montalbano se reprit.

— Non, mademoiselle, il ne s'agit pas de papiers. Le fait est que…

— Merci, Djalma, dit le fiancé.

La jeune fille adressa un sourire au commissaire et disparut.

— Je ne voulais pas qu'elle s'inquiète à entendre l'histoire d'un con qui s'amuse à menacer les gens qui doivent se marier. J'ai connu Djalma chez des amis, à Palerme. J'en suis tombé amoureux. Elle était libre. Elle est venue vivre ici, à Vigàta, avec nous. Nous allons nous marier à la mairie parce qu'elle est musulmane. Moi, personnellement, j'ai pas d'ennemis, elle non plus. Et alors, ça veut dire que l'histoire du tableau des bans aregarde pas mon mariage. Excusez-moi, commissaire, mais j'en peux plus de parler. J'ai la tête qui explose.

Il mangea chez San Calogero en prenant ses aises et surtout en virant et tournant autour de l'idée qui lui était venue. Du bureau, il appela son ami Valente, qui était vice-Questeur à Palerme, et lui expliqua ce qu'il voulait de lui. Durant l'heure qui suivit, il glandouilla, faisant semblant de s'occuper de questions dont, en réalité, il se contrefoutait. Puis arriva le coup de fil de Valente avec toutes les réponses à ses questions. A peine avait-il raccroché que le téléphone sonnait de nouveau.

— Commissaire Montalbano ?

La voix était reconnaissable entre mille et, au téléphone, d'une sensualité à faire bouillir le sang.

— Je suis Djalma. Nous nous sommes vus ce matin.

— Je vous écoute, mademoiselle.

— Je voudrais vous parler. Salvatore a dû aller à Fela pour affaires, il n'a pas pu dire non, malgré son mal de tête. Moi, je ne peux pas sortir de la maison. Salvatore ne veut pas.

De la question qu'il lui posa, il connaissait déjà la réponse. Mais il la formula pour tester la sincérité de ce qu'elle lui dirait.

— Il est jaloux ?

Une très légère hésitation. Puis :

— Il ne s'agit pas seulement de jalousie, monsieur le commissaire.

— Alors, je viens moi, chez vous ?

— Oui, dès que possible. Je vous attends.

— Je vous ai dit que mes papiers sont en règle. En réalité, ils ne sont pas faux, mais ils ne sont pas véridiques.

— Expliquez-vous.

— C'est un ami de Salvatore qui m'a fait avoir un certificat de travail pour le permis de séjour. Il y avait écrit que je faisais la baby-sitter, mais ce n'était pas vrai. Je faisais un autre métier. Je suis arrivée en Sicile voilà trois ans, clandestinement. Puis j'ai été surprise par la police dans un hôtel de passe, fichée et renvoyée dans mon pays. Je suis revenue de nouveau…

— Attention que tout ça, je le sais ou je le devine, mademoiselle. J'ai téléphoné aux Mœurs et au Bureau des étrangers de Palerme.

Djalma se mit à pleurer en silence.

— Et maintenant qu'est-ce que vous faites ? Maintenant que je vous ai dit…

— Mademoiselle, cette partie de votre vie ne m'intéresse pas, je vous l'assure… Je veux seulement savoir ce que vous me cachez.

Les larmes coururent, plus rapides, sur le beau visage de la jeune femme.

— Salvatore est tombé amoureux de moi. Et moi de

lui. Alors, nous nous sommes enfuis, je suis venue me cacher ici. Mais lui, il doit m'avoir découverte.

— Lui qui ?

— Mon souteneur.

— Vous pensez que c'est lui qui a tiré sur le tableau des bans ? Vous pensez que l'avertissement vous était adressé, à vous deux ?

— J'en suis sûre. Aussi parce qu'il ne passe pas un jour sans qu'il nous téléphone en nous menaçant. Mais Salvatore et Francesco n'ont pas peur. Moi, j'ai peur, pour moi et pour eux. C'est un violent, je le connais bien.

— Qu'est-ce qu'il veut de vous ?

— Que je quitte Salvatore et que je revienne vivre avec lui.

— Vous étiez sa maîtresse ?

— Oui. Mais il s'agit pas d'amour, commissaire. C'est parce que je l'ai fait manquer devant ses amis, les gens comme lui. Il veut démontrer à tout le monde sa force, son pouvoir.

— Vous avez fait des études ?

Djalma ne s'attendait pas à cette question, elle le scruta.

— Oui… Dans mon pays. Et je voudrais, si je me marie, continuer.

— Compliments pour votre italien, dit Montalbano en se levant.

— Merci, dit Djalma, confuse.

— Pourquoi votre fiancé ne m'a-t-il pas exposé ce qu'il en était ?

— Il m'a dit qu'il ne s'adressait jamais à la loi pour une affaire personnelle. Chez nous aussi, en Tunisie, c'est comme ça.

— Eh oui, fit Montalbano, amer. Une dernière chose, je vous prie : nom, prénom et adresse de votre ex-souteneur. Et tous mes vœux pour votre mariage.

Huit nuits de suite, Gallo, Galluzzo, Fazio et Imbrò surveillèrent à tour de rôle le tableau, planqués dedans une voiture qui semblait innocemment et par hasard garée près de la mairie. La nuit précédant le mariage de Salvatore et de Djalma, une auto s'approcha en silence, s'arrêta, un homme en descendit, avec une bouteille dans une main et un chiffon dans l'autre. Il regarda autour de lui, se glissa sous le portique. Puis il déboucha la bouteille et en versa le contenu sur le tableau, en particulier sur le cadre de bois. A ce point, Fazio, qui était de garde, comprit ce que l'homme avait l'intention de faire. Il sortit en courant de la voiture et braqua son pistolet sur lui.

— Halte ! Police !

En jurant, l'homme leva les bras, tenant la bouteille vide dans une main et le chiffon dans l'autre. L'odeur d'essence était si forte que Fazio en eut la nausée.

— Il s'appelle comme vous aviez dit, *dottore* : Nicola Lopresti. Il a écopé de condamnations pour proxénétisme, violences, ce genre de choses. En poche, il avait un revolver chargé.

— Port d'arme ?

— Non. Et numéro d'immatriculation limé. Et dans la poche, il avait aussi ça.

Il posa sur le bureau de Montalbano un flacon sans étiquette.

— Qu'est-ce que c'est ?

— Du vitriol. Il voulait la défigurer pendant qu'elle se mariait. Maintenant, je vous l'amène.

— Je ne veux pas le voir, dit Montalbano.

Une mouche attrapée au vol

Ça faisait un an que Montalbano n'avait pas vu le proviseur Burgio et sa femme, Mme Angelina. De temps en temps, il avait envie de les voir, de ressentir la chaleur de leur amitié et une semaine ne passait pas sans qu'il jure solennellement de se manifester, ne fût-ce que par un simple coup de fil. Puis, entre une chose et une autre, ça finissait que le projet lui sortait complètement de la tête. Le proviseur Burgio n'était plus proviseur depuis une quinzaine d'années mais au pays tout le monde continuait à l'appeler comme ça par respect. C'était un plus que septuagénaire encore fort de corps et de tête qui, avec son épouse, une femme petite et délicate qui avait une façon de cuisiner légère et élégante, lui avait été très utile pour résoudre une histoire compliquée qui fut appelée l'affaire du « chien de faïence ».

— Allô, *dottor* Montalbano, ici le proviseur Burgio.

Le commissaire, aussitôt, éprouva embarras et virgogne. C'était à lui à appeler, à ne pas mettre un vieux monsieur en situation de devoir téléphoner le premier.

Mais aussitôt après, l'inquiétude le prit. Sans même dire bonjour, il demanda :

— Comment va Mme Angelina ?

— Bien, commissaire, bien, eu égard aux tracas de l'âge. Moi non plus, je ne vais pas mal. L'autre jour, je vous aperçus à Montelusa, dans les parages de la Questure…

— Pourquoi ne m'avez-vous pas appelé ?

— Je ne voulais pas vous déranger. Je l'ai dit à ma femme et Angelina m'a fait remarquer que ça fait un bon moment que nous ne nous sommes pas appelés.

— Je suis vraiment honteux, monsieur le proviseur. Croyez-moi, ça a été une année du genre…

Le proviseur se mit à rire.

— Je n'étais pas en train de vous demander la justification de vos absences ! La raison pour laquelle je vous appelle… Ce soir qu'est-ce que vous faites ?

— Rien de spécial. Du moins je me le souhaite.

— Vous viendriez dîner chez nous ? Ma femme aimerait tant vous revoir. Mais ne vous attendez pas à quelque chose d'exceptionnel.

— Merci. Je viendrai.

— Ah, écoutez, *dottore*. Il y aura un autre invité, un mien cousin au premier degré, fils d'une sœur de mon père, la plus jeune. Il séjourne seulement deux jours à Vigàta, pour affaires, il repart après-demain, il s'en retourne à Rome où il vit. Il est ingénieur, il s'appelle Rocco Pennisi.

Le prénom et le nom de ce cousin, le proviseur parut les épeler. A Montalbano, ils lui disaient quelque chose mais sur le moment, il ne réussit pas à les relier avec un élément précis. Mais il s'inquiéta : qu'est-ce que ça voulait dire que le proviseur tout d'un coup lui lise la carte d'identité de l'autre invité ?

L'ingénieur Rocco Pennisi était un sexagénaire distingué, courtois, réservé. Il avait cette particularité que durant toute la soirée il ne parut s'intéresser à aucun des sujets de discussion abordés. Il n'intervenait que si on l'interrogeait, mais même quand il répondait, il gardait un air absent, comme s'il avait la tête prise par d'autres pensées. De temps en temps, le commissaire surprenait quelques brefs coups d'œil entre le proviseur et le cousin : celui-là paraissait inviter, du regard, celui-ci à dire quelque chose et l'autre, toujours du regard, répondait que non. Mme Angelina aussi, qui avait préparé un dîner gracieux (c'est comme ça que Montalbano avait défini le premier et il avait continué à les qualifier tous ainsi), semblait être mal à l'aise au fur et à mesure que le repas touchait à sa fin. La seule chose que l'ingénieur dit de son propre chef fut qu'il allait partir à Rome le lendemain, étant donné qu'il avait réussi à régler plus tôt que prévu l'affaire pour laquelle il était venu à Vigàta.

— Vous prenez l'avion de dix heures ? demanda Montalbano pour dire quelque chose.

La nervosité de Mme Angelina commençait à le gagner. L'ingénieur lui lança un regard étonné.

— L'avion ? Quand j'aurais pu le prendre, on n'avait pas l'habitude de… Non, commissaire. Je rentre à Rome avec un rapide.

Puis il y eut les remerciements, les saluts.

— Je suis en voiture. Je peux vous raccompagner ? demanda Montalbano à l'ingénieur, mais ce fut le proviseur qui répondit.

— Merci, *dottore*. Mon cousin dort ici.

Montalbano rentra à Marinella passablement troublé.

Le lendemain matin, alors qu'il se faisait la *varba*, la barbe, il lui revint à l'esprit l'estrange atmosphère qu'il y avait eu durant le dîner chez les Burgio. Sur un point, il avait acquis une conviction, et c'était que l'invitation n'avait pas été le fruit du hasard. Le proviseur avait voulu la rencontre entre l'ingénieur Pennisi et lui parce que ce dernier souhaitait lui dire quelque chose. Mais durant le repas, il avait changé d'idée, bien que le proviseur, du regard, l'invitât à entrer dans le vif du sujet. Et l'annonce qu'il allait partir le lendemain, à qui il l'avait faite, l'ingénieur ? Certes pas à son cousin et à sa femme, étant donné qu'eux, ils devaient déjà le savoir : l'ingénieur habitait chez eux. Et il ne l'avait certes pas adressée à Montalbano. Alors, le vrai sens de cette phrase était tout autre. Peut-être ceci : mon cousin, n'insiste pas, en disant que je pars demain, j'entends clore la question, je ne parlerai pas avec le commissaire. Et puis Rocco avait dit une chose qui ne cadrait pas, un truc qui lui était sorti de la bouche sans y pinser, si bien qu'il s'était interrompu d'un coup. Ça avait été à propos de l'avion. Il avait dit, grosso modo, que quand il avait la possibilité de le prendre, on n'avait pas encore l'habitude des voyages aériens. Pourquoi l'ingénieur, à un certain moment de sa vie, même s'il avait voulu le faire, n'aurait pu ? Qu'est-ce qui pouvait l'en empêcher ? Et il y avait autre chose, assez difficile à définir. Une impression. Même si le commissaire, durant le dîner, n'avait semblé regarder Rocco Pennisi que quand il le fallait, en réalité, il ne l'avait jamais perdu de vue. Il avait été frappé par l'économie de gestes de l'ingénieur. Il n'écartait pas les bras, ne posait pas les coudes sur la table… Bonne éducation, bien sûr. Mais pourquoi, en s'asseyant à table, avait-il rapproché verre et couverts, presque comme s'il avait été habitué à manger dans un espace restreint ? Il se comportait instinctivement comme s'il était habitué à manger avec d'autres hommes, un à droite, un à gauche et un troisième devant.

Il y pinsa et y repinsa pendant qu'il se promenait au bord de la mer, étant donné qu'il était trop tôt pour aller au bureau. Et tout d'un coup, l'explication lui vint à l'esprit, simple et très claire. Et il comprit pourquoi le proviseur, en l'invitant, lui avait détaillé nom et prénom de son cousin. C'était un geste de délicatesse, il désirait le prévenir, il ne voulait pas le mettre dans l'embarras en lui faisant trouver à sa table quelqu'un comme son cousin. Sauf que lui, il ne s'était pas rappelé sur le moment qui était Rocco Pennisi. Un assassin, simplement.

Il n'était même pas passé une demi-heure depuis qu'il le lui avait demandé quand Catarella, glorieux et triomphant, lui mit sur la table la feuille à peine sortie de l'imprimante d'ordinateur.

— En temps réel, hein, Catarè ?

— Réel, *dottori* ? Surréel !

La fiche résumait sèchement la tragique affaire de Rocco Pennisi, ingénieur diplômé, condamné pour meurtre de manière définitive à trente ans de détention, dont il avait purgé vingt-cinq avant d'être libéré pour bonne conduite. Sa libération remontait à deux mois à peine.

Le commissaire, la fiche, il se la lut deux fois et arriva à une conclusion précise : le procès de l'ingénieur n'avait reposé que sur des indices et peut-être était-ce pour cela que les juges lui avaient évité la perpétuité. Il y pinsa un petit peu puis composa le numéro de chez les Burgio.

— Allô, monsieur le proviseur ? Montalbano je suis.

— Je vous avais reconnu à la voix. Je sais pourquoi vous me téléphonez.

— Votre cousin est vraiment parti ?

— Oui. C'est ma faute. J'ai tellement insisté pour qu'il parle avec vous… Mais qui sait pourquoi il ne s'est plus senti de le faire. Il a voulu rentrer à Rome.

— Qu'est-ce qu'il fait à Rome ? Il a trouvé du travail ou bien…

— Oui, il est dans l'agence de Nicola, son fils. Qui est lui aussi ingénieur.

— Monsieur le proviseur, que vouliez-vous que votre cousin me dise hier soir ?

— Qu'il vous raconte comment s'était vraiment passée l'affaire qui l'a fait injustement croupir vingt-cinq ans en prison et qui lui a détruit la vie.

Montalbano ne se sentit pas d'objecter tout de suite.

La voix de son interlocuteur s'était brisée sur la dernière phrase.

— J'ai lu sa fiche, monsieur le proviseur. Certes, des preuves sûres, il n'y en avait pas, mais… Vous le considérez comme innocent ?

— Je ne le considère pas, j'ai la certitude, au plus profond de moi, qu'il est innocent. Et j'y comptais tellement sur cette rencontre avec vous… Vous savez quoi ? Rocco n'avait rien à régler à Vigàta. Je vous ai dit un mensonge. Je l'avais convaincu de venir exprès.

Montalbano se sentit à la fois irrité et ému par la confiance ingénue que le proviseur nourrissait envers lui.

— Si vous voulez m'en parler, vous, même en l'absence de votre cousin…

— Seigneur Dieu, je te remercie ! s'exclama le proviseur. J'espérais précisément vous entendre prononcer ces mots ! Passez quand vous voulez, commissaire.

— Je vous suis infiniment reconnaissant pour tout ce que vous pourrez faire pour mon cousin, dit en préambule le proviseur Burgio en invitant le commissaire à s'asseoir dans son bureau. Angelina a été très secouée par la soirée de hier. Elle n'a pas fermé l'œil et elle s'est couchée il n'y a pas longtemps. Je vous prie de l'excuser.

— Mais je vous en prie ! dit Montalbano et il poursuivit. Mais, monsieur le proviseur, avant que vous commenciez à parler, je voudrais établir d'abord que si je me trouve ici, ce n'est pas pour faire quelque chose en faveur de l'ingénieur, mais seulement pour vous. Vous l'aimez beaucoup, votre cousin ?

— Entre lui et moi, il y a quinze ans de différence. Son père, Michele, qui avait épousé ma tante plus jeune, Caterina, était de Montelusa. Il possédait une prospère huilerie, reçue en héritage. Michele et ma tante eurent ce fils unique, Rocco. Quand il avait cinq ou six ans, il commença à s'attacher à moi. Il arrive souvent qu'un enfant, garçon ou fille, se choisisse un père ou une mère d'élection. Notre rapport se poursuivit aussi quand Rocco grandit, alla à l'université, passa sa thèse. Ce fut justement le jour de la soutenance qu'arriva le malheur. Michele et Caterina rentraient à Palerme après y avoir assisté quand il perdit le contrôle de la voiture. Sans doute un malaise. Ils moururent tous deux. Et de ce moment, je devins une espèce de père au plein sens du terme. Et Angelina devint la mère. Rocco confia l'entreprise paternelle à une personne de confiance et s'associa à un de ses amis de Montelusa, Giacomo Alletto. Ils étaient jeunes, vifs. Rapidement, ils emportèrent des appels d'offre toujours plus importants. Le premier à se marier fut Giacomo. Il épousa une superbe jeune fille de Montelusa, Renata Dimora, qui avait été à l'université avec Giacomo et Rocco, mais qui avait ensuite interrompu ses études. L'année suivante mon cousin aussi se maria avec une petite de Favara, Anna Zambito. Ils eurent un fils, celui qui vit à Rome…

— Oui, ça, vous me l'avez déjà dit.

— Commissaire, je sais bien que je suis en train de vous ennuyer avec cette histoire qu'on dirait une de ces généalogies compliquées de la Bible. Mais, voyez-vous, si je ne vous raconte pas la situation, à la fin, on n'y comprend rien. Un soir, Rocco m'appela de Montelusa, il voulait me voir en tête-à-tête. Nous nous sommes donné rendez-vous dans un café de la périphérie. Et là, il me dit que depuis longtemps il était l'amant de Renata, la femme de son associé. De Renata, à l'époque de l'université, ils étaient amoureux tous les deux, Rocco et Giacomo. Elle avait été quelques mois avec Rocco puis l'avait quitté pour se mettre avec Giacomo. Après le mariage de Rocco, l'histoire avec Renata reprit. Ça avait été elle à recommencer, me confia mon cousin, comme si elle ne supportait pas l'idée qu'il ait une autre femme, sa femme. Et Rocco n'avait pas su résister. Moi, je le suppliai de laisser tomber, mais je compris qu'il n'y avait rien à faire. De jour en jour, il devenait plus nerveux, plus irritable.

— Il aimait encore sa femme ?

— Voilà, justement, c'était ça le problème ! Il me dit qu'il l'aimait encore plus depuis qu'avait recommencé la relation avec Renata. Et puis il adorait leur enfant. En somme, comme on dit, il avait un *cori d'asino e unu di liuni*, un cœur d'âne et un de lion : il ne savait à quel saint se vouer. Par ailleurs, Renata aussi se trouvait dans la même situation.

— Renata et son mari avaient des enfants ?

— Heureusement non.

— Ecoutez, monsieur le proviseur, Montelusa est, au fond, une petite ville. Comment se fait-il qu'Alletto n'ait pas eu la possibilité de soupçonner la relation de sa femme et de son associé ?

— C'est inexplicable, mais c'est ainsi. Il ne la soupçonnait pas. Et ça aussi, c'était un motif de tourment pour Rocco.

— Vous pouvez mieux me l'expliquer ?

— Rocco est une personne loyale. Sa condition de double traître, envers la famille et envers l'amitié, lui pesait d'une manière insupportable. Si Giacomo finissait par l'apprendre, me disait-il, j'en serais en un certain sens content, nous pourrions avoir une explication, enfin. Alors, pourquoi tu ne le lui dis pas toi ? je lui demandais. Et lui : Renata ne veut pas. Jusqu'à ce qu'un jour Giacomo reçoive une lettre anonyme. Précise, circonstanciée. Non content de donner l'adresse du studio où la femme voyait l'amant, elle disait même le jour et l'heure de la prochaine rencontre. En somme, une véritable invitation à aller les surprendre sur le fait. Et à leur tirer dessus.

— Rocco vous a jamais avoué que c'est lui qui a écrit cette lettre anonyme ? demanda Montalbano avec le plus grand calme.

La bouche du proviseur Burgio béa dans un mélange de stupeur et d'admiration.

— Non, dit-il quand il se fut repris. Mais pendant que vous me le disiez, moi je me suis rendu compte qu'il ne pouvait en être autrement. Oui, sûrement, ce fut mon cousin qui avertit Giacomo de la trahison de son épouse et de son ami.

Il marqua une pause, fixa le carrelage. Une pinsée lui était venue.

— Et peut-être voulait-il vraiment que Giacomo les surprenne, peut-être voulait-il vraiment, désirait-il, que Giacomo le tue.

— Que fit en fait Giacomo ?

— Il invita à déjeuner Rocco et sa femme Anna dans une petite villa qu'il avait à Vigàta, au bord de la mer, du côté de Montereale. Il n'y avait qu'eux quatre, Renata avait préparé le repas. Après le café, Giacomo sortit de sa poche la lettre anonyme et la lut à haute voix. Ce fut un moment terrible, Rocco me le raconta. Sans dire un mot, avec une espèce de gémissement, Anna se leva et s'enfuit vers la plage. A ce moment, Rocco comprit que depuis quelque temps, elle soupçonnait quelque chose. Anna sortie, Giacomo demanda à sa femme et à Rocco ce qu'il devait faire de cette lettre. Ni Renata ni Rocco n'ouvrirent la bouche, c'était pire que s'ils avaient avoué. Giacomo déchira la feuille et dit : « Moi, cette lettre, je ne l'ai jamais reçue, mais si on devait m'en envoyer une autre, ça ne serait pas pareil. » Mais tout était gâché. Au bout de quelques jours, Rocco quitta sa famille et alla vivre seul, Renata fit de même, elle retourna chez ses parents. Les affaires de Rocco et de Giacomo commencèrent à péricliter, les deux hommes ne se parlaient plus. Ils décidèrent de dissoudre la société et chacun suivit sa propre route. Puis, au bout de quelques mois, Renata, peut-être parce qu'elle aimait son mari, peut-être sous la pression de ses parents, retourna vivre avec Giacomo. Moi, personnellement, je me sentis soulagé, j'espérais que Rocco se réunirait avec sa famille. Anna, que je voyais souvent, n'attendait que cela. Sinon qu'un jour, Rocco me révéla que la relation entre Renata et lui avait repris. Sauf que maintenant, ils faisaient très attention, ils prenaient plus de précautions. *Dottore*, vous devez me croire : ça me sembla une pierre tombée du ciel, soudaine et violente. Un soir, cela on le sut au cours du procès, Renata et Giacomo se disputèrent. A présent, c'était une chose qui arrivait souvent entre eux. Conclusion : Giacomo alla dormir dans sa villa près de Montereale, Renata se rendit chez une amie pour y passer la nuit. Le lendemain matin, Giacomo n'alla pas à son nouveau bureau, tandis que Renata rentrait à la maison, décidée à se réconcilier. Quand elle reçut le coup de fil du bureau où ils attendaient Giacomo, Renata répondit que son mari était allé dormir à la villa. On y téléphona, mais personne ne répondit. Alors Renata y alla avec un employé. La porte était ouverte, dans le salon il était clair qu'il y avait eu une bagarre. Mais de Giacomo, pas trace. Police et carabiniers remuèrent ciel et terre, rien. Certains se convainquirent qu'il s'agissait d'un cas de *lupara bianca*[1], les derniers temps Giacomo avait fait l'objet de menaces et d'intimidations pour un certain appel d'offre. D'autres pensèrent à un éloignement volontaire après l'aggravation des tensions avec sa femme. Le chef de la brigade criminelle de Montelusa

---

1. La *lupara* est le fusil de chasse à canon scié, instrument traditionnel de règlement des conflits en milieu mafieux. La *lupara bianca* (blanche) est une version moderne, où la victime disparaît purement et simplement, à tout jamais (souvent dissoute dans un bac d'acide). La mafia s'enrichit notamment en rackettant les marchés publics et les appels d'offre. (*N.d.T.*)

avait en revanche son opinion. A savoir que, à faire disparaître Giacomo, ça avait été Rocco, fou de jalousie parce que le mari s'était repris Renata.

— Selon la logique, si on veut l'appeler comme ça, Rocco aurait dû tuer Renata. En un certain sens, elle, à présent, elle le trahissait avec son mari.

— C'est ce que je pensai moi aussi, continua le proviseur. En conclusion, en trois mois de recherches, ni la police ni les carabiniers ne trouvèrent trace de Giacomo. Il semblait s'être évaporé dans l'air. Un jour, à la villa, il y eut une fuite d'eau. Renata, qui de temps en temps y allait, appela le plombier. Et celui-ci fit une découverte terrible. Sur le toit, il y avait une citerne d'Eternit qui constituait la réserve d'eau, vous savez, *dottore*, que l'eau chez nous, ils la donnent quand ça vient…

— Ne m'en parlez pas, dit Montalbano qui plusieurs fois était resté à blasphémer sous la douche sans un filet d'eau, blanc de savon.

— Bien, le plombier souleva le couvercle et vit un corps. Celui de Giacomo. Quelqu'un l'avait d'abord étranglé puis caché là.

— C'était facile d'arriver à la citerne ?

— Jamais de la vie ! Il y avait une petite porte qui donnait sur le toit et de laquelle, en marchant le long des tuiles, avec le danger de glisser à chaque pas, on arrivait à la citerne. Donc : Giacomo ne s'était pas éloigné volontairement et il ne s'agissait même pas de *lupara bianca*. Le chef de la Criminelle fit une supposition. A savoir que Rocco était allé à trouver Giacomo et que la discussion avait dégénéré. Ensuite, Rocco avait étranglé Giacomo et caché son cadavre dans la citerne. Il interrogea Rocco qui ne sut fournir aucun alibi pour cette nuit-là.

— Comment donc ?

— Il était resté chez lui toute la soirée. En partie, je puis le confirmer. Je lui téléphonai vers huit heures pour lui demander s'il voulait venir dîner chez nous. Il répondit qu'il allait manger chez lui, parce que, après, il était pris.

— Il vous a dit par quoi ?

— Non. Mais moi je l'imaginais.

— Qu'est-ce que vous imaginiez ?

— Que dans pas longtemps, il allait sortir pour aller au studio où il rencontrait Renata. Mais, au procès, il dit seulement qu'il était resté chez lui, qu'il n'avait jamais bougé. Et il n'avait pas de témoins, après moi, personne ne lui avait téléphoné.

— Donc, même s'il disait la vérité, il n'y avait personne pour la confirmer.

— Exactement. L'accusation se basait surtout sur le manque d'alibi. Et quant aux mobiles, il y en avait en abondance. Quand on l'a arrêté, la plus grande partie de ses amis et connaissances étaient convaincus de sa culpabilité.

— Et Renata, comment réagit-elle à l'arrestation ?

— Bah, comment dire, d'une manière contradictoire. Certaines fois, elle soutenait, toujours en privé, l'innocence de Rocco et d'autres fois, en revanche, elle paraissait en douter. La nuit du crime, elle était restée chez son amie, qui le confirma au procès. Le Ministère public alla au-delà de l'hypothèse du chef de la

Criminelle, qui s'était orienté vers l'homicide sans préméditation, et il accusa Rocco de meurtre avec préméditation. Les juges furent très sévères.

— Ils étaient borgnes, les malheureux, dit Montalbano.

— Les juges étaient borgnes ? Je n'ai pas compris, commissaire.

— Monsieur le proviseur, à l'époque, les juges n'avaient qu'un œil, celui qui leur permettait de voir les crimes de droit commun, homicides compris, avec inflexibilité. L'autre œil, celui qui aurait dû regarder la mafia, la corruption des politiques et le reste, celui-là, ils le gardaient fermé.

— Mais ce qui frappa tout le monde, moi y compris, au procès, ce fut l'attitude de Rocco.

— C'est-à-dire ?

— Complètement aboulique. On aurait dit que ça ne le concernait pas. Ceci, à la plupart des gens, passa pour une manière indirecte de reconnaître sa culpabilité. Les avocats firent appel. Entre le premier et le deuxième procès, qui confirma la condamnation, Renata se remaria.

— Comment ça ?! sursauta Montalbano.

— Oh que oui, monsieur. Formellement, il n'y a rien à dire. Au maximum, c'était une question de bon goût, elle aurait pu attendre une année de plus. Comme je vous l'ai dit, Renata était très belle et avait hérité de Giacomo une richesse consistante. Beaucoup lorgnaient sur la veuve. Mais elle préféra se marier avec Antonio Lojacono.

— Qui était-ce ?

— Antonio Lojacono était un géomètre, de deux ans plus jeune qu'elle, qui avait depuis toujours besogné dans la société de Giacomo et Rocco et ensuite dans celle de Giacomo. Au cours du deuxième procès, l'attitude indifférente de Rocco s'aggrava. Pensez que durant le réquisitoire de l'Avocat général, il attrapa une mouche au vol.

— Arrêtez-vous là, dit grossièrement Montalbano.

— Hè ? demanda le président, ahuri.

— Répétez-moi exactement ce que vous avez dit.

— Qu'est-ce que j'ai dit ?

— L'histoire de la mouche.

— Il attrapa en vol une mouche alors que tout le monde le fixait parce que l'Avocat général, celui du deuxième procès, était à ce moment en train de parler de la préméditation. Et justement, sur ce geste, vu de tous, le magistrat s'appuya pour démontrer quel être méprisable et cynique était Rocco. Si vous voulez savoir, *dottore*, ce geste, tout le monde le prit pour un aveu. Nous en avons été glacés.

— Parlez-moi de la mouche.

— Hè ?

— Monsieur le proviseur, je galèje pas. Elle volait ? Elle était immobile ?

— Mais quelle importance cela a-t-il, mon Dieu ?

— Laissez tomber et répondez-moi.

— Je crois qu'elle était immobile. Ou qu'elle volait, je ne sais pas. Parce que lui, Rocco, depuis quelques instants, il était comme paralysé, il ne faisait pas un mouvement, il regardait la balustrade qu'il y avait tout autour du banc où il était assis… peut-être que la mouche était là et qu'il l'observait.

— Qui est-ce qu'il y avait ?

— Où ?

Le proviseur était abasourdi, il ne comprenait rien aux questions de Montalbano. Quel sens avaient-elles ? Et puis, le commissaire avait changé d'attitude, on aurait dit un chien de chasse qui pointait vers un buisson de sorgho.

— Dans la salle. Qui y avait-il dans la salle, en plus de vous ?

— Comme amis, vous voulez dire ? Comme curieux ? Beh, exactement, je ne…

— Réfléchissez-y et dites-moi : Renata était là ?

— Je n'ai pas besoin de réfléchir : elle n'était pas là.

Montalbano parut déçu.

— Mais…

Et cette fois le commissaire avança la tête en avant vers le proviseur ; le chien avait reniflé le gibier.

— Mais il y avait son mari, continua le proviseur Burgio, le nouveau mari, le géomètre Lojacono.

Montalbano se détendit dans un souffle *fonnuto*, profond, comme s'il venait juste de sortir de sous l'eau.

— Continuez, dit-il.

— Il y a pas grand-chose à continuer. Les avocats firent tout ce qu'il y avait à faire, mais de leur propre initiative. Rocco les suivait passivement. Il fut condamné. A notre première entrevue en prison, il me dit deux choses : que ce n'était pas lui qui avait tué Giacomo et qu'il me demandait de veiller sur Nicola, son fils. Et moi, je l'ai fait, en cherchant de garder vivant l'amour d'un enfant qui devenait peu à peu un adolescent, un jeune homme, un homme, pour son père injustement emprisonné. Et, là-dessus au moins, j'ai réussi.

Il était gagné par l'émotion, mais les paroles que le commissaire lui adressa l'abasourdirent :

— Revenons à la mouche.

Le proviseur Burgio ne réussit pas à articuler un mot.

— Qu'est-ce qu'il en a fait de la mouche, après qu'il l'a attrapée ?

— Ri... rien, balbutia l'autre.

— Comment ça, rien ?

— Bèh... il ouvrit lentement le poing et la laissa s'envoler.

Le proviseur lui avait expliqué où se trouvait la villa dans laquelle avait été tué Giacomo Alletto. Après son mariage avec le géomètre, Renata n'avait plus voulu y aller et l'avait vendue à un commerçant de Vigàta que Montalbano connaissait. D'Arrigo, le commerçant, au coup de fil du commissaire, avait répondu qu'il pouvait venir le voir comme et quand il voulait. Et Montalbano lui avait dit qu'il allait arriver d'ici une demi-heure.

— Non, dit D'Arrigo, j'ai laissé la villa comme elle était. Je l'ai seulement fait nettoyer et repeindre toute, dedans et dehors. J'ai fait changer la salle de bains, la cuisine et, naturellement, la citerne d'eau.

Et il rigola, content de sa plaisanterie.

— Vous me faites voir comment on fait pour monter sur le toit ?

— Certainement.

Devant la petite porte de la soupente, D'Arrigo s'arrêta.

— Attention, que c'est très dangereux, dit-il, si vous voulez aller jusqu'à la citerne, allez-y, mais moi je viens pas. Et puis, il a plu et les *canala*, les tuiles, sont glissantes.

Montalbano passa la porte mais en se tenant fermement à l'embrasure. Il ne se sentit pas de faire un pas. Le caisson était à une dizaine de mètres mais à chaque mètre quelqu'un qui n'en avait pas l'habitude risquait de se foutre en bas.

Ils redescendirent au salon. Et là, finalement, D'Arrigo s'arésolut à demander au commissaire le motif de sa visite. Mais il y alla sur la pointe des pieds.

— J'ai su que ces derniers jours, l'ingénieur Pennisi était à Vigàta.

— Oui, dit Montalbano.

— Le pôvre ! Vingt-cinq ans de taule, c'est beaucoup !

— Eh oui, fit Montalbano.

Et là, D'Arrigo ajouta une chose qui fit sursauter le commissaire.

— D'après Agustinu, ça ne pouvait pas être lui.

— Et qui est Agustinu ?

— Agustinu Trupìa, le contremaître, celui qui a remis en état la villa après que je l'ai achetée.

— Pourquoi Agustinu était-il convaincu que ce n'était pas l'ingénieur le coupable ?

— Parce que Agustinu, y a trente ans, il besognait comme maçon dans l'entreprise d'Alletto et Pennisi. Sur les chantiers, l'ingénieur, ils se foutaient de lui. Derrière son dos, naturellement.

— Pourquoi ?

— Il y arrivait pas à monter sur les échafaudages, la tête lui tournait, il lui venait des vertiges. Agustinu me dit qu'il n'était même pas capable de monter une échelle de maçon. Et pour ça, il arrivait pas à comprendre comme il avait fait, l'ingénieur, après avoir tué son associé, pour se le charger sur le dos, grimper dans la soupente, se faire une dizaine de mètres sur les *canala*, soulever le couvercle de la citerne, y foutre dedans le *catàfero*, le cadavre, refermer le couvercle et se revenir en arrière.

— Excusez, D'Arrigo, il est encore vivant, Agustinu ?

— Bien sûr ! Je l'ai rencontré pas plus tard qu'à hier au marché des poissons à Vigàta. Il besogne plus parce qu'il a soixante-dix ans. Mais il va très bien.

— Vous avez son adresse ?

L'entretien entre le commissaire et le contremaître Agustinu Trupìa se déroula, le lendemain matin, chez la fille de ce dernier, Serafina, laquelle, en collaboration avec son mari Martino, avait sorti du four huit enfants. Le plus grand avait vingt ans, la plus minotte cinq. Le contremaître au repos faisait le grand-père à temps complet et avait sa chambrette où il reçut Montalbano. Mais le dialogue fut tout de même difficultueux, étant donné le vacarme qui arrivait des pièces d'à côté. Pour commencer, après avoir entendu le commissaire, Trupìa voulut préciser que D'Arrigo n'avait pas rapporté exactement ce que lui, il avait dit.

— L'ingénieur ne souffrait pas de vertiges ?

— Bien sûr qu'il en souffrait. *Ma nun era veru ca u pigliàvamu pi u culu.*

— Mais ce n'est pas vrai que vous vous foutiez de lui ?

— Oh que non, monsieur, dit Agustinu et il continua en dialecte. La première fois que c'est arrivé, nous étions quatre personnes, à part l'ingénieur Pennisi. Il y avait moi, Tanu Ficarra, Gisuè Licata et l'ingénieur Alletto. L'ingénieur Pennisi arriva tard, quand nous étions déjà sur l'échafaudage. Alors l'ingénieur Alletto lui dit de monter lui aussi. Mais Pennisi, dès qu'il fut sur l'échafaudage, commença à pencher à droite et à gauche, on aurait dit qu'il était saoul. Puis il agrippa un poteau et ne bougea plus. Il avait les cheveux droits sur la tête, les yeux écarquillés. Alors on l'a pris comme il était, raide qu'on aurait dit un stockfisch et on l'a porté à terre. On se mit à rire quand on vit que l'ingénieur s'était pissé dedans le pantalon. Mais l'ingénieur Alletto nous dit que si on se mettait à rire une autre fois, il nous licenciait. Et depuis lors, nous n'eûmes plus d'occasions de rire parce que l'ingénieur Pennisi ne se risqua plus à grimper sur les échafaudages.

— Dites-moi une chose, Trupìa, pourquoi ça, vous ne l'avez pas dit au procès ?

— *Pirchì nisciuno mi lo spìa.* Parce que personne me le demanda. Et puis moi, avec la *liggi*, la loi, je veux rien avoir à faire. Celui qui se trouve mêlé aux choses de la *liggi*, qu'il ait tort ou qu'il ait raison, il y laisse toujours des plumes.

— Et pourquoi maintenant vous me racontez tout ? Moi, je suis un représentant de la loi. Et vous le savez bien.

— Honorable monsieur, vosseigneurie oublie *ca iu haiu sittant'anni passati*, que moi j'ai soixante-dix ans passés, dit le contremaître et il ajouta en dialecte : Donc, moi je peux m'en foutre, aussi bien de vosseigneurie que de la loi que vosseigneurie représente.

« Cher ingénieur Pennisi, le commissaire Montalbano je suis. Nous avons eu l'occasion de dîner ensemble voilà quelques soirs, chez votre cousin, le proviseur Burgio. Le lendemain, votre cousin m'a révélé que notre rencontre avait été organisée par lui. Le proviseur est sincèrement et profondément convaincu de votre innocence, malgré votre condamnation : peut-être désirait-il avoir de moi une espèce d'appui officiel, avec preuves certaines, à sa conviction. Mais vous, cet appui, durant le dîner, vous vous êtes refusé à le demander : à un certain point vous devez avoir compris l'inutilité de toute intervention de ma part. Inutilité peut-être pas devant la loi, mais devant la destruction réalisée de votre existence, destruction irréparable. Je ne pourrai jamais vous rendre votre jeunesse anéantie, les affections perdues, les joies et les douleurs non vécues ou vécues à travers le filtre des barreaux : à ce point, vous avez compris l'inutilité de l'innocence.

« C'est donc à contre-cœur que je vous écris ces lignes. J'ai eu votre adresse romaine par le proviseur, auquel j'ai raconté un mensonge, à savoir que, devant me rendre bientôt à Rome, j'aurais du plaisir à vous rencontrer. Vous pouvez me demander pourquoi je vous écris, vu que je le fais contre mon gré. Je suis un flic, ingénieur. Votre cousin a mis en marche le mécanisme que j'ai malheureusement dans la tête et ce mécanisme n'est plus capable de s'arrêter s'il ne produit pas quelque résultat. Et donc, j'ai mené une enquête, en consultant aussi les pièces du procès. Quand avez-vous eu la première révélation de la machination qui avait été ourdie en se servant de vous ? Je hasarde une hypothèse que vous pourrez, si vous le voulez, confirmer ou nier. Vous, vous avez déclaré que, la nuit du meurtre, vous étiez resté chez vous. Mais c'était *faux*. De chez vous, vous vous étiez rendu au studio loué pour les rencontres avec Renata Alletto. L'après-midi de la veille, Renata vous avait fait savoir qu'elle passerait la nuit avec vous. Et donc vous êtes allé au studio mais, inexplicablement, Renata ne vint pas. De ce moment, vous n'avez plus eu l'occasion de vous rencontrer en privé, la disparition de l'ingénieur Alletto, avec les perquisitions et les recherches, avait nécessairement altéré les rythmes quotidiens de Renata. De plus, les yeux de tous étaient fixés sur vous et donc vous deviez agir avec une extrême prudence. Telles durent être, je crois, les justifications de Renata pour éviter de vous rencontrer. Puis survint la découverte du cadavre dans la citerne d'eau et vous, formellement incriminé, vous avez été arrêté. Seule Renata pouvait révéler aux enquêteurs l'accord qui avait été pris entre vous deux, à savoir que vous deviez l'attendre au studio pour passer la nuit avec elle. Certes, cela n'aurait pas été un alibi d'une solidité absolue, mais cela aurait quelque peu allégé votre position. Et naturellement, un enquêteur imaginatif aurait pu accuser Renata de complicité. C'était un risque que vous imaginiez qu'elle aurait, par amour, volontiers encouru. En fait Renata ne parla jamais de ce rendez-vous, ni durant les interrogatoires ni quand elle témoigna au procès. L'amie confirma que Renata avait passé la soirée et la nuit chez elle et qu'elle n'avait jamais fait allusion à un rendez-vous avec vous. Et elle disait la vérité, Renata lui avait caché ce qu'elle vous avait écrit ou téléphoné au sujet de la rencontre nocturne. A laquelle elle ne se serait jamais rendue, justement parce que, dans son plan, vous deviez vous retrouver dans la condition de ne pas avoir d'alibi véritable. Et peut-être votre avocat vous rapporta-t-il l'attitude ambiguë de Renata quand il lui arrivait de parler de vous : parfois, elle se disait sûre de votre innocence, parfois elle apparaissait dubitative, hésitante. Vous avez commencé à comprendre quelque chose, et vous avez dû sûrement y employer beaucoup de temps : sur le dévouement, l'amour, la passion de Renata, vous n'aviez jusqu'alors nourri aucun doute. Alors, vous avez décidé de jouer une carte risquée, la preuve par neuf de l'intention de vous faire apparaître coupable. C'est-à-dire que vous avez omis *exprès* de dire que vous n'étiez absolument pas capable d'accomplir les acrobaties sur le toit, un cadavre sur le dos, imaginées par l'Avocat général. Vous aviez des témoins qui auraient pu jurer à la cour que vous souffriez de vertiges. Mais vous n'avez pas donné à votre avocat les noms des éventuels témoins. Devant votre condamnation, Renata se tut. Votre preuve par neuf avait fonctionné. Peut-être avez-vous songé à fournir à l'avocat, en appel seulement, l'information sur la maladie, ou quoi que ce fût, qui vous empêchait de monter sur les échafaudages. Certainement, devant cette nouveauté, le Ministère public aurait pu rétorquer que vous aviez eu un complice, que vous vous étiez fait aider par un de vos ouvriers. Votre innocence n'aurait pas été démontrée de manière absolue, mais l'édifice de l'accusation en aurait été ébranlé. Sauf que, entre le premier et le deuxième procès, vous avez appris que Renata s'était remariée avec l'ingénieur Lojacono. Lequel, au contraire de vous, pouvait très bien marcher sur un toit, même avec un cadavre sur le dos. En somme, vous avez alors compris que Renata et le géomètre étaient depuis toujours amants, que vous n'aviez été que la roue principale de l'engrenage imaginé par eux. Pourquoi n'avez-vous pas réagi ? Blessé à mort par la trahison de la femme que vous aimiez ? Craignant trop d'être considéré comme un imbécile pour la tragique farce dont vous avez été victime ? Volonté d'expier les fautes que vous aviez commises envers votre ami Alletto, envers votre femme, envers votre fils unique ? Je ne veux pas de réponses, ingénieur, elles ne m'intéressent pas, elles ne regardent que vous. Pour une de ces raisons, ou pour toutes ensemble, vous avez choisi de vous abandonner passivement au cours des choses. Mais vous vouliez dire à Renata et à son nouveau mari que vous aviez compris l'arnaque. Et ce jour-là, alors que l'Avocat général vous accusait de préméditation, vous, devant tout le monde, vous avez attrapé une mouche en vol. Cela parut un geste d'indifférence méprisante. Mais vous voyez, ingénieur, j'ai une longue expérience. Il n'est pas un seul assassin de sang-froid qui, au moment où lui sont adressées de terribles accusations, ait le courage d'un geste semblable au vôtre. Un geste, je le répète, de mépris et d'indifférence. Sauf que ce geste était un message précis adressé au géomètre Lojacono, présent ce jour-là dans la salle. Et il devait être lu ainsi : "Vous deux, Renata et toi, vous m'avez attrapé comme une mouche." Voilà tout. Et Lojacono le comprit parfaitement. Et il eut peur d'un chantage de votre part. Au point qu'il partit pour la Bolivie après que sa femme eut touché son riche héritage.

« Cela, cher ingénieur, est tout ce que je crois avoir compris de votre tragique affaire. Je n'en ai soufflé mot à personne et au proviseur Burgio moins qu'à quiconque.

« Je ne vous demande pas la confirmation de mes suppositions, qui cependant ne me semblent pas vraiment bâties sur le sable. Ce que je vous demande maintenant, c'est ceci : dites-moi ce que je dois faire. »

RIEN. C'était le seul mot contenu dans le télégramme que le commissaire reçut trois jours plus tard, signé par l'ingénieur Rocco Pennisi. Rien.

Et Montalbano obéit.

Les *arancini* de Montalbano

Le premier à entonner la litanie, ou la neuvaine ou ce qu'on voudra, ce fut, le 27 décembre, le Questeur.

— Montalbano, vous, naturellement, la nuit du Nouvel An, vous la passerez avec votre Livia, n'est-ce pas ?

Non, il ne la passerait pas avec sa Livia, la nuit du Nouvel An. Il y avait eu entre eux une terrible engueulade, de celles de l'espèce dangereuse parce qu'elles commencent par des phrases du type « essayons de raisonner calmement » et que ça finit inévitablement que c'est la merde. Et ainsi, le commissaire allait rester à Vigàta pendant que Livia s'en irait à Viareggio avec des collègues de bureau. Le Questeur remarqua que quelque chose n'allait pas et s'empressa d'éviter à Montalbano une réponse embarrassée.

— Parce que autrement, nous serions heureux de vous avoir chez nous. Voilà longtemps que ma femme ne vous a pas vu, elle ne cesse de me demander de vos nouvelles.

Le commissaire allait lancer un « oui » de reconnaissance quand le Questeur ajouta :

— Il viendra aussi le *dottor* Lactes, sa femme a dû se précipiter à Merano parce que sa mère ne va pas bien.

Et Montalbano non plus, il n'allait pas bien à l'idée de la présence du *dottor* Lactes, surnommé « Lacté et Mielleux » en raison de son onctuosité. Certainement, durant le dîner et après, on n'aurait fait que parler des « problèmes de l'ordre public en Italie », comme pouvaient s'intituler les longs monologues du *dottor* Lactes, chef de cabinet.

— En fait, je m'étais déjà…

Le Questeur l'interrompit, il savait très bien ce que Montalbano pensait du *dottor* Lactes.

— Mais, bon, écoutez, si vous ne pouvez pas, nous pourrions déjeuner ensemble le Jour de l'An.

— Je viendrai, promit le commissaire.

Puis ce fut le tour de Mme Clementina Vasile-Cozzo.

— Si vous n'avez rien de mieux à faire, pourquoi est-ce que vous ne venez pas chez moi ? Il y aura aussi mon fils, sa femme et l'enfant.

Et lui, qu'est-ce qu'il viendrait représenter, dans cette belle réunion de famille ? Il répondit, à contre-cœur, par la négative.

Puis ce fut le tour du proviseur Burgio. Il allait, avec sa femme, à Comitini, chez une nièce.

— Ce sont des gens sympathiques, vous savez ? Pourquoi ne vous agrégez-vous pas ?

Ils pouvaient bien être sympathiques au-delà des limites de la sympathie elle-même, mais lui, il n'avait aucune envie de s'agréger. Peut-être le proviseur s'était-il trompé de verbe, s'il avait dit « nous tenir compagnie », ça n'aurait pas été tout à fait impossible.

Ponctuellement, la litanie ou la neuvaine ou ce qu'on voudra se renouvela au commissariat.

— Demain, pour la nuit du Nouvel An, tu veux venir avec moi ? demanda Mimì Augello qui avait deviné l'engueulade.

— Mais toi, où tu vas ? demanda à son tour Montalbano, en se mettant sur la défensive.

Mimì, n'étant pas marié, l'emmènerait sûrement soit dans une bruyante maison d'amis ou dans un anonyme et prétentieux restaurant résonnant de voix, de rires et de musique à plein volume.

A lui, Montalbano, il plaisait de manger en silence ; un fracas de ce genre pouvait lui gâcher le goût de n'importe quel plat, fût-il cuisiné par le meilleur cuisinier de l'univers créé.

— J'ai réservé au Central Park, répondit Mimì.

Et qu'est-ce qu'il disait ? Le Central Park ! Une espèce de restaurant énorme du côté de Fela, ridicule par le nom comme par le mobilier, où ils étaient capables de t'empoisonner avec une très simple côtelette et un peu de légumes bouillis.

Il fixa son adjoint sans mot dire.

— Très bien, très bien, je n'ai rien dit, conclut Augello en sortant du bureau puis, aussitôt après, il repassa la tête à l'intérieur : la vérité vraie c'est que, à toi, ce qui te plaît, c'est de manger seul.

Mimì avait raison. Une fois, il se souvint, il avait lu une nouvelle, d'un Italien certainement, mais le nom de l'auteur, il ne se le rappelait pas, où on parlait d'un pays où il était considéré comme attentatoire au sentiment commun de la pudeur de manger en public. En revanche, faire la chose en présence de tous, non, c'était un acte très normal, accepté. Tout au fond, il n'était pas très loin d'être d'accord. Goûter un plat conforme à la volonté de Dieu est un des plaisirs solitaires les plus raffinés dont l'homme puisse jouir, à ne partager même pas avec la pirsonne qu'on aime.

En rentrant chez lui à Marinella, il trouva sur la table de la cuisine un billet d'Adelina, sa bonne.

« Vous m'ascuserez si je me permets de dire vu que demain au soir étant que c'est le jour de lan et vu que mes deux fis sont tous les deux en libberté, je pripare les *arancini* qui leur plaisent. Si vosseigneurie veut me faire l'onneur de passer à manger la dresse vous la savez. »

Adelina avait deux fils délinquants qui entraient et sortaient de la prison : c'était une heureuse conjonction, rare comme le passage de la comète Halley, qu'ils se trouvent tous les deux en même temps en liberté. Et donc à fêter solennellement avec les *arancini*.

Doux Jésus, les *arancini* d'Adelina ! Il ne les avait goûtés qu'une fois : un souvenir qui lui était certainement passé dans l'ADN, dans le patrimoine génétique.

Adelina y mettait bien deux bonnes journées, à les préparer. Il en connaissait par cœur la recette. La veille, on fait un *aggrassato*, mélange de veau et de porc en gelée et en parties égales, qui doit cuire à feu très bas pendant des heures et des heures avec oignon, tomates, céleri, persil et basilic. Le lendemain, on prépare un risotto, de ceux qu'on appelle « à la milanaise » (sans safran, par pitié !), on le verse sur une planche, on le mélange à l'œuf et on le fait refroidir. Pendant ce temps, on cuit les petits pois, on fait une béchamel, on réduit en petits morceaux quelques tranches de salami et on fait toute une préparation avec la viande en gelée, hachée avec le hachoir demi-lune (pas de mixer, pour l'amour de Dieu !). La sauce de la viande se mélange au riz. A ce point, on prend un peu de risotto, on l'arrange dans la paume d'une main tenue en forme de conque, on y met dedans l'équivalent d'une cuillère de la préparation et on le recouvre de ce qu'il faut de riz pour former une belle boulette. Chaque boulette est roulée dans la farine, puis on la passe dans le blanc d'œuf et la chapelure. Ensuite, toutes les *arancini* sont glissées dans une cuvette d'huile bouillante et on les fait frire jusqu'à ce qu'elles prennent une couleur vieil or. On les laisse s'égoutter sur le papier. Et à la fin, *ringraziannu u Signuruzzu*, Grâce soit rendue au petit Seigneur, on les mange !

Montalbano n'eut pas de doute sur l'identité de ceux avec qui il dînerait la nuit du Nouvel An. Une question seulement le troubla jusqu'à lui prendre le sommeil : les deux fils délinquants d'Adelina arriveraient-ils à rester en liberté jusqu'au lendemain ?

Le matin du 31, dès qu'il entra au bureau, Fazio recommença la litanie ou la neuvaine ou ce qu'on voudra :

— *Dottore*, si ce soir, vous n'avez rien de mieux à faire…

Montalbano l'interrompit et, vu que Fazio était un ami, il lui dit comment il allait passer sa soirée du Nouvel An. Contrairement à ce qu'il attendait, le visage de Fazio s'obscurcit.

— Qu'y a-t-il ? demanda le commissaire, alarmé.

— Votre bonne, Adelina, son nom de famille c'est Cirrinciò ?

— Oui.

— Et ses fils s'appellent Giuseppe et Pasquale ?

— Oui.

— Attendez un moment, dit Fazio, et il sortit de la pièce.

Montalbano sentit la nervosité le gagner.

Fazio revint peu après.

— Pasquale Cirrinciò a des ennuis.

Le commissaire se sentit glacé : adieu *arancini* !

— Qu'est-ce que ça veut dire, des ennuis ?

— Ça veut dire qu'il y a un mandat d'arrestation. La Criminelle de Montelusa. Pour le casse d'un supermarché.

— Casse ou braquage ?

— Casse.

— Fazio, essaie d'en savoir plus. Mais pas officiellement. Tu as des amis à la Criminelle de Montelusa ?

— Tant et plus.

A Montalbano, l'envie de besogner lui était passée.

— *Dottore*, on a cramé la voiture de l'ingénieur Jacono, annonça Gallo en entrant.

— Va le raconter au *dottor* Augello.

— Commissaire, cette nuit, on est entré chez le comptable Pirrera et on a tout emporté, vint lui communiquer Galluzzo.

— Va le raconter au *dottor* Augello.

Voilà : comme ça, Mimì pouvait dire au revoir à sa nuit du Nouvel An au Central Park. Et il aurait dû lui en être reconnaissant, parce qu'il le sauvait d'un empoisonnement certain.

— *Dottore*, c'est comme je vous ai dit. Dans la nuit du 27 au 28, on a dévalisé le supermarché de Montelusa, on a chargé un camion de marchandises. A la Criminelle, ils sont certains que Pasquale Cirrinciò était de la partie. Ils ont des preuves.

— Lesquelles ?

— Ils me l'ont pas dit.

Il y eut une pause puis Fazio prit son courage à quatre mains.

— *Dottore*, je veux vous parler latin[1] : vous, ce soir, il faut pas que vous alliez manger chez Adelina. Moi je ne dis rien, ça c'est sûr. Mais si par hasard ceux du Groupe d'Intervention, ils ont la bonne pinsée d'aller chercher Pasquale chez sa mère et qu'ils le trouvent en train de manger les *arancini* avec vous ? *Dottore*, ça me semble pas une bonne idée.

Le téléphone sonna.

— Commissaire Montalbano, vosseigneurie c'est ?

— Oui.

_____

1. Parler « spartiate » : avec des gros mots. Pour être obscur, on parle sicilien. Voir *l'Opéra de Vigàta*, p. 42. *(N.d.T.)*

— Pasquale je suis.

— Pasquale qui ?

— Pasquale Cirrinciò.

— Tu m'appelles de ton portable ? demanda Montalbano.

— Oh que non, je suis pas si con.

— C'est Pasquale, dit le commissaire à Fazio, en plaquant une main sur le récepteur.

— Je veux rin entendre ! dit Fazio en se levant et en sortant de la pièce.

— Je t'écoute, Pasquà.

— *Dottore*, je dois vous parler.

— Moi aussi, je dois te parler. Où tu es ?

— Sur la voie rapide pour Montelusa. Je téléphone de la gabine qu'y a dehors du bar de Pepè Tarantello.

— Essaie de pas te faire voir. J'arrive dans un quart d'heure maximum.

— Monte dans la voiture, ordonna le commissaire dès qu'il vit Pasquale auprès de la cabine.

— On va loin ?

— Oui.

— Alors, je prends la voiture et je vous suis.

— Toi, ta voiture, tu la laisses là. Et qu'est-ce qu'on veut faire, la procession ?

Pasquale obéit. C'était un beau garçon qui avait dépassé de peu la trentaine, brun, les yeux très vifs.

— *Dutturi*, je vais vous expliquer…

— Après, dit Montalbano en mettant en route.

— Où est-ce que vous m'emmenez ?

— Chez moi, à Marinella. Essaie de rester assis

recroquevillé, tiens ta main sur ton visage, comme si tu avais mal aux dents. Comme ça, de dehors, ils te reconnaissent pas. Tu le sais, que t'es recherché ?

— Oh que oui, c'est pour ça que je vous téléphonai. Je le sus ce matin d'un ami, en revenant de Palerme.

Installé sur la véranda, devant une chope de bière offerte par le commissaire, Pasquale décida qu'était venu le moment de s'expliquer.

— Moi, dans cette histoire du supermarché Omnibus, j'y suis pour rin. Je le jure *supra a me' matre*, sur ma mère.

Un faux serment sur la tête de sa mère Adelina, qu'il adorait, il ne l'aurait jamais fait : Montalbano se convainquit aussitôt de l'innocence de Pasquale.

— Les serments, ça ne suffit pas, il faut des preuves. Et à la Criminelle, ils disent qu'ils ont en main des éléments sûrs.

— Commissaire, j'arrive même pas à comprendre ce qu'ils ont en main, étant donné que moi, j'y suis pas allé, à voler dans ce supermarché.

— Attends un moment, dit le commissaire.

Il entra dans sa chambre, passa un coup de fil. Quand il revint sur la véranda, son visage s'était assombri.

— Qu'est-ce qu'y a ? demanda, tendu, Pasquale.

— Il y a que ceux de la Criminelle ont en main une preuve qui te coince.

— Et laquelle ?

— Ton portefeuille. Ils l'ont trouvé près de la caisse. Il y avait même ta carte d'identité.

Pasquale blêmit, puis bondit sur ses pieds en se frappant violemment le front.

— Voilà où je l'ai perdu !

Il se rassit aussitôt, il avait les jambes en flanelle.

— Et maintenant, comment je me tire de là ?

— Raconte-moi l'histoire.

— Le soir du 27, je me rendis à ce supermarché. Il allait fermer. J'achetai deux bouteilles de vin, une de whisky et puis des trucs salés, des biscuits, ce genre de choses. Je les ai portés chez un ami.

— Qui est cet ami ?

— Peppe Nasca.

Montalbano fit la grimace.

— Et tu veux voir qu'il y avait aussi Cocò Bellìa et Tito Farruggia ? demanda-t-il.

— Oh que oui, admit Pasquale.

La bande au complet, tous repris de justice, tous collègues de rapines.

— Et pourquoi vous vous êtes réunis ?

— Nous voulions jouer à la belote.

La main de Montalbano vola, s'abattit sur le visage de Pasquale.

— Commence à compter. Celle-là, c'est la première.

— Esscusez, dit Pasquale.

— Alors : pourquoi vous étiez ensemble ?

A l'improviste, Pasquale se mit à rire.

— Tu trouves ça si comique ? Moi pas.

— Oh que non, commissaire, celle-là, elle est vraiment comique. Vous savez pourquoi on s'est vus chez Peppe Nasca ? Nous avons préparé un casse pour la nuit du 28.

— Où ça ?

— Dans un supermarché, dit Pasquale en commençant à rire jusqu'aux larmes.

Et Montalbano comprit le pourquoi de cette hilarité.

— Celui-là ? L'Omnibus ?

Pasquale fit oui de la tête, le rire l'étouffait. Le commissaire lui remplit de nouveau la chope de bière.

— Et quelqu'un vous a précédés ?

Nouveau oui de la tête.

— Attention, Pasquale, que la situation, pour toi, reste sérieuse. Qu'est-ce que tu crois ? Si tu leur racontes avec qui tu étais ce soir-là, ils te mettent au trou sans rémission. Pense un peu ! Quatre délinquants comme vous qui se servent mutuellement d'alibi ! Ça oui, que c'est à mourir de rire !

Il entra de nouveau dans la maison, passa un autre coup de fil. Il revint sur la véranda en secouant la tête.

— Tu sais après qui ils sont, en plus de toi, pour le casse du supermarché ? Après Peppe Nasca, Cocò Bellìa et Tito Farruggia. Votre bande au complet.

— *Maddunnuzza santa* ¹ Sainte petite Madone ! s'exclama Pasquale.

— Et tu sais le plus beau ? Le plus beau c'est que tes collègues ils vont en zonzon parce que toi, comme un con, tu es allé à perdre le portefeuille juste au supermarché. Comme pour y mettre ta signature, exactement pareil que de balancer.

— Eux, quand on va les arrêter et qu'ils sauront le pourquoi, à la première occasion, ils me font bouffer mes couilles.

— Ils auront pas tort, dit Montalbano. Et commence

à te les préparer. Fazio m'a dit aussi que Peppe Nasca
est déjà au commissariat, c'est Galluzzo qui l'a arrêté.

Pasquale se prit la tête entre les mains. En le regardant, à Montalbano il vint une idée qui peut-être sauverait le repas d'*arancini*. Pasquale l'entendit farfouiller dans la maison, ouvrant et fermant les tiroirs.

— Viens ici.

Dans la salle à manger, le commissaire l'attendait, des menottes à la main. Pasquale le regarda, ébahi.

— Je me rappelais plus où je les avais mises.

— Qu'est-ce que vous voulez faire ?

— Je t'arrête, Pasquà.

— Et pourquoi ?

— Comment, pourquoi ? Tu es un voleur et moi un commissaire. Tu es recherché et moi je t'ai trouvé. Ne fais pas d'histoires.

— Commissaire, vosseigneurie sait très bien qu'avec moi, y a pas besoin de menottes.

— Cette fois, oui.

Résigné, Pasquale s'approcha et Montalbano lui passa une des menottes au poignet gauche. Puis, le tirant derrière lui, il l'emmena dans les toilettes et fixa l'autre bracelet au tuyau de la chasse d'eau.

— Je reviens vite, dit le commissaire. Si t'es pris d'une envie urgente, tu peux la satisfaire tranquillement.

Pasquale ne parvint même pas à ouvrir la bouche.

— Vous avez averti ceux de la Criminelle que nous avons arrêté Peppe Nasca ? demanda Montalbano en entrant dans le commissariat.

— Vous m'avez dit de ne pas le faire et je ne le fis pas, dit Fazio.

— Amène-le-moi dans mon bureau.

Peppe Nasca était un quadragénaire au nez énorme. Montalbano le fit asseoir, lui offrit une cigarette.

— T'es foutu, Peppe. Toi, Cocò Bellìa, Tito Farruggia, Pasquale Cirringiò.

— C'est pas nous.

— Je sais.

La réponse du commissaire laissa Peppe abasourdi.

— Mais vous êtes foutus quand même. Et tu sais pourquoi ils n'ont pas pu faire autrement, à la Criminelle, que de lancer un mandat d'arrestation contre votre bande ? Parce que Pasquale Cirrincìo a perdu son portefeuille au supermarché.

— Bordel de pute borgne ! explosa Peppe Nasca.

Et il s'exhiba dans un numéro de jurons, blasphèmes, grossièretés. Le commissaire le laissa se soulager.

— Et il y a pire, dit à un certain moment Montalbano.

— Qu'est-ce qu'il peut y avoir de pire ?

— Il y a que à peine vous rentrerez en zonzon, vos collègues à la taule, ils vont se foutre de votre poire, et pas qu'un peu. Vous êtes des types ridicules, des *quaquaraquà*. Vous irez en prison bien que vous soyez innocents de ce casse. Vous êtes les classiques cocus et battus.

Peppe Nasca était un homme intelligent. Et qu'il l'ait été, il le démontra par une question.

— Vous pouvez m'expliquer pourquoi vosseigneurie est convaincue que ça n'a pas été nous quatre ?

Le commissaire ne répondit pas, il ouvrit le tiroir de gauche du bureau, prit une cassette audio, la montra à Peppe.

— Tu vois ça ? C'est une écoute.

— Ça me concerne ?

— Oui. Elle a été faite chez toi, dans la nuit du 27 au 28, il y a vos quatre voix. Je vous avais fait mettre sur écoute. Vous organisez le casse du supermarché. Mais pour la nuit suivante. Vous avez été précédés par des gens plus experts que vous.

Il remit la cassette dans le tiroir.

— Voilà comment je fais, pour être si sûr que vous n'y êtes pour rien.

— Mais alors il suffit que vosseigneurie, vous fassiez écouter cet enregistrement à ceux de la Criminelle et on voit tout de suite que c'est pas nous.

Pense un peu, la tête de ceux de la Criminelle s'ils avaient écouté la cassette ! Il y avait une interprétation spéciale de la Symphonie n⁰ 1 de Beethoven que Livia lui avait enregistrée à Gênes.

— Peppe, essaie de raisonner. La cassette peut être à votre décharge, mais elle peut aussi représenter une autre preuve contre vous.

— Expliquez-moi.

— Sur la bande, il n'y a pas la date de l'enregistrement. Ça, il n'y a que moi qui peux le dire. Et s'il me venait la lubie de soutenir que cette écoute remonte au 26, la nuit précédant le casse, vous vous retrouveriez au trou et les plus dégourdis profiteraient des sous en liberté.

— Et pourquoi vosseigneurie veut faire une chose pareille ?

— Je n'ai pas dit que je voulais, c'est une éventualité. En bref : si je fais écouter cette cassette à quelques-uns de vos amis, et pas à la Criminelle, ils vous couvrent de merde pour la vie. Il y aura plus un receleur qui voudra de votre marchandise. Vous ne trouverez plus personne pour vous donner un coup de main, aucun complice. La carrière de voleur, ça sera fini pour vous. Tu me suis ?

— Oh que oui.

— Donc, tu ne peux faire que ce que je te demande.

— Qu'est-ce que vous voulez ?

— Je veux t'offrir la possibilité d'une voie de sortie.

— Dites-la-moi.

Montalbano la lui dit.

Il fallut deux heures pour convaincre Peppe Nasca qu'il n'y avait pas d'autre solution. Puis Montalbano confia de nouveau Peppe à Fazio.

— N'avertis pas encore ceux de la Criminelle.

Il sortit du bureau. Il était deux heures de l'après-midi et, dans la rue, il y avait peu de monde. Il entra dans une cabine téléphonique, forma un numéro à Montelusa, se pinça le nez.

— Allô ? La Criminelle ? Vous êtes en train de commettre une erreur. A faire le casse du supermarché, ça a été ceux de Caltanissetta, ceux qui ont comme chef Filippo Tringàli. Non, ne demandez pas qui est à l'appareil ou je raccroche. Je vous dis aussi où est caché le butin qui est encore dans le camion. Il est dedans l'entrepôt de la société Benincasa, sur la provinciale Montelusa-Trapani, à la hauteur de la campagne Melluso. Allez-y tout de suite, parce qu'il paraît que cette nuit, ils ont l'intention de s'emmener la marchandise avec un autre camion.

Il raccrocha. Pour éviter de mauvaises rencontres avec la police de Montelusa, il pinsa qu'il valait mieux garder Pasquale chez lui, peut-être sans menottes, jusqu'à ce qu'il fasse nuit. Ensuite, ensemble, ils iraient chez Adelina. Et lui, il se régalerait des *arancini*, non seulement en raison de leur bonté céleste, mais aussi parce qu'il se sentirait parfaitement en paix avec sa conscience de flic.

Note de l'auteur

Parmi les vingt récits ici rassemblés, ont été partielle-ment publiés : *Un caso d'omonimia*, « Un hasard d'homo-nymie », écrit pour le compte de la Telecom italienne et paru sur le *Specchio* (magazine de *La Stampa*) ; *Montalbano si rifiuta*, « La démission de Montalbano », sur le quotidien *Il Messaggero* ; *Gli arancini di Montalbano*, « Les *arancini* de Montalbano », sur le quotidien *La Stampa*. Enfin, une quatrième nouvelle, *Il gioco delle tre carte*, « Le jeu du bonneteau », a été publiée dans la revue *Delitti di carta*, imprimée à Bologne.

Le lecteur pourra repérer dans quelques-uns de ces récits un certain rapport avec des faits divers : j'estime donc d'autant plus nécessaire de déclarer que le point de départ réel n'a rien à voir avec des situations, des noms et des personnages développés par moi pour obéir à des exigences narratives.

Le livre est dédié à Silvia Torrioli et à son frère Francesco, à Alessandra et Arianna Mortelliti.

A. C.

Table des matières

Le Voleur de goûter d'Andrea Camilleri
Avec l'apparition d'un enfant au milieu de ce qui faisait déjà le charme de la série des Montalbano – les personnages hauts en couleur, la tendresse du regard sur un coin de Sicile – le commissaire gourmet et ronchon va être confronté pour la première fois aux Services secrets, incarnation d'une Italie occulte et malfaisante.

La Voix du violon d'Andrea Camilleri
A la suite d'une sortie de route provoquée par un de ses hommes, Montalbano découvre le cadavre d'une femme nue dans une maison située à la limite de son « territoire » officiel. Au cours de son enquête, il se heurtera à l'hostilité des autorités et à l'acharnement d'un collègue qui n'hésite pas à attribuer le meurtre à un attardé mental. Une nouvelle occasion pour le commissaire de montrer son courage et son grand cœur.

« Le Marseille de Philippe Carrese »
Le Bal des cagoles de Philippe Carrese
Spécialité marseillaise, la cagole est la cible idéale de la mode clinquante à bon marché, des casting de top-model dans les arrière-cours des bars de quartiers et des beaux mâles bruns à gourmettes dorées, toison pectorale développée et bagnole à jantes larges. Félix est une cagole, une authentique, une des quartiers nord. Félix est enceinte. Et Félix ne le sait pas. Pas tout de suite. Car voilà le vrai sujet du livre : *Le bal des cagoles* est le premier polar intra-utérin !

« Made in England »
Tournée générale ! de Charles Higson
Dennis Pike a choisi le mauvais jour pour arrêter de fumer. Ce matin-là, le pain est rassis, le lait a tourné, et en plus il y a un toxico mort dans l'ascenseur. Avec *Tournée Générale !*, embarquez-vous dans un voyage à deux cents à l'heure à travers une Angleterre déjantée.

« Un bon petit gars »
Raides dingues d'Olivier Mau
Rien ne va plus au royaume d'Angleterre : un psychopathe est en liberté. Et si vous croyez vous embarquer dans une énième histoire de tueur en série, détrompez-vous ! Une kyrielle d'autres personnages tout aussi déjantés vous attend au tournant. De Londres à Shanghai, chacun poursuit son idée avec une application criminelle qui ne vous laissera pas une minute de répit.

« Bienvenue dans la post-Italie ! »

Portes d'Italie : anthologie présentée par Serge Quadruppani
Voici dix-huit récits inclassables qui flirtent avec tous les genres, l'histoire érudite et l'humour trash, le polar classique et l'horreur subtile, l'érotisme et la politique, la SF et le fantastique. Et autant d'auteurs. Vieux routier du « Noir » ou jeune espoir en littérature, éditeur ou librettiste d'opéra, ils ont tous su créer des univers singuliers.

« Une tragédie moderne, violente et désespérée »

A fleur de peau de Joel Rose
Joey, petit junkie blanc, devenu par jalousie l'assassin de sa femme, reste enlisé dans la souffrance de ce meurtre. Après dix-sept ans de détention, il sort en liberté conditionnelle grâce à l'intervention d'un producteur de cinéma. Joey croit alors échapper à une vie saccagée. C'est sans compter avec l'amour fou et la loi du destin.

« Scoppettone en majesté »

Donato père et fille de Sandra Scoppettone
Des crimes rituels ont pour cible les nonnes catholiques de New York. Pour débusquer celui que l'on baptise déjà le « Surineur », le Lieutenant Dina Donato s'oblige à surmonter les rancœurs familiales et se décide à faire équipe avec le meilleur flic qu'elle connaisse : son père.

« New York Story »

Petits meurtres à Manhattan de Jason Starr
Pour Joey DePino, la vie pourrait être douce. Et même agréable, s'il avait un meilleur job, s'il vivait ailleurs que dans un deux pièces sur la Dixième Avenue et si sa femme cessait de se plaindre. Oui, la vie pourrait être carrément géniale si la chance lui souriait à nouveau. Car Joey a une passion dévorante : le jeu. Et lorsque la pègre s'en mêle et lui réclame son dû, Joey imagine un plan délirant…

Cet ouvrage a été imprimé
sur presse Cameron
*par **Bussière Camedan Imprimeries***
à Saint-Amand-Montrond (Cher)
en août 2001

FLEUVE NOIR – 12, avenue d'Italie
75627 PARIS – CEDEX 13
Tél. 01-44-16-05-00

N° d'impression : 013731/1.
Dépôt légal : septembre 2001.

Imprimé en France